Georges Montforez

Les enfants
du marais

Gallimard

Georges Montforez est né en 1921 à Chaudoc, en Cochin-chine (aujourd'hui le Viêt-nam), de parents originaires de Roanne, dans la Loire. C'est à Roanne qu'il passera son enfance et sa jeunesse et écrira un premier roman ainsi qu'une série de nouvelles.

Il entre à la fin de la guerre aux P.T.T. où il poursuit une carrière qui le conduit successivement à Paris, Saint-Étienne, Marvejols, Nantes, Loudun, Issoire et Firminy où il décède en 1974.

Après *Les enfants du marais*, Georges Montforez a publié quatre autres romans aux Éditions Gallimard : *La presqu'île Martin, L'ombre d'un chêne, Le pacte, La glaisière*. Il est aussi l'auteur de nouvelles, de scénarios de bandes dessinées et de nombreux contes pour enfants.

I

Ragris avançait sur la mousse, un genou en terre, en tirant son panier. Le muguet fleurissait partout, groupé ici, clairsemé là. Les fleurs graciles se dressaient entre deux feuilles et Ragris avait toujours le sentiment qu'elles se repliaient craintivement sur elles-mêmes quand il tendait ses doigts pour pincer la tige, d'un coup d'ongle. Chaque brin représentait une pièce de deux sous, et pour l'acheteur de demain une année de bonheur. Le panier était presque plein mais Ragris serrait encore de nouvelles bottes contre l'osier. Quand son genou s'enfonçait dans la mousse, une forte odeur de pourriture végétale montait de la terre. De drôles d'insectes s'enfuyaient maladroitement. Il y avait de tout au pied des arbres : brindilles et nervures, aiguilles de pin, glands vides, feuilles de châtaigniers réduites à l'état de dentelle. Il respirait à pleins poumons cette odeur aimée des sous-bois. Son dos lui faisait mal. Son genou, à force de plonger dans le frais tapis, devenait insensible. Le bras gauche tirait le grand panier par l'anse et le bras droit allait de fleur en fleur, inlassablement, depuis l'aube. Une autre encore. Une autre, la dernière. Mais il allait toujours de l'avant car chaque brin représentait une pièce de deux sous. Quand sa main fut pleine, il lia le tout avec son dernier bout de raphia. Il restait tout juste une petite place pour cette botte dans le panier. Alors Ragris se redressa en ronronnant de plaisir parce que son dos lui faisait encore plus mal. Il sourit, heureux et las. Et, comme un litre de vin fraîchissait dans la rivière, près du vieux pont, il y alla.

Pignolle était assis sur la berge, les pieds dans l'eau. Il contemplait avec ravissement ses orteils qui émergeaient seuls et remuaient doucement, comme de gros baigneurs flegmatiques. Ragris fut saisi de crainte quand il vit l'expression béate de son ami. Son inquiétude se trouva justifiée. Le litre, couché dans l'herbe, était vide. L'extase, dans les yeux chassieux de Pignolle, fit place à la terreur quand Ragris parut. Ses orteils disparurent sous l'eau. Il se leva précipitamment, ses mollets ruisselants, et dit d'une voix larmoyante :

— Tu es déjà là ! Je commençais à m'inquiéter.

Ses paroles se contredisaient comme chaque fois qu'il était embarrassé. Il se dandinait, remontait son pantalon en se tortillant, ôtait de sa boutonnière une primevère dont la présence n'était pas souhaitable dans l'orage qui se préparait. Mais Ragris ne parlait pas. Seulement, il fronçait les sourcils, il serrait les mâchoires et cela ne présageait rien de bon. Il posa son panier et alla se laver les mains et le visage dans la fraîcheur du pont, un peu plus haut, là où le courant n'était plus souillé par le nuage crasseux provoqué par les doigts de pied de Pignolle. Des vairons et des loches, pris de panique, tourbillonnaient autour de l'image de Ragris. Il passa machinalement sa langue sur ses lèvres mouillées car il avait très soif. Pignolle suivait timidement, triturant la primevère dans sa main. Ragris ne parla pas. Il prit son panier et gagna la route.

Il marchait très vite, son grand buste un peu déporté sur le côté à cause du panier. Une immense détresse envahit Pignolle. La primevère n'était plus qu'une pâte verte et gluante dans sa main. Fébrilement, il chercha ses souliers dans l'herbe et se chaussa en jurant parce qu'un lacet se rompit. De temps à autre il regardait la route où la haute et noble silhouette de Ragris s'amenuisait. Enfin, il empoigna son panier puis, ayant repoussé d'une chiquenaude son chapeau sur la nuque, il se mit à trotter derrière son ami.

Il y avait chez Ragris un air de majesté naturelle qui forçait l'admiration. Cela venait peut-être de sa belle stature — épaules larges, taille fine — ou de ce qu'il se tenait toujours très droit. Il avait de jolies moustaches comme les Américains dans les films. On se demandait comment un être pareil pouvait vivre seul. Pignolle se posait la question en trottinant sous le soleil ardent. Moi qui suis petit et pas beau comme lui je me suis bien placé. Il est vrai que les femmes sont incompréhensibles. Peut-être qu'il était trop difficile.

Mètre par mètre, Pignolle gagnait du terrain. Les bouquets sautaient dans son panier. C'était un petit panier à fruits, celui qu'utilisait sa femme pour cueillir les fraises au jardin, trois fois plus petit que celui de Ragris. Et il n'était même pas plein. Les bottes avaient surtout des feuilles. Quelques petites clochettes à peine ouvertes, jaunes, étaient fripées par les heurts de la course. Tandis que Ragris s'enfonçait dans le bois, Pignolle s'était cantonné sur la lisière, n'osant s'éloigner du ruisseau où baignait le litre. Il essayait de se justifier : un vagabond aurait pu venir et voir le litre. Il avait bu après la première botte. Il était revenu après la seconde. Mais comme les bottes étaient de plus en plus petites, il venait de plus en plus souvent s'assurer que le litre était toujours là. Il s'était bien promis d'en laisser la moitié à Ragris, même il l'avait appelé pour l'inviter à boire, sans trop forcer la voix il est vrai. Il ne restait plus qu'une goutte dans le litre, la valeur d'un demi-verre, une misère. Le litre allégé ne tenait plus dans l'eau. Pignolle venait de le vider quand Ragris était revenu.

« Je suis un monstre, se disait-il. Faire ça à un gars comme Ragris, si bon pour moi. »

La bonté de Ragris remuait son cœur d'ivrogne. Il se remémorait toutes les bonnes actions de Ragris : les sous qu'il apportait des fois à sa femme, les sucettes aux gosses, et tout le poisson, et tout le bois l'hiver. Un gars qui donnerait sa chemise.

« Un monstre que je suis. Tiens, j'ai le cœur plus dur que ce caillou. »

Furieusement, il donna du pied dans le caillou qui rebondit sur le talus et disparut sous les ronces. Ragris allait à grandes enjambées, en fixant l'horizon. Il vit l'ombre de Pignolle à son côté mais il ne ralentit pas. Il n'accéléra pas non plus et Pignolle reprit espoir. Il se mit à marcher près de lui, sans oser parler, étreint par le remords. À la dérobée, il guettait le beau profil de Ragris. Pourquoi regardait-il toujours ce peuplier, là-bas ?

Mais Ragris regardait au-delà du peuplier. Il songeait qu'avec Pignolle ce serait décidément toujours pareil. Pas plus de volonté qu'un enfant. Et cette femme et ces trois gosses à nourrir. Et sa cueillette dérisoire. Demain, il ne ferait pas trois francs de recette et encore il les boirait. Ragris regardait au-

12

delà du peuplier les trois gosses qui criaient la faim. Mais déjà il pardonnait parce qu'il ne pouvait bouder longtemps. D'ailleurs il n'avait plus soif. Et Pignolle devait avoir tellement honte! Pourtant, il se refusait à parler le premier. L'autre devrait affronter cette épreuve.

Ils marchèrent encore un moment sans un mot. Pignolle suivait le train péniblement, parce qu'il avait des jambes courtes et un semblant de bedaine. À la fin, il risqua timidement :

— J'ai une cigarette, si tu veux.

— Donne.

Ils s'arrêtèrent pour prendre du feu. Les allumettes tremblaient dans la main de Pignolle. Il en rata deux. Enfin il tendit la flamme à Ragris, tout près des belles moustaches. William Powell n'a pas les pareilles. S'il voulait quitter le marais, Ragris, il se ferait une bonne situation n'importe où. Il présentait bien. Dans un costume neuf, il ferait autant d'effet qu'un bourgeois. Mais s'il quittait le marais... L'angoisse étreignit Pignolle à cette pensée. Un matin, Ragris serait parti vers la gloire et la porte de sa cabane abandonnée claquerait seule dans le vent. Le marais, privé de son dieu, ne serait qu'une plaine croupissante qu'envahiraient progressivement les roseaux. Et alors, la misère n'aurait plus à se gêner. Elle entrerait chez Pignolle par toutes les ouvertures des murs et du toit, par les moindres fissures de la tôle ondulée et des voliges de sapin.

Ragris, les yeux mi-clos, tira goulûment plusieurs bouffées et murmura dans un soupir :

— Tu es quand même un beau salaud.

Pignolle en convint d'un hochement de tête. Il répondit en fixant obstinément ses chaussures :

— Je ne voulais pas, je t'assure. J'ai bien pensé

à toi puisque je me disais que je devrais te laisser du vin.

— Tu aurais pu garder le litre. Il était consigné.

— Si tu veux, je vais retourner le chercher.

Il était prêt à tous les sacrifices. Malgré ses pieds meurtris, il serait volontiers retourné au pont pour connaître la joie du pardon.

— Non, dit Ragris. Nous avons deux heures de route et il est près de midi. Dépêchons-nous.

Comme ils arrivaient au peuplier, une charrette les dépassa. Le conducteur arrêta son cheval. Il se retourna et dit :

— Si vous voulez, les gars, je peux vous mener un bout de chemin.

— Ce n'est pas de refus, dit Ragris.

Il n'aurait pas demandé. Trop fier pour cela. Une fois qu'il était fourbu, avec un plein cageot de mousserons sur l'épaule, il avait fait signe à un automobiliste tout seul dans une grande Peugeot. L'autre ne s'était pas arrêté. Et même il avait haussé les épaules avec l'air de dire : crois-tu que je vais m'arrêter pour un cul-terreux comme toi ? C'est pourquoi Ragris ne demandait plus rien. Même pas à une carriole. Il avait sa fierté. Mais puisqu'on lui proposait, c'était différent. Il posa son panier à l'arrière puis il monta lestement et s'assit à côté du fermier. Celui-ci avait un bon visage rouge au poil blond, trois mentons sanguins et de gros sourcils broussailleux sur des yeux clairs. Il portait une blouse bleue très ample. Ragris serra sa main calleuse — la main gauche car l'autre tenait le fouet et les guides. Le cheval se remettait en route de lui-même, bien que Pignolle ne fût pas encore monté. Ses petites jambes n'atteignaient pas le marchepied. Ragris le hissa par le col.

14

— Que voulez-vous faire de tout ce muguet ? demanda le paysan.

— Nous allons le vendre demain matin en ville, répondit Ragris.

— C'est à peine croyable. Les gens se plaignent que la vie est chère et ils achètent des fleurs. Tenez, moi qui vous parle, je n'arrive pas à vendre mes pommes de terre.

— Le muguet porte bonheur, constata Pignolle. Pas les pommes de terre.

— Alors, je devrais être rudement heureux parce que tout le bois derrière nous m'appartient. Et c'est plein de muguet.

Pignolle se dit que le muguet de ce bois ne pouvait porter bonheur à son propriétaire puisque les fleurs étaient cueillies au fur et à mesure de leur floraison. Et puis le bonheur ne pouvait pousser ainsi tout bêtement sur la terre d'un fermier. Le bonheur se paie, comme le reste. Il coûte deux sous le brin. Il allait exposer à voix haute ce très subtil raisonnement mais la prudence lui conseilla de se taire. En effet, le fermier revendiquerait peut-être pour lui seul l'heureuse efficacité de ses bois dont il interdirait l'accès. Et l'année prochaine il faudrait courir encore plus loin pour trouver d'autres fleurs. D'ailleurs, la conversation changeait de cours. Le fermier se lançait dans l'énumération de ses malheurs et cela promettait de durer : la grêle, le doryphore, la fièvre aphteuse, le prix excessif des sulfates. Pignolle somnolait. Les yeux mi-clos, il voyait à travers le rideau de ses cils sauter lourdement la croupe du cheval. La chaleur montait de la route en une vapeur scintillante. Il y avait dans l'air des senteurs d'aubépine et de crottin.

Pignolle dormait, la tête brimbalante. Il ne sentit

15

pas que Ragris le prenait doucement par l'épaule et le calait contre lui. Dans son rêve, le paysage environnant se transformait. La plaine se hérissait de joncs et s'éclairait de grandes flaques d'eau. Au-dessus d'une masse de roseaux bleuâtres s'élevait un vol de sarcelles. Des silhouettes prenaient corps. Assise sur une bourriche, Paméla essayait un châle qu'elle avait acheté à une gitane. Lui, Pignolle, plantait des fleurs pour Paméla et, de temps à autre, lui disait un mot gentil. On avait la paix. Les trois gosses étaient partis à l'herbe pour les lapins. Et voilà qu'un grand gars de trente ans qu'on n'avait jamais vu s'avançait avec une assiette. Il disait : « Bonjour, je m'appelle Ragris. Je suis chez le vieux de la cabane verte. Il vous envoie cette anguille. » Il avait posé l'assiette sur le tas de bois et il était reparti. Paméla le regardait s'éloigner en caressant le châle. Pignolle plantait sa bêche toute droite dans la terre noire et disait : « Ne te dérange pas, Paméla. Je vais m'occuper du dîner. » Et il était rentré pour faire cuire l'anguille.

Le bruit aigre de l'essieu brouilla tout. La voix du fermier rougeaud disait : « Je ne vais pas plus loin. » Pignolle s'éveilla et vit qu'il avait dormi contre l'épaule de Ragris. Devant eux, la Loire coulait, enserrant des bancs de sable blond. Ragris prit la main du fermier en disant : « Pour les vendanges, ça peut se faire. On ira vous aider. »

Ils descendirent avec leurs paniers. La voiture tourna à droite, dans un joli chemin bordé de hêtres. Le fermier criait : « Hue, dia ! » Et le cheval agitait gaiement la queue. Ils disparurent derrière un noisetier mais on entendit encore deux ou trois fois : « Hue, dia ! » Le cheval ne voulait pas reprendre le trot.

16

Ils s'engagèrent sur le pont suspendu en même temps qu'un motocycliste. Sous les trépidations de la machine, le pont se mit à osciller. Au-dessous, l'eau roulait. Des barbillons, vautrés dans le sable, luisaient au fond. Une souche qui descendait le courant se retourna.

Ils marchèrent en silence. Ragris n'était pas très bavard, mais Pignolle avait toujours besoin de parler, surtout quand il avait dormi. Il lui fallait rattraper le temps perdu. Il rêvait souvent à Paméla bien qu'elle fût partie depuis dix ans. Au réveil, son image était encore très nette. Il revoyait son front pur, ses grands yeux noirs, ses longs cheveux. Il entendait son rire éclatant. Cela ne durait pas ; le visage s'estompait rapidement. D'ailleurs Pignolle n'essayait pas de retenir cette image qui le chagrinait. Il y avait toujours quelque chose pour l'en distraire. Cette fois, ce fut la souche. Elle buta dans un banc de sable et revint à sa position primitive.

Ils retrouvèrent la terre ferme. Ragris allait le long du talus et Pignolle suivait, faisant quatre pas pour deux de Ragris. Ils étaient sur une grande route, c'est pourquoi il n'était pas possible de marcher de front, surtout avec la largeur des paniers. Plusieurs automobiles les dépassèrent. L'une roulait au moins à soixante-dix.

« Soixante-dix ! grogna Pignolle. Au moins soixante-dix. C'est un fou. »

Ragris fit avec sa tête un signe d'assentiment. Ils marchaient donc l'un derrière l'autre mais ce n'était pas commode pour la conversation. Le grand panier envoyait dans la figure de Pignolle un parfum suave et discret.

— Tu as fait une belle récolte, dit-il.

— Hein ?

— Tu as fait une belle récolte.

— Je m'en suis donné la peine.

Il y avait là, sans doute, une légère allusion au litre mais Pignolle voulut l'ignorer. Il reprit :

— Sais-tu que tu en as au moins pour deux cents francs !

— Hein ?

La conversation était impossible. Allez donc parler à un homme qui vous tourne le dos sur une route ! Pignolle piqua un trot et vint se ranger près du grand panier. Tant pis pour les voitures. Il répéta :

— Je dis que tu en as pour deux cents francs.

— Plus que ça. Je compte deux cent cinquante, peut-être trois cents.

Pignolle fit entendre un sifflement d'admiration. Un autocar passa et lui frôla les fesses. Il se remit derrière en ronchonnant. Ils longèrent l'arsenal. Des pyramides d'obus se rouillaient dans l'herbe. Les toits en dents de scie des usines bornaient l'horizon. Les derniers ouvriers de midi enfourchaient leur bicyclette. L'un d'eux s'arrêta pour pincer son pantalon. Un gardien fermait les portes. Puis ils traversèrent la cité, de longues maisons, sans étage, pleines de fleurs et de gosses. Il en sortait une odeur de ragoût, de soupe aux choux et de frites. Enfin, ils quittèrent la route et empruntèrent un sentier qui traversait une immense terre inculte. Ce n'était qu'un chemin pour une personne mais il n'y avait ni fossé, ni clôture. Ils purent marcher de front, à la grande satisfaction de Pignolle.

— Où vendrons-nous le muguet ? demanda-t-il.

— Tu feras la sortie de la messe. Moi, je m'occuperai de la brasserie.

— Je préférerais la brasserie, risqua Pignolle.

18

— L'an dernier, tu as eu la brasserie. Tu te souviens?

Pignolle baissa la tête. Il se souvenait. Un coin bien agréable, cette terrasse. Le beau monde y venait prendre l'apéritif en écoutant les violons.

Pignolle offrait sa marchandise de table en table et les affaires allaient leur train. Il savait s'y prendre, Pignolle. Il s'adressait toujours à la dame : « Un peu de muguet, Mademoiselle. C'est du bonheur pour l'année. » Le monsieur sortait son porte-monnaie. Il ne pouvait pas faire autrement. Les coquettes aiment ces attentions. Et puis il y avait cette histoire de bonheur qui produisait toujours son effet. Les bourgeois sont superstitieux, encore plus que le menu peuple. Seulement, dès qu'il avait quelques sous en poche, Pignolle s'en allait au comptoir. Après, les beaux messieurs sortaient leur monnaie de plus en plus vite, pressés d'éloigner ce vagabond qui puait le vin. Pignolle s'attardait, faisait des vœux pour la dame tandis que le bourgeois rongeait son frein et Pignolle se disait qu'il avait la bosse du commerce. Pendant ce temps, Ragris faisait une bonne recette sur les marches de l'église Saint-Louis. Quand il eut vendu son dernier bonheur, il se rendit à la brasserie et trouva un Pignolle fin saoul, écroulé sur une chaise et faisant devant quelques noceurs l'éloge de l'antique Paméla. Le patron le regardait de travers mais n'osait intervenir parce que les noceurs reprenaient des consommations pour mieux écouter la suite de l'histoire.

— Viens, dit sévèrement Ragris.

Ce fut comme une douche qui tomba sur Pignolle. Dégrisé, il se leva et s'avança humblement sur ses jambes faibles. Au passage, il cassa trois verres. Ragris paya ; il fut sifflé par les noceurs. L'un soutenant l'autre, ils regagnèrent le marais par des rues peu fréquentées.

— Chaque fois que tu es saoul, grondait Ragris, tu parles de Paméla. Depuis le temps qu'elle t'a plaqué, laisse-la donc tranquille.

— Elle était si belle, geignait Pignolle.

— Tu as une autre femme. Mélie n'est pas mal non plus.

— Pas le même genre. Paméla, c'était une madone. Elle aimait le beau, les soieries, les fleurs. Mélie, elle crie trop.

Comme ils arrivaient, Ragris avait donné la moitié de son argent à Pignolle...

Ils évoquaient, chacun pour soi, cette pénible scène. Ragris se disait que cette fois encore il lui faudrait remettre la moitié de ses bouquets à Pignolle dont la récolte était invendable. Mais pour le lendemain, il avait pris ses dispositions. Pignolle vendrait devant l'église. Le bistro le plus proche était un ami. Ragris lui passerait la consigne : ne rien servir à Pignolle. Même pas un petit canon à cinq sous. Ils boiraient ensemble à midi. Tout de même, Pignolle avait trois gosses ; il ne devait pas toujours compter sur les amis !

Le passage à niveau fit diversion. Il fallait attendre ; un train de marchandises faisait la manœuvre. Pignolle se prit un pied dans les rails ; Ragris l'arracha d'une secousse, comme un poireau. Ils s'engagèrent dans la rue des Échoppes. Les ménagères vaquaient à leurs occupations. Les unes rentraient du marché, d'autres, qui avaient déjà mangé, vidaient l'eau de vaisselle dans le ruisseau. Elles regardaient passer ces deux gars pleins de muguet et se disaient : « Tiens, c'est demain le premier mai. Et ça tombe un dimanche.» Un dimanche premier mai, c'était double fête. Une matrone balayait son pas de porte. Elle souffla, tint le balai droit devant elle comme une hallebarde et posa une main sur sa hanche pour mieux regarder passer le muguet. Pignolle était sensible à cette attention. Une brunette qui puisait de l'eau à la fontaine leur sourit. Il lui tendit une fleur.

— C'est ça, dit Ragris, joue au fiancé, tu en as déjà tellement de muguet.

— Je pense que cette petite mérite son bonheur gratuitement, répondit Pignolle.

Ragris ne dit rien. Il n'était pas contre. Même, il appréciait le geste. Peut-être l'aurait-il fait lui-même en d'autres circonstances, c'est-à-dire seul, car c'est à lui que la brunette avait souri. Le tacot débouchait de la rue Rabelais. Son tu-tu vainqueur effraya trois pigeons qui s'envolèrent d'un toit. Tane conduisait la machine. Ragris et Pignolle le hélèrent. Tane tourna vers eux son visage noir de suie et leur fit de la main un grand bonjour. Les trois wagons s'éloignèrent en cahotant.

— C'est Tane, expliqua Pignolle. Il est de service.

Ragris répondit à peine. Il était fatigué. Le panier était lourd. Il changea de bras.

— Veux-tu que je porte un peu ton panier? proposa Pignolle.

— Pas la peine, maintenant, on arrive.

Ils tournèrent dans la rue du Marais, une rue morne, sans magasins, mais on y respirait déjà un air nouveau, plus frais, avec une vague odeur d'herbage et de vase. La rue finissait bêtement : un terrain vague, une construction abandonnée, puis encore deux pâtés de maisons de part et d'autre : à gauche, le marchand de charbon et de bière, puis une scierie ; à droite une ferme qui tournait le dos. On ne voyait que ses murs épais, sans ouvertures sauf les trous ronds des écuries et son toit bas couvert de mousse. La rue se resserrait. C'était un coin que Ragris aimait bien. Il était arrivé par là, en 1919, et c'était comme aujourd'hui. À gauche, les tas de charbon et les caisses de bière, le sol noir, puis la sciure et les copeaux et la plainte des scies ; de l'autre côté, le mystère des étables, les meuglements, le bruit de meule des mâchoires et le cliquetis des chaînes. Ragris aimait cette odeur de bois frais qui se mêlait à celle des bêtes et des lentilles d'eau. Tout de suite après, c'était le marais.

La cabane verte était bâtie au bord de l'unique chemin carrossable qui traversait la plaine marécageuse et prolongeait la rue. Celle de Pignolle s'érigeait cent mètres plus loin, un peu en retrait, tas informe de planches rafistolées et recouvertes de toile goudronnée, tandis que la cabane verte évoquait à la fois un minuscule chalet suisse et une roulotte enterrée. À cette saison de l'année, les saules qui limitaient la plaine avaient un vert particulier et la cabane se confondait dans la féerie végétale. Seule la tanière noirâtre de Pignolle tranchait dans le paysage.

Ragris était passé par là par hasard en 1919. Il y était resté. Il allait sur le chemin. Un vieil homme était assis devant la cabane verte. Il paraissait si vieux et si las que Ragris s'était arrêté.

— Eh bien, le père, ça ne va pas ?

Le vieux avait levé vers ce passant un œil glauque et soumis. Il avait répondu d'une voix chevrotante :

— Non, ça ne va pas très bien.

Ragris était entré. Il avait fait coucher le vieux

(23)

separable degree of $\bar{E}$ over F $[E:F]_s$ = card. of an ext.

                               of $\bar{F} \to \bar{F}$ to $E \to \bar{F}$

$[E:k] < \infty$. E is separable over k if $[E:k] = [E:k]_s$

$\alpha.$ alg. over k is separable over k if $k[\alpha]$ is sep. over k

         [i.e. $Irr(\alpha, k, X)$ has no mult. roots.]

$f \in k[X]$ is sep. if it has no mult. roots.

Ⓧ $k \subset E$ — is sep. over k ($\Leftarrow$) each $\alpha \in E$ is sep. over k.

         f inite $\Rightarrow$ $k \subset k(\alpha) \subset E$ is sep. over k. use

                             ($\Leftarrow$ $E = k[k_1, ..., k_n]$) use

                                         for

puis il l'avait soigné. L'autre se laissait faire docilement. Ragris alluma du feu bien qu'on fût à la fin de l'été, puis il fit la soupe. Le soir, le vieux se sentait déjà beaucoup mieux. Il dit :

— J'ai posé des lignes dans l'étang. Il faut que j'aille les relever.

— Non, reposez-vous. Où sont-elles ?

— Le chien vous conduira.

Il y avait un vieux chien noir, presque aussi vieux que le vieux, autant que peut vieillir un chien. Il dormait dans un coin, mais il se mit sur ses pattes comme s'il avait compris. Ragris le suivit sur une sente tortueuse entre les touffes de joncs. Il y avait trois lignes. Ragris amena deux tanches et une grosse anguille qui résista longtemps. Mais le crin était solide. L'anguille, en se débattant, l'avait emmêlé en plusieurs points. L'hameçon était au fond de sa gueule. Elle se tortilla lourdement sur l'herbe, épuisée par la lutte, et le chien jappait autour d'elle.

Le vieux fut tout réjoui à la vue de l'anguille.

— Il y a longtemps que je n'en ai pas vu de pareille, bredouilla-t-il. Si tu veux la vendre, tu en tireras un bon prix. L'anguille est beaucoup plus recherchée que la tanche.

— Nous la mangerons demain. Vous avez besoin de nourriture. Mais je ne sais pas la dépouiller.

— Je te montrerai. Tu restes ?

— Deux ou trois jours. Il y aura bien une place pour moi. Je repartirai quand vous serez guéri.

— Ça ne tardera pas. Je n'ai jamais été malade et j'ai quatre-vingt-douze ans. Merci de rester.

Le lendemain, il lui montra pour dépouiller l'anguille.

— Tu la prends par la tête et tu écorches dessous. Et tu tires. La peau vient toute seule, comme pour un lapin. Il y en a qui aiment mieux le faire tout de suite après la pêche parce que la peau glisse mieux. C'est d'accord. Seulement, la chair reste moins ferme. Ça y est, tu as trouvé le coup de main.

Ragris tirait la peau qui venait facilement, comme un étui de satin. De son lit, le vieux suivait l'opération, s'appuyant sur un coude, sa casquette sur l'oreille. Il n'ôtait jamais sa casquette. Ses petits yeux brillaient au fond des orbites. Il était mieux. Il demanda :

— Tu n'avais jamais fait ça de ta vie, hein?

— Non, jamais. J'ai fait un peu tout, mais pas ça.

— Tu es adroit.

— Il faudra me donner une poêle pour la faire cuire.

— Dans le placard. Tu trouveras du persil derrière la cabane.

— Et les tanches?

— On les fera une autre fois. Dans le baquet, on peut les garder vivantes des semaines. Avec l'anguille, on a bien assez pour nous deux. Même beaucoup trop. Le vieux hésita et dit encore :

«Tu devrais en porter la moitié à Pignolle.»

— Je veux bien. Qui est Pignolle?

— Le gars qui habite l'autre cabane, plus loin. Il a trois gosses toujours affamés et une femme jamais pressée de faire la cuisine. Paméla, qu'elle s'appelle. Ce sont les gosses de Paméla d'ailleurs, pas les siens.

— Donnez-lui plutôt les tanches. Pour vous, l'anguille est meilleure.

— Oh! je mange si peu. Nous prendrons d'autres anguilles, pas si grosses que celle-là, bien sûr, mais elles abondent. Et Pignolle adore l'anguille. Il sera content. Pauvre Pignolle! Remarque bien, il est heureux comme il est, du moment qu'il peut regarder sa Paméla, tout va bien. Elle passe son temps à se peigner, à se faire des risettes dans la glace. Et toujours bien nippée. Les gosses crient la faim et Pignolle fait la soupe.

— Je vais lui porter la moitié de l'anguille.

C'est comme cela que Ragris avait connu Pignolle. Le vieux reprenait le dessus. Il n'avait pas beaucoup d'appétit mais le peu qu'il prenait lui profitait. Le sang affleurait de nouveau à ses pommettes fripées. Il buvait ses trois ou quatre verres de vin rouge dans la journée, par petites gorgées, en clapant la langue et en se frappant la cuisse de contentement. Il trottait comme un lapin. Avec lui, Ragris connut les bons coins pour placer les lignes. Ici, il y avait encore des carpes. Elles se faisaient rares. Les roseaux gagnaient du terrain et le poisson perdait progressivement ses lieux de fraie. Le vieux montra l'endroit le plus profond, deux mètres et plus. On y allait avec la barque. Il indiqua les passages qui serpentaient entre les mottes de joncs, contournant la vase traîtresse.

«Dans ce trou, expliqua-t-il, une vache égarée s'est enlisée en 1859, l'année de Magenta. Je m'en souviens comme si c'était hier. Elle a braillé pendant une heure tant qu'elle a eu la tête à l'air. Le bonhomme de la ferme a essayé de la tirer avec une corde. On s'y est tous mis. On était quatre! On a seulement réussi à étrangler la vache et la vase a eu le dernier mot. Le bonhomme de la ferme est resté jusqu'à la nuit devant le trou à pleurer sa vache. Il n'y a pas si longtemps, on voyait encore un bout de corde. L'année de Magenta! Si tu avais connu le marais dans ce temps-là!»

Le vieux avait une petite moue désappointée qui en disait long. Il n'expliquait pas. Il ne savait pas expliquer une chose pareille. Ragris ne posait pas de questions. Il imaginait ce que pouvait être cet endroit soixante ans plus tôt. Beaucoup plus d'eau. La ville était plus éloignée, groupée au bord de la Loire. Les nuées de canards sauvages s'y posaient à la migration. Toutes sortes de bêtes y gîtaient. Et le vieux avait soixante ans de moins.

Le huitième jour, quand le vieux s'éveilla, Ragris était à la porte. Les bras nus, le front soucieux, il regardait le ciel. Le vieux décrocha sa casquette à la tête du lit et la posa sur sa toison blanche. Il s'assit et dit :

— Tu es debout sur le chemin et tu regardes le ciel comme un gars qui va se remettre en route. Vas-tu repartir ?

— Je ne sais pas.

— D'où viens-tu ?

— De nulle part. J'ai travaillé cet été avec des bûcherons dans le Velay. Après la coupe, je suis parti

— Pour où ?

— Mon idée, c'était vers Mâcon, pour les vendanges.

— Alors, il est temps de partir.

— Oui.

— Mais après les vendanges, tu repartiras encore. Il faut savoir se fixer un jour. Reste.

— Que ferai-je ici ?

— Tu seras libre. Pas besoin de travailler pour les autres, de loger chez les autres. Je te donnerai ma cabane et mon bateau. Le marais peut encore nourrir son homme un bout de temps. Et puis, quand on a de bonnes jambes, on peut faire les bois et les rivières de la montagne. Moi je ne peux plus. Mais je n'ai jamais manqué de rien. Et des fois, pour changer d'air, tu peux toujours aller te louer à droite ou à gauche. Mais tu restes libre. Tu comprends, dans une ferme, le journalier c'est l'hôte, pas le valet.

— Je vais faire chauffer le café. Le temps est clair. J'irai poser des lignes.

Il était resté. En octobre, on fêta les quatre-vingt-treize ans du vieux dans la cabane verte. Pignolle vint. Les hommes firent la cuisine. Paméla, dans sa plus belle toilette, souriait, assise, en caressant ses belles mains. De temps en temps, elle donnait une claque aux gosses qui se battaient mais son visage n'exprimait pas la colère. Elle ressemblait à une reine. Le vieux grommelait pour Pignolle : je ne comprends pas qu'on s'embarrasse d'une femme pareille. Mais elle n'entendait pas. Ragris sentait le regard de Paméla posé sur lui. Au dessert, elle chanta une chanson espagnole. Pignolle la contemplait avec des yeux humides.

Le vieux se cramponna jusqu'aux premiers froids. Il mourut en décembre, sans maladie. Il s'éteignit pendant que Ragris déblayait la neige devant la porte. Son chien ne lui survécut pas longtemps. Paméla s'enfuit au printemps suivant avec un rémouleur de passage. Elle emmena ses trois gosses et deux lapins de six mois. Pignolle était absent pour la journée. Quand il rentra, il trouva la cabane vide, le clapier vide. Il n'y avait plus les cris des gosses ; il n'y avait plus le sourire angélique de Paméla. Pignolle alla plusieurs fois de la cabane au clapier pour s'assurer de son malheur, puis il s'en fut pleurer chez Ragris.

II

La porte était ouverte. Il y avait un mot sur la table. « Je suis venu avec l'intention de déjeuner avec vous. J'ai apporté un poulet cuit. Il est dans le placard. Je ne puis vous attendre car j'ai rendez-vous avec mon notaire. Si vous allez chanter le mai cette nuit, passez me prendre. Je serai des vôtres, Amédée. »

Ragris posa le panier de muguet avec un soupir de soulagement. Il frotta son bras fatigué en parcourant le billet des yeux. Pignolle, qui ne savait pas lire, reconnut la belle écriture. Il dit : « C'est Amédée. Que veut-il ? »

Ragris relut le billet à voix haute. Puis il ajouta :

— Il aurait pu refermer la porte.

— Amédée est très étourdi, expliqua Pignolle que l'idée du poulet rendait indulgent.

Il ouvrit le placard. Le poulet était là, les cuisses droites, la tête enfouie dans le ventre ouvert. Pignolle riait. Amédée était un vrai copain.

— Mais il n'a pas mangé, lui. Le poulet est intact.

— Non, tu vois, répondit Ragris en sortant deux assiettes. Il était pressé de voir son notaire. Il nous aura attendu jusqu'au dernier moment.

Ragris posa sur la table deux verres et un litre de

28

vin. Le plaisir de se retrouver chez soi le rendait loquace. La cabane était propre, bien ordonnée. Il l'avait consolidée et repeinte — en vert. Une autre couleur n'aurait pas plu au vieux.

Pignolle s'assit et dit :

— Je vois que tu mets deux assiettes. Tu veux que je mange avec toi ?

— Bien sûr. Si tu rentres chez toi, tu verras que les gosses n'auront rien laissé. Le poulet est pour tout le monde.

Par scrupule, Pignolle regarda au-dehors. Ses trois gamins jouaient devant leur cabane. Ils lançaient des pierres sur la cheminée. L'une d'elles retomba lourdement sur la toiture. Mélie sortit en glapissant, un torchon à la main. Les trois gamins s'enfuirent en hurlant de terreur. Mélie rentra en agitant le torchon. Les trois gosses se calmèrent un moment et reprirent le jeu.

Pignolle soupira et dit :

— Tu as raison, je reste. D'ailleurs Mélie en est à la vaisselle.

Ils engloutirent le poulet, deux fromages de chèvre, et vidèrent le litre. Ils se sentaient bien. Pignolle desserra son pantalon et se cura les dents. Ragris roula une cigarette. La porte était ouverte. Le marais s'étendait, qu'avril finissant parait des plus beaux verts. Les joncs chevelus frémissaient. Des pâquerettes émaillaient le bord du chemin. Plus loin, un saule trapu et voûté méditait près d'une touffe de genêts en fleur : un de ces mariages insolites auxquels se complaisait la nature en cet endroit. N'y avait-il pas, derrière chez Pignolle, un prunier sauvage amoureusement enlacé par du chèvrefeuille ? Dans l'ombre de la porte, le panier de muguet offrait ses mille clochettes au printemps.

Pignolle, son cure-dent furetant dans une molaire, observa que c'était du très beau muguet. Ils en tireraient une bonne somme.

— Tu as parlé de deux cent cinquante francs, au moins, dis, Ragris?

— Oui, à condition de tout le vendre. Et je m'en charge.

— Qu'allons-nous faire avec deux cent cinquante francs?

Il parlait comme s'il était bien entendu qu'on partagerait la recette. Ragris sourit et ne répondit pas. Pignolle jeta son cure-dent parmi les pâquerettes. Il était ébloui par les possibilités d'achat que représentait une somme de deux cent cinquante francs. Cent vingt-cinq pour lui.

— J'achèterai une casquette neuve, dit-il posément.

Ragris essaya d'imaginer Pignolle avec une casquette neuve, mais ce fut en vain; on ne l'avait jamais vu avec du neuf. Bien qu'il ne fût pas beaucoup plus ancien que Ragris, Pignolle ressemblait à une chose très usagée qui faisait partie intégrante du marais. Il avait toujours une barbe de trois jours. «Comment peut-on avoir en permanence une barbe de trois jours?» se demandait Ragris. Visiblement, Pignolle avait honte de sortir quand il était rasé de frais. Sans cette toison drue au menton, il se sentait nu et faible. De même pour les vêtements. La Mélie s'en plaignait assez. Dans un pantalon neuf, par exemple, Pignolle se trouvait mal à l'aise. Il n'osait plus bouger. Il y fallait, selon lui, quelques reprises, quelques taches, pour être en accord avec le paysage. Alors, plus besoin de prendre de précautions. On pouvait désormais vaquer en toute tranquillité à ses occupations, boire et manger, sans se soucier de la boue, des barbelés, ou des gouttes de vin qui vous tombent sournoisement sur les genoux. Vraisemblablement, la casquette neuve serait abandonnée deux ou trois nuits aux intempéries. Elle y gagnerait de la souplesse, notamment dans la visière que Pignolle voulait cassée, et cette patine indispensable au travailleur du marais.

— On se fera peut-être bien encore quelques sous cette nuit, dit-il, poursuivant son rêve.

— Possible, répondit Ragris. Cela dépend. Il y a des quartiers qui rapportent plus que d'autres.

— Où irons-nous chanter ?

— Je pensais qu'on pourrait faire les villas de la côte, autour de chez Amédée.

Pignolle approuva. Il y avait de très belles maisons dans le voisinage d'Amédée, entourées de parterres fleuris. Il serait agréable de chanter au clair de lune, le long des jardins. Les bourgeois se montreraient sensibles à la poésie d'une telle nuit et tendraient la pièce. C'était bien le moins. On leur apportait le bonheur à domicile.

Amédée posa le livre des *Caractères* sur ses genoux et médita. Chaque portrait de La Bruyère trouvait une illustration parmi ses connaissances. Les titres étaient biffés et remplacés par des noms : celui d'un banquier, d'un marchand de quatre-saisons, d'un pharmacien, d'une vieille comtesse qui venait autrefois pérorer à la maison, tous les samedis de quatre à six. Des gens de toutes les classes, de toutes les professions. Amédée soupira et se dit que les hommes n'avaient pas changé. Il voulut reprendre sa lecture mais le soleil déclinait rapidement derrière le cèdre. L'ombre envahissait le pavillon. Il posa le livre parmi d'autres sur un sac de son et sortit

À cette heure où tombait la nuit, il se trouvait toujours désemparé. Il était obligé de quitter le pavillon, son refuge, où le manque de lumière ne permettait plus la lecture, mais il était trop tôt pour entrer dans la maison familiale dont le carré grisâtre s'érigeait entre les arbres, comme une invite, car son père, gâteux antique, et sa sœur, Adélaïde la folle ne s'étaient pas encore retirés dans leurs chambres. Restait le jardin. Amédée allait d'un petit pas de philosophe, les mains croisées derrière le dos, sur l'allée tapissée de pissenlit et de mouron. Des parfums l'accueillaient. Les giroflées poussaient en vrac parmi les roses. Ici et là, des tulipes dégénérées qu'on ne sortait jamais de terre s'obstinaient à reparaître chaque année. Elles n'avaient qu'une discrète odeur de pivoine, mais elles se complaisaient à caresser les jambes d'Amédée, quand il passait, pour attirer son regard. Plus loin, des anémones d'une beauté insolite fleurissaient dans l'herbe. Il leur était reconnaissant de ce miracle. Mais l'enchantement du jardin venait des violettes. Elles foisonnaient, groupées, serrées, envahissantes. Leur parfum subtil montait dans le soir. Amédée en cueillit trois qu'il huma en fermant les yeux et glissa dans sa boutonnière. Puis il s'en fut rendre visite aux lapins.

Ils grattèrent le grillage en le voyant. Les mères sautaient lourdement sur la paille. Les jeunes se tenaient assis, l'oreille au guet, le nez sans cesse en mouvement. Rien n'est plus éloquent que le nez d'un lapin. Il exprime l'ennui, l'inquiétude ou la faim, la méditation aussi. S'il était donné à un lapin de lire les *Caractères* de La Bruyère, son nez remuerait ainsi pour dire tout le contentement que procure à un lapin cultivé une telle lecture. Ils appelaient en labourant le grillage à coups de griffes, dans l'espoir d'obtenir une poignée d'herbe pour la nuit. Seul le géant des Flandres demeurait impassible, les oreilles pendantes, feignant de dormir. C'était un orgueilleux. Même quand on lui tendait une carotte, il faisait semblant de ne pas la voir, attendant que le généreux donateur fût parti pour l'engloutir.

À part le géant des Flandres qui était par trop imbu de lui-même, Amédée avait beaucoup de sympathie pour les lapins. C'étaient des bêtes tranquilles, contentes d'un rien, et silencieuses. Pas comme les poules, par exemple, qui prennent des airs importants devant un grain de blé et ronchonnent des heures entières avec des coups de tête saccadés comme les commères qui veulent tout voir et tout critiquer en même temps. Une fois, les lapins s'étaient enfuis. Adélaïde leur avait ouvert les portes. Cinquante lapins lâchés dans une terre vierge de deux mille mètres carrés ! Amédée relisait Pascal — ce mentor de génie. Il était installé dans le pavillon quand Adélaïde revint, avec son sourire niais, entre les bordures de violettes. Elle marchait doucement, dans sa longue robe incolore, les cheveux défaits comme Ophélie en chantant d'une voix monocorde *les Chevaliers de la lune*. Deux lapins la suivaient, heureux de l'aubaine. Pourquoi n'y a-t-il pas de lapins dans *Hamlet* ? Le mouvement de leur nez meublerait d'éloquence et de mystère les grands silences dont s'honore toute bonne tragédie. Adélaïde jeta son dernier refrain et rentra avec un sourire confiant. Amédée posa le livre sur le sac de son, puis se mit en devoir de commencer la chasse.

Pascal a tout prévu, sauf la fuite des lapins. Heureusement, Pignolle et Ragris passaient à cet instant sur le chemin. Ils s'arrêtèrent pour considérer Amédée. Il poursuivait ses bêtes. Elles lui échappaient toujours. Parfois il reprenait son souffle et s'essuyait le front en maudissant Adélaïde. Il vit les deux hommes et leur proposa :

— Les gars, si vous voulez me donner un coup de main, je donnerai bien un lapin à chacun de vous.

C'est ainsi qu'ils s'étaient connus. La chasse avait duré deux heures. Puis les trois hommes s'étaient assis dans l'herbe, heureux et las. Leur belle amitié datait de ce jour. Elle expliquait la sympathie d'Amédée pour ses lapins, sauf ce géant des Flandres avec ses grands airs. Amédée leur distribua un peu d'herbe et remonta vers la maison. L'ombre gagnait. Le père était sur le perron. Il guettait la première étoile, selon son habitude. Il rentra précipitamment quand il vit Amédée, en mâchonnant sa rancune. Depuis longtemps, ils ne se parlaient plus. Amédée avait eu le tort de refuser le mariage avec une jeune fille qui avait cinq cent mille francs de dot et autres espérances, de quoi remettre la maison en état et de vivre décemment. Le père n'avait jamais pardonné.

Amédée passa sous les fenêtres de sa sœur. Toc! toc! Il ne se retourna même pas. C'était le bruit familier que faisait la folle en cognant la vitre avec sa bague. Elle restait ainsi des heures entières debout derrière sa fenêtre, les yeux fixés sur le chemin, dans l'attente du prince charmant. Toc! toc! Elle attendait depuis 1914 un petit lieutenant de bonne famille. Parfois, quelqu'un passait derrière la grille. Adélaïde regardait, perplexe, le doigt en l'air. Le passant n'avait rien d'un petit lieutenant. Toc! Le doigt retombait.

Une fois cependant — l'année dernière — un gar
çon de trente ans était passé. Il avait des cheveux
noirs bien peignés, la raie au milieu, une figure pou
pine comme l'élu d'autrefois. Adélaïde était sortie en
courant, l'œil en feu. Dans son refuge, Amédée reli
sait précisément *Hamlet* — chaque événement
s'associait au souvenir d'une lecture. Il était sorti à
son tour. Adélaïde courait après l'homme et l'appe
lait. L'autre s'enfuit à toutes jambes. On eut toutes
les peines du monde à faire rentrer Adélaïde.

Toc! toc! puis plus rien. La nuit était faite. On ne
pouvait plus voir passer les gens sur le chemin. Ce
n'était pas encore aujourd'hui que reviendrait le
prince charmant. Adélaïde quittait la fenêtre à re
gret. Elle allait dîner, comme le père, d'un bol de
soupe froide, d'un fromage rance. Puis ils se retire
raient et Amédée pourrait enfin rentrer, maître des
lieux, avec pour compagnons le trottinement d'une
souris ou le craquement des meubles séculaires.
Mais il ne rentra pas. C'était la nuit de mai qui des
cendait sur la terre. Il sortit pour aller au-devant de
ses amis.

Pour bâtir sa demeure, le grand-père d'Amédée
avait choisi une prairie en pente douce, à une lieue
de la ville, près d'un chemin bordé de noisetiers. Il
n'y avait pas d'autres constructions dans un rayon
de cinq cents mètres. C'était écrit noir sur blanc
sur le journal de l'aïeul : «Aujourd'hui, premier
mai 1850, l'entrepreneur m'a rejoint sur le futur
chantier. Il tempête parce qu'il lui faudra charrier
ses matériaux jusqu'ici : la côte est rude ; le chemin
est impraticable (l'entrepreneur exagère). Pour
quoi ne pas construire plus près du centre ? Il y a
de bons terrains pour pas cher. Mais j'ai tenu bon

Je veux que ma maison soit là et pas ailleurs. La ville montera toujours assez tôt le long des chemins. »

C'était un type bien, le grand-père. (Il y avait de lui un portrait défraîchi dans une des chambres du premier étage, inhabitée depuis longtemps.) Pour aller à ses affaires, il disposait d'un joli tilbury et d'un poney. Entre deux lectures, Amédée se plaisait à imaginer le poney trottant dans le chemin étroit, et les branches de la haie sauvage caressant la voiture. C'était la prospérité. Le grand-père avait des bijoux, des livres par centaines, et des actions un peu partout. Toute cette fortune avait fondu avec le temps. Et la ville était montée le long des chemins que bordaient maintenant d'élégantes villas.

Pour Pignolle et Ragris, le premier mai était l'occasion de gagner beaucoup d'argent en vendant un brin de bonheur aux citadins. Pour Amédée, ce jour évoquait l'année 1850, la pose d'une première pierre, la fondation d'une dynastie. Maringue — l'entrepreneur s'appelait Maringue. On avait retrouvé d'anciennes factures — Maringue pérorait au milieu du pré. Il demandait une plus-value, à cause de l'éloignement. Le grand-père écoutait distraitement. Il souriait à son futur domaine. Du bout de sa canne à pommeau d'argent, il montrait un coin du pré et disait : « Ici, je planterai un cèdre. » Le premier mai ramenait invariablement ces images dans l'âme tendre d'Amédée. Il regrettait qu'on eût brûlé le tilbury. Mais il fallait bien se chauffer ! On avait dû vendre la canne à pommeau d'argent. Cela n'avait pas rapporté grand-chose ; de quoi changer quelques tuiles sur la maison. La ville avait acheté les livres, mais on avait sauvé le journal, faute d'acquéreur. Amédée avait recueilli pieusement ces deux cents feuillets jaunis où le grand-père se plaisait à noter certains faits qu'il jugeait importants.

Amédée allait à petits pas au-devant de ses amis. Il se demandait s'il n'aurait pas mieux fait d'épouser Mlle Hortense, quand on lui jetait dans les bras cette fille sèche et dévote. Cet apport aurait permis de continuer l'œuvre du grand-père, de tenir son rang, d'avoir un jardinier et peut-être une automobile. Mais quand on fonde une dynastie, on a le désir d'être dignement continué, d'avoir une descendance de choix, des arrière-petits-enfants râblés et lucides. Avec Mlle Hortense, pas question. Elle aurait enfanté de jeunes guenons faméliques, handicapées dès le berceau par des principes et un code bourgeois immuables. Amédée se souciait peu d'être continué. À quoi bon léguer la misère ? La fortune du grand-père n'avait pas été dilapidée. Elle s'était amenuisée d'elle-même, progressivement, comme une vieille femme que l'âge ratatine. La maison finirait aussi par s'écrouler sur ses occupants. Les poutres maîtresses gémissaient déjà, les soirs d'hiver, à se demander si Maringue n'avait pas lésiné sur la marchandise...

Pignolle expliquait qu'il achèterait une casquette neuve et un rasoir mécanique quand l'ombre d'Amédée s'allongea devant lui. Ragris remercia pour le poulet. Il trouvait spontanément les mots qu'il fallait. Amédée, qui était pourtant brillant causeur, se sentait embarrassé quand il croyait nécessaire d'expliquer un bon geste.

— C'est le moment pour les poulets. Et je me suis dit : je vais aller faire un tour au marais et je leur porterai un poulet. Vous étiez au muguet ?

— Oui.

— D'habitude, vous y allez le soir. C'est mieux. Le muguet est plus frais le lendemain.

— Aujourd'hui, c'est samedi. Et l'après-midi, le bois est plein d'amoureux qui font la cueillette. Ce matin, on était tout seuls. Pas vrai, Pignolle ?

— Vrai, confirma Pignolle. On n'a vu personne.

Pignolle avala sa salive et remonta son pantalon, très fier qu'on eût sollicité son approbation. Amédée demanda :

— Où chanterez-vous cette nuit ?

— Ici. Enfin, dans ton quartier.

Amédée observa un silence. Il dessina machinalement un petit carré dans la terre avec la pointe de son soulier. Puis il dit :

— Alors, je n'en suis pas.

— Pourquoi ?

— Écoutez, les enfants, je n'ai jamais refusé de me joindre à vous. Mais là, chez les voisins, je ne peux pas.

Et il ajouta gravement : « C'est une question de dignité. »

À quoi Pignolle rétorqua : « Mais l'art n'a rien à voir avec la dignité. » Quand Pignolle n'était pas saoul il avait parfois de ces phrases sublimes. Il y mit tant de conviction qu'Amédée en parut ébranlé. Ragris en profita pour enchaîner :

— Que ce soit là ou ailleurs, je ne vois pas la différence. Les autres années, tu chantais avec nous et tu ne parlais pas de ta dignité. D'abord, comme le dit justement Pignolle, la dignité n'a rien à voir là. (Pignolle se rengorgea.) On a choisi ton quartier cette fois parce qu'on ne l'a jamais fait et les gens sont riches.

— Ce ne sont pas les riches qui donnent, répondit Amédée. Les riches n'aiment pas le bonheur. Il y aurait beaucoup à dire là-dessus, ajouta-t-il avec un regard profond vers la lune.

Ragris comprit qu'il allait se lancer dans un exposé qui n'en finirait plus sur la conception du bonheur selon la fortune. Ce n'était pas le moment. Il dit :

— Les riches donnent pour avoir la paix. Ils aiment mieux qu'on aille brailler ailleurs. Ils sont contents quand on s'en va casser les oreilles de leurs voisins. Mais, pour nous, au fond, pas d'importance. L'essentiel, c'est qu'ils donnent l'argent.

— Dans le temps, répondit Amédée, notre maison était la seule au bord du chemin. Et puis les bonnetiers y sont venus bâtir leurs villas. Moi qui te parle, je les ai vus devenir riches. Je ne m'abaisserai pas à chanter pour eux.

— C'est de l'orgueil, éclata Ragris.

Amédée ne pensait pas que ce fût de l'orgueil. Il s'était déjà posé la question plusieurs fois dans la solitude du pavillon. Sa conclusion était qu'un vieil arbre doit mourir en beauté sans lécher les pieds des jeunes pousses qui vivent de sa propre agonie. Ce n'était pas de l'orgueil mais de la décence. En somme, il était en avance sur les bonnetiers ; il avait déjà franchi l'étape de la prospérité. Ensuite, l'important était de ne pas déchoir. Bien sûr, il n'aurait pas refusé de chanter dans un autre quartier bourgeois, mais ces bourgeois-là, il ne les aurait pas vus grandir. Le problème était là où Maringue avait bâti la maison du grand-père et pas ailleurs.

— Allez-y sans moi, dit-il. On fait de meilleures recettes quand on n'est pas connu. D'abord, je chante comme une casserole. Tu l'as dit toi-même.

Ragris en convint. Il l'avait dit. Mais cela ne signifiait pas qu'Amédée chantât mal. Seulement, dans son arrière-gorge, naissait parfois le timbre léger de l'aluminium entrechoqué. Ce n'était pas désagréable. Voilà ce que Ragris avait voulu dire. De plus, Amédée chantait juste. Il avait appris le solfège. Autrefois, un professeur montait à la maison trois fois par semaine pour enseigner le piano. (On avait vendu le piano pour acheter une cuisinière.)

— Si tu ne veux pas venir, reste, dit Ragris brusquement. Viens, Pignolle. On n'a pas de temps à perdre.

Pignolle le suivit docilement. Amédée les regarda s'éloigner, très ennuyé. Il les rappela.

— Oh! les amis, écoutez un peu. Moi qui connais le coin, je peux vous donner quelques tuyaux.

Ragris s'arrêta et Pignolle en fit autant avec trois pas de retard. Amédée les rejoignit.

— Dans ce coin, vous ferez des sous, dit-il. C'est sûr. Mais attention. Vous allez voir une maison rose...

— Avec cette nuit, on ne verra pas la couleur des murs, objecta Ragris. Il écoutait, les yeux baissés, la mine sévère. Pignolle s'efforçait à la neutralité. Amédée se sentait en faute. Il se montrait obligeant.

— La lune se lèvera et vous verrez la couleur. De toute façon c'est la troisième maison à droite.

— Et alors, qu'a-t-elle, cette maison?

— C'est un banquier. Il n'aime pas le bruit. Son domestique est un noir, un Sénégalais de deux mètres. Il vaut trois bouledogues. J'ai entendu des femmes dire à leur gosse : « Si tu n'es pas sage, je te ferai manger par le nègre. »

— On pourrait peut-être laisser tomber le banquier, proposa Pignolle prudemment.

— Pas question, dit Ragris. On fera le banquier aussi. Après tout, il ne donnera que l'argent des autres.

— Le nègre, risqua timidement Pignolle qui ne mesurait qu'un mètre soixante...

— La nuit, tous les hommes sont noirs.

Il n'y avait rien à répliquer. Pignolle n'insista pas. Amédée conseilla quelques maisons où les gens étaient sociables, d'autres qu'on ne pouvait approcher sans danger. Ici, c'était un docteur. Il avait des jours bons, des jours mauvais, selon son asthme. Là un grand danois, la gueule toujours ouverte mais il était attaché. Amédée citait d'autres villas ; Ragris eut un geste qui rejetait ces détails inutiles. On verrait bien. Il partit, flanqué de Pignolle. Amédée rentra chez lui tristement.

III

Le gosse pleurait depuis vingt minutes. Son père se creusait la tête pour trouver le moyen de le faire taire. Désemparé, il faisait le tour du berceau, usant alternativement de mots tendres et de jurons pittoresques. Mais le gosse n'avait aucun sens des nuances. Quoi qu'elle exprimât, la voix paternelle manquait de charme, c'était visible. Il continuait de brailler avec une constance qui forçait l'admiration. « Si je savais seulement ce qu'il veut », songeait le père infortuné. Mais allez donc savoir ! Le gosse n'avait pas quinze mois. Rose et blond, assis sur l'oreiller, cramponné aux montants du berceau, il hurlait toujours, les yeux secs, réclamant le tribut du sommeil. L'ennui c'est qu'il fallait chaque soir une nouveauté. Le père essaya ses grimaces classiques. Durant une semaine, le pied de nez avait obtenu des résultats. Maintenant, le tyran exigeait des singeries plus subtiles. Le père fit comme s'il cherchait des puces, piochant au hasard dans sa chair avec deux ongles qu'il faisait péter l'un sur l'autre. Il ajoutait à cela des sautillements expressifs et roulait des yeux étonnés à l'adresse de la puce imaginaire. Ce fut en vain. Le gloussement de la poule le fit taire trente secondes. Puis le père imita successivement le cri de la caille, de la chouette, du coucou, et aussi celui du coq. L'échec fut total. Au cri du coq cependant, le bébé marqua un temps d'arrêt. La bouche ouverte, attentif, il jugeait. Le coq n'ayant pas donné satisfaction, il se remit à hurler avec d'autant plus d'énergie qu'il avait pu reprendre son souffle.

Découragé, le père s'assit. Une grande paix descendait en lui : celle du renoncement. Puisqu'il n'y avait rien à faire, il fallait laisser pleurer l'enfant. C'est écrit dans les manuels de puériculture. On dit même que c'est bon pour les poumons des nouveau-nés. Le père imagina qu'il s'endormait dans un lit confortable, avec le silence autour de lui. Le truc allait réussir. Il tombait dans une torpeur agréable, bercé par les cris devenus lointains. Mais les hurlements atteignirent alors une note suraiguë, de quoi rendre jalouse une chanteuse d'opéra. Le tympan à vif, le père bondit. Les oiseaux ayant échoué, il essaya les mammifères. À quatre pattes il marcha sur le tapis en contrefaisant la vache. Ce meuglement nostalgique intéressa l'enfant qui se pencha pour mieux voir et battit des mains. Le père espérait de toutes ses forces. Il meugla de plus belle. Puis il meugla debout ; il meugla en couchant le gosse, puis en le bordant. Risquant le tout pour le tout, il s'arrêta de meugler. Le gosse ne réagit pas. Il était satisfait ; le numéro lui avait plu ; il l'emporterait dans son rêve. Il suçait son pouce et de l'autre main tortillait son voile. C'était gagné. Il fallait affronter la dernière épreuve.

Le gosse ne s'endormait pas sans un objet dans la main. Le père lui proposa successivement un ourson en peluche, un coquetier, une timbale et une lampe de poche. Ce n'est pas prévu dans les manuels de puériculture mais il y avait une lampe de poche à portée de la main. L'enfant rejeta dédaigneusement ces objets l'un après l'autre. Dans l'intervalle il tortillait sa moustiquaire, attendant la prochaine offrande. Il accepta une cuiller et ferma les yeux, son petit corps secoué de hoquets brefs et de longs soupirs. Son front têtu accueillait le sommeil. Le père attendit un moment, suspendu entre la crainte et la joie, puis il quitta la chambre sur la pointe des pieds.

C'est à ce moment que la chanson monta du jardin.

> *Dans la cour d'un palais*
> *Tout le long d'un guet*
> *Joli mois de mai...*

Debout dans l'allée, baignés de clair de lune, Pignolle et Ragris chantaient le bonheur à pleine voix. Le sang du père ne fit qu'un tour. Il allait sortir, prêt à tuer. Le temps d'ouvrir la porte, la sagesse lui conseilla de négocier. Il tendit vingt sous aux deux hommes et dit rapidement :

— Maintenant, fermez-la. Filez, filez vite !

Pignolle empocha la pièce mais il voulut discuter.

— Du moment que vous le donnez de mauvaise grâce, dit-il, la chanson sera sans effet. On va vous chanter le deuxième couplet, vous verrez, il est bien.

— N'en faites rien, dit sourdement le père. Je ne vous paie pas pour chanter, mais pour vous taire.

Ragris serra le bras de Pignolle et lui ordonna :

— Rends les vingt sous.

Le père larmoyait :

— Allez chanter ailleurs. Le gosse vient de s'endormir. Vous n'avez donc pas de gosses?

— Paméla en avait trois, expliqua Pignolle. Maintenant, j'en ai trois aussi, mais ce ne sont pas les mêmes.

— J'espère que le petit dormira bien, dit Ragris. Bonsoir, Monsieur. Allons viens, Pignolle.

Le père serra des mains, poussa les chanteurs. Dieu merci, le gosse dormait toujours.

— Je ferme la porte, dit Pignolle.

Le père voulut crier non, parce qu'il savait que la grille du jardin se rabattait violemment. Trop tard. Le claquement résonnait dans la nuit, suivi d'un long tressaillement de ferraille. Pignolle et Ragris étaient déjà loin. Ils n'entendirent pas les hurlements du gosse ni le juron extraordinaire du père.

Ils tournèrent à droite, remettant à plus tard les villas cossues, à la grande satisfaction de Pignolle qui redoutait le nègre et le danois signalés par Amédée. Cette rue était bordée de maisons modestes. Ils s'arrêtèrent devant la première et supputèrent leur chance. La maison avait bonne mine. C'était un petit pavillon fait de briques rouges, flanqué d'un jardinet où deux poiriers en fleur faisaient une tache blanche. Il y avait de la lumière à l'intérieur.

— On y va? interrogea Pignolle.

— On y va.

Ragris compta . un, deux; mais Pignolle leva la main.

— Minute, dit-il, je voulais te faire remarquer une chose. À la fin du troisième vers, tu ne traînes pas assez sur *mai*.

— Il n'y a pas à traîner; autrement tu manques l'effet de la reprise qui suit.

Pignolle eut une moue d'incertitude.

— Je veux bien, admit-il. Mais ta reprise justement ne fait que répéter le premier vers.

— Sans cela, ça ne serait pas une reprise.

— Alors, pas besoin de la mettre en valeur. N'oublie pas qu'on chante le mai, donc il faut insister sur ce mot. Tu vois : Joli mois de mai-ai-ai...

— La chanson est comme ça et celui qui l'a faite s'y connaissait mieux que nous.

La fenêtre s'ouvrit. Un petit vieux les regarda par-dessus ses lunettes. Une petite vieille parut à son tour. Elle avait aussi des lunettes, mais elle regarda par-dessous.

— Tu vois bien, dit l'aimable vieillard à sa femme, ce ne sont pas des voleurs. Les voleurs ne causent pas la nuit.

— Alors, qu'est-ce qu'ils veulent? demanda l'épouse en secouant son chignon blanc.

— Faites excuse, Madame, dit Ragris. On est venu pour chanter le mai.

— C'est en effet le 30 avril aujourd'hui, remarqua l'époux. Comme le temps passe !

— Vraiment, dit gaiement le chignon blanc. Il y avait longtemps qu'on n'était venu chanter le mai par ici. C'est une tradition qui se perd. Chantez donc, mes amis, cela porte bonheur.

Une, deux, trois, ils y allèrent :

> *Dans la cour d'un palais*
> *Tout le long d'un guet...*

— En Bourgogne, chuchota la vieille, on ne la chantait pas de la même façon.

— Tais-toi, écoute, répliqua le vieux.

Pignolle fit traîner le mai comme c'était son idée. Ragris dut l'attendre pour la reprise. Ils chantèrent trois couplets et Pignolle tendit la main. Mais la petite vieille déclara :

— Il y a douze couplets. Dites les autres.

— C'est pas souvent qu'on en redemande, observa Pignolle.

Il se racla la gorge. Un, deux, trois. Ils attaquèrent le couplet suivant, celui du cordonnier. La chanson racontait qu'un boulanger, un valet de chambre et un cordonnier courtisaient la même jeune fille. Le cordonnier avait la préférence parce qu'il faisait de beaux souliers en maroquin, chose qu'on ne pourrait obtenir d'un mitron ou d'un larbin.

La vieille murmura pour le vieux :

— À la fin, ça parle d'un rossignol. Je me rappelle bien.

— Tais-toi, écoute, trancha le vieux agacé. Il s'intéressait à la chanson et surtout aux chanteurs. Pignolle redressait sa petite taille et clamait avec conviction la gloire du cordonnier. Il y mettait beaucoup de sentiment, risquant même parfois un trémolo bien que Ragris lui eût déconseillé ces fantaisies, car il manquait de souffle ; aussi les chevrotements de Pignolle tournaient court et finissaient comme des hoquets. Quand il voyait venir ce danger, Ragris forçait la voix pour le dominer car il tenait à faire bonne impression. La chanson devait être de qualité. C'était normal, puisque les gens payaient. À l'occasion de chaque pause, Pignolle remontait son pantalon. Un, deux, trois. Le couplet sept disait les ennuis que faisaient les parents de la fille au cordonnier. Le petit vieux écoutait avec ravissement. Cette chanson qui se perdait lui rappelait son enfance. Son regard allait d'un chanteur à l'autre.

Ragris avait une diction très nette. (La petite vieille buvait ses paroles, attendant impatiemment le rossignol.) Sa voix grave allait bien avec celle de Pignolle. L'année précédente, grâce au timbre métallique d'Amédée qui avait prêté son concours, ils avaient obtenu des effets saisissants dans le quartier de la gare. Un, deux, trois. Le huitième couplet ne vint pas. Chacun des deux compagnons attendait que l'autre commençât. Leur mémoire les trahissait.

— C'est bête, dit Pignolle. On n'a pas l'habitude d'aller si loin.

La petite vieille les aida. Elle chantonna d'une voix fluette :

>*Malgré tous nos parents*
>*Tout le long d'un guet...*

— Merci, dit Ragris.

Ils continuèrent. Mais à la fin du couplet dix, tous leurs efforts furent vains pour retrouver la suite.

— Pensez, dit Pignolle, ça fait des années qu'on ne dépasse pas le cinquième. Et par contenance, il remonta son pantalon. La petite vieille elle-même avait oublié les deux derniers couplets, ceux qui parlaient précisément du rossignol. C'était dommage. Il y eut des applaudissements. Sur le perron de la maison voisine, deux petits garçons en chemise de nuit criaient bravo. Leur mère vint les prendre par la main. Elle dit :

— C'est fini, maintenant, allez vous coucher.

Elle jeta une pièce de monnaie aux chanteurs et

ferma sa porte. Pignolle tendit sa casquette. Le petit vieux chercha dans ses poches et ne trouva rien. Sa femme dit :

— Je vais chercher dans la boîte.

Elle s'en fut, trottinant dans la pièce. On entendit le bruit d'un tiroir et celui d'une boîte qu'on ouvrait. La vieille dame revint, consternée.

— Je n'ai pas moins de cinq francs, larmoyat-elle. Je ne peux tout de même pas vous donner cinq francs.

— Certainement pas, répondit Ragris. Pignolle gardait prudemment le silence. Il aurait bien accepté les cinq francs, d'autant plus qu'ils avaient chanté dix couplets.

— Vous comprenez, s'excusa le vieux, ça nous gênerait.

— On n'a pas de monnaie, sauf vingt sous, dit Pignolle. C'est dommage de partir sans rien, pour une fois qu'on la chante toute. Remarquez, vous pouvez payer en nature.

L'idée plut aux vieillards. Ils donnèrent un litre de vin et trois œufs de leurs poules, puis ils fermèrent doucement les volets. On entendit encore le vieux qui disait : on ne devrait pas rester sans monnaie. Ils étaient bien braves. Et dans la réponse de la vieille il était question d'un rossignol.

Ils firent toute la rue. On les reçut bien partout. Les gens ouvraient la fenêtre, écoutaient, préparaient l'obole. Trois couplets suffisaient. On savait bien qu'il y en avait d'autres mais les gens n'avaient pas l'aplomb des deux angéliques vieillards. À vrai dire, ils ne tenaient pas à subir toute la chanson. Leur gentillesse naturelle alliée à un vieux fonds de superstition leur faisait une obligation d'écouter scrupuleusement trois couplets. Quelques sous contre la promesse du bonheur, les choses étaient réglées pour un an. C'était moins onéreux et plus efficace que ces vœux du premier janvier avec le froid et la bise. Là, le placement était sûr. Les parfums de la nuit de mai confirmaient le pouvoir de la chanson.

Ceux qui habitaient au rez-de-chaussée tendaient leurs sous à Pignolle. Ceux des étages les jetaient. Pignolle écoutait, devinant l'endroit où courait la pièce, et cherchait. Il la trouvait infailliblement. Une fois, une femme cria d'en haut : « Je vous jette dix sous. » Pignolle cueillit la pièce dans les iris, en pleine obscurité, mais il déclara froidement : « Impossible de la trouver. » La femme en jeta une autre.

C'était une bonne rue. Les poches des deux compagnons s'emplissaient de piécettes. Au numéro 37, ils gagnèrent gros sans avoir à chanter plus d'un vers. Dès les premiers mots, une tête difforme parut.

— Qu'est-ce que c'est ? balbutia le monstre.

— C'est le mai, Monsieur, dit Pignolle comme il aurait dit : c'est les ramoneurs.

L'homme avait la joue gonflée comme une citrouille et serrée dans un mouchoir noué sur la tête. Les deux pointes du nœud formaient des oreilles de chat dont l'ombre projetée sur le mur était fantastique.

— Le mai ? Je préférerais de l'aspirine. Tenez, mes amis, laissez-moi tranquille.

Il rentra et ferma la porte à double tour. Ragris examina le billet : dix francs ! Un homme qui souffre des dents est prêt à toutes les concessions pour avoir la paix. Mais la conscience de Ragris parla : « On ne peut pas accepter cela. Il n'aurait pas donné une somme pareille s'il n'avait pas souffert. »

Comme la conscience de Pignolle ne faisait qu'un avec lui-même, il sut convaincre Ragris de garder le billet tout en ayant l'air de plaider la cause de la dent malade : l'homme voulait qu'on s'en aille à tout prix. Si on sonnait pour rendre l'argent, il serait fou furieux. Ragris en convint.

Pignolle avait su trouver les mots qu'il fallait. Le vin rouge l'inspirait. Il avait bu à la dérobée la moitié du litre offert par le vieux.

La rue tournait à angle droit sans perdre son nom. Une jeune fille habitait dans la première maison. Elle s'assit à sa fenêtre qui était à moins d'un mètre du sol, si bien que les chanteurs voyaient l'intérieur de la pièce. C'était une jolie chambre rose avec, sur la cheminée, la photographie d'un artiste de cinéma. Elle écouta, mais après le premier couplet elle pria Ragris de chanter seul. Pignolle se tut, mortifié. Elle donna les sous à Ragris en disant : « Vous chantez bien. Votre ami sent le vin. »

Pignolle était debout, entre le litre et les œufs posés par terre comme il faisait devant chaque maison. Ragris prit le litre et le vida au pied d'un lilas dont les lourdes grappes fleuries retombaient mollement. Pignolle ne dit rien. Il se sentait coupable. Il prit les œufs et suivit son ami.

Ils n'eurent pas de succès avec la maison suivante. Pas de lumière à l'intérieur mais des glapissements s'élevèrent.

— Ils dormaient, dit Ragris. On les a réveillés. Viens.

Pignolle estima que c'était injuste. Il prit le temps de casser une branche du rosier qui enlaçait la grille. Ragris se retourna et cria : « Tu viens ? »

— J'arrive, répondit sagement Pignolle en arrachant une épine plantée dans son pouce.

L'heure tournait. La tâche devenait de plus en plus délicate, mais comme la nuit était chaude, les gens n'étaient pas tous endormis. Ils s'arrêtèrent pour chanter devant une maison de deux étages, ce qui était rare dans ce quartier. Une fenêtre du deuxième s'ouvrit. Un pot de fleurs vint s'écraser aux pieds de Pignolle qui demeura figé dans l'expectative. La chanson resta en suspens. La nature paraissait inquiète. Ils recommencèrent à chanter. La femme ouvrit la porte.

— Je suis désolée, dit-elle. Est-ce que vous avez du mal?

— Rien, dit Ragris, mais le pot est cassé.

Elle donna deux pièces de vingt sous. Pignolle affirma généreusement que la chanson porterait doublement bonheur. Un pot de fleurs qui se brise est un présage favorable, c'est bien connu.

Ils arrivèrent devant une maison magnifique entourée d'un jardin plein de fleurs. L'air embaumait. Ragris distingua les parfums subtils : roses et seringa. La grille était ouverte mais ils n'entrèrent pas. Ils demeuraient immobiles, stupéfaits, incrédules, car une chanson s'élevait et c'était leur chanson.

— Il y a des concurrents, murmura enfin Pignolle.

— Non, c'est dans la maison. Regarde comme c'est beau !

La grande baie qui leur faisait face s'ouvrait sur un salon richement meublé, illuminé par un lustre à sept lampes. On devinait le buste d'un homme assis qui paraissait écouter la chanson.

— Ils ne chantent pas mieux que nous, estima Pignolle.

— Si, faut reconnaître. Ils ont du métier. C'est la T.S.F.

— La T.S.F.? Faut-il qu'il soit riche. Moi qui te parle, je n'en ai jamais vu.

— Moi non plus.

La chanson fut coupée en pleine reprise. Il y eut des grésillements, puis une voix de femme parla dans une langue inconnue. Elle fut rapidement condamnée à se taire. Le silence suivit. L'homme se leva et prit un cigare.

— C'est le moment, décida Pignolle. Un, deux, trois.

Dans la cour d'un palais
Tout le long d'un guet...

L'homme sortit. Il était corpulent, bien habillé. Il marcha lentement vers les chanteurs, comme quelqu'un qui se sait chez lui. Sa démarche avait de l'élégance. Son cigare sentait bon. Il parut hésiter avant de glisser deux doigts dans la poche de son gilet.

— Bah! je veux bien vous faire l'aumône, dit-il.

— Ce n'est pas l'aumône, monsieur, s'indigna Ragris.

— Qu'est-ce que c'est alors? interrogea l'autre avec impatience, le geste en suspens.

— Nous ne sommes pas des mendiants, protesta Ragris. Viens, Pignolle.

Ils partirent. Le riche haussa les épaules et rentra chez lui. Pignolle cracha sur le portail.

Ragris marchait très vite, les sourcils froncés, sans un mot. On savait qu'il n'était pas content. Pignolle suivait, étreignant ses œufs; les sous dansaient dans sa poche.

— Il allait donner, reprocha-t-il. Si tu n'avais rien dit, on avait peut-être un billet.

— Il nous a traités de mendiants.

— C'est toi qui as prononcé ce mot.

— C'est lui qui a parlé d'aumône.

— Tu as fait le fier.

— C'est bien possible.

Pignolle se tut. À ses yeux, Ragris était souvent incompréhensible. Il avait de l'admiration pour son ami et l'estimait très supérieur à lui-même. Il y avait des choses que Ragris discernait mais qui lui échappaient totalement. Il n'insista pas.

Ils marchèrent ainsi dix minutes. La rue était encadrée de jardins sans habitations. Quelque part, une pendule sonna l'heure. Ragris s'arrêta pour écouter. Pignolle en profita pour remonter son pantalon.

— Onze heures, dit Ragris.

— Où diable y a-t-il une pendule? observa Pignolle. Je ne vois pas de maison.

— Si. Là, derrière.

Il y avait une haie de noisetiers très haute et doublée de quatre tilleuls. On devinait un mur gris entre les feuilles. Les deux amis allèrent jusqu'au bout de la haie. Un sentier coupait dans une terre en friche. La maison était au fond, ni belle, ni laide, sans fleurs autour, sans lumière. Mais Pignolle remarqua que la porte était ouverte.

— Si la porte est ouverte, dit-il, c'est qu'il y a quelqu'un. Chantons.

Ils chantèrent trois couplets, hésitèrent au quatrième, s'interrogèrent au cinquième. Rien ne bougeait dans la maison.

54

— On va jusqu'à combien? interrogea Pignolle anxieux.

— Jusqu'au dixième.

Ils allèrent jusqu'au dixième couplet. Ils auraient été plus loin s'ils avaient su le rossignol. Le plus grand silence régnait dans la maison. La porte demeurait ouverte sur l'ombre, comme une invite. Les deux amis ne savaient que penser. Pignolle fit un pas vers l'escalier en disant :

— On ne peut tout de même pas avoir chanté les dix couplets pour rien. C'est pas humain.

— Où vas-tu? demanda Ragris.

— Je vais voir.

Il se retourna et ajouta sourdement :

— J'y pense. Il y a peut-être eu un crime dans la maison.

Le fait pouvait être envisagé. Ragris suivit son compagnon. Ils gravirent les trois marches et entrèrent dans un couloir sombre qui fleurait le fromage et le papier moisi. Une porte grinça toute seule. Pignolle retint son souffle et serra très fort le bras de Ragris. Un chat noir partit entre leurs jambes.

— Qu'est-ce qu'on fait? demanda Pignolle tout ému. On part ou on reste?

— On reste, répondit fermement Ragris. Cherchons le cadavre.

Ayant fait leur promenade au clair de lune, Bébert et Marie s'en revenaient le long des noisetiers. Marie murmurait des choses très douces, sa tête posée de côté sur l'épaule du soldat. Ils arrivèrent au bout de la haie et virent de la lumière dans la maison.

— Tes patrons sont rentrés, constata Bébert.

Marie se redressa, le cœur battant. La voiture n'était pas devant le perron. D'ailleurs les patrons avaient écrit la veille, fixant la date de leur retour au début de la semaine suivante. Seule la fenêtre de la cuisine était éclairée. Marie trembla.

— Ce ne sont pas les patrons, dit-elle. Peut-être des voleurs. Viens, Bébert.

— Tu te fais des idées. Pourquoi des voleurs ? Malgré leurs grands airs, tes patrons sont encore plus fauchés que moi.

— Pourtant cette lumière ?

— Tu auras oublié d'éteindre.

— Tu crois ?

— Bien sûr.

Bébert était un honnête soldat de deuxième classe. Il avait quitté la caserne en faisant le mur pour une visite de courtoisie. Maintenant, il fallait rentrer. Minuit approchait. Bébert ne voulait pas être mêlé à une histoire de voleurs, non qu'il manquât de courage, mais il ne voulait pas d'ennuis avec ses supérieurs. Il embrassa Marie, la rassura encore et partit au pas de course. Marie entendit décroître le bruit que faisaient les souliers du cher Bébert, puis il n'y eut plus que le grand silence de la nuit. Elle se trouva seule et frissonna. Malgré sa lumière, la maison semblait morte. Marie pensa que Bébert avait raison : elle avait oublié d'éteindre. Elle marcha bravement le long des noisetiers. Le chat noir vint caresser son mollet nu. À pas de loup, elle entra. N'entendant rien, elle se dirigea tout droit vers la cuisine. La première chose qu'elle vit fut Pignolle qui remontait son pantalon. Il regardait curieusement un bibelot. Il avait un bon sourire, comme un gosse devant un jouet neuf. Marie le jugea inoffensif. Mais elle vit un autre homme, de dos, qui paraissait réfléchir. Il était si grand et si près d'elle (comme il était dans l'ombre de la porte, elle ne l'avait pas vu tout d'abord) qu'elle poussa un cri. Pignolle se retourna et dit gentiment :

— N'ayez pas peur, mademoiselle, on passait.

Ragris sortit de l'ombre. Un peu crispé, il ébauchait ce grand sourire qui lui valait tant d'amis.

— Bonjour, dit-il timidement. Ça fait plaisir de voir enfin quelqu'un ici. Est-ce qu'ils vous ont fait du mal ?

Marie avait eu un mouvement pour fuir mais le sourire de Ragris la rassura. Il était grand mais timide. Quant à Pignolle, il venait de poser trois œufs sur la table. Des hommes qui s'introduisent à minuit dans une maison pour faire du mal n'apportent pas des œufs. Un revolver encore, Marie aurait compris. Mais des œufs ! Alors, que voulaient-ils donc ces deux-là ? Justement Pignolle venait de s'asseoir sans façon et il expliquait leur présence.

— On a vu la porte ouverte et c'était tout noir. On s'est dit : c'est pas normal, peut-être qu'on a besoin de nous. Et on est entré.

— C'est bien comme ça, confirma Ragris.

— On chantait le mai, poursuivit Pignolle.

— J'ai entendu chanter, reconnut Marie. Je ne savais pas que c'était pour nous. Les patrons ne sont pas là mais je vous donnerai quelque chose.

— Pas question, protesta Ragris. On vous a dérangée.

— Pourquoi disiez-vous qu'ils m'ont fait du mal, et de qui parliez-vous ? demanda Marie en se tournant vers le grand homme au sourire.

Ragris se dandinait sur ses jambes. Il n'était pas

à son aise. Pourquoi Pignolle avait-il inventé cette histoire de crime ? De plus la jeune fille était belle et la beauté intimidait Ragris.

— Pensez, dit-il, une grande maison toute seule avec la porte ouverte. On s'est dit des fois qu'il y avait des voleurs.

Marie éclata de rire, ce qui augmenta l'embarras de Ragris.

— Je croyais aussi à des voleurs quand j'ai vu la lumière, avoua-t-elle. Maintenant je suis rassurée. Dites-moi qui vous êtes ?

— Moi, c'est Ragris. Lui, c'est Pignolle.

— Où habitez-vous ?

— Au marais. Moi c'est la cabane verte. Lui c'est la noire.

— J'aime bien les cabanes, dit Marie. Mon père était bûcheron dans les Bois Noirs. J'ai dormi des fois dans sa hutte.

— Les Bois Noirs, on connaît, affirma Pignolle. On y va en septembre pour les champignons. Hein, Ragris ?

— Oui, dit Ragris.

Il y avait sur la table une assiette avec des restes de fromage bleu, un verre et une carafe de vin. La petite avait mangé avant de rejoindre Bébert. Pignolle se servit à boire.

— Pignolle, tu n'es pas chez toi, remarqua sévèrement Ragris.

— Laissez-le faire, intervint Marie.

Sachant qu'il était absous, Pignolle vida deux verres sans remords. Ragris avait honte. Il sentit peser sur lui le regard de la jeune fille et se tourna vers elle. Il vit qu'elle avait les yeux sombres, contrastant avec la blondeur des cheveux. Il dut faire effort pour se détacher de ce regard. Un peu troublé, il appela Pignolle :

— Allons, viens. Maintenant on s'en va.

— Attends. Je prends mes œufs.

Marie les accompagna jusqu'aux trois marches. Ragris effleura involontairement son épaule dans le couloir sombre. Il lui demanda son nom.

— Marie, dit-elle à voix basse.

— Si des fois vous passez au marais, fit Pignolle en remontant son pantalon, venez nous dire bonjours. Lui c'est la cabane verte, moi la noire, celle où il y a les gosses.

— J'irai, dit-elle.

Pignolle et Ragris s'enfoncèrent dans la nuit.

Ils se retrouvèrent dans le chemin d'Amédée, bordé en cet endroit de très belles maisons qui dormaient dans leur nid de verdure. Ils ne songeaient plus à chanter. C'était trop tard. La douceur de Marie les suivait.

— Est-ce que tu crois qu'elle viendra ? demanda Pignolle.

— Non. Elle l'a dit parce que ça se fait.

De nouveau, dix pas en silence. Ragris évoquait les cheveux blonds de Marie. Pignolle sentait dans sa poche le poids des sous. Il observa que la petite n'avait rien donné pour la chanson.

— Elle a oublié, répondit Ragris.

— C'est pas régulier.

— Tu as vidé deux verres de vin. Je n'aime pas ces façons.

— Elle était d'accord.

La semonce indigna Pignolle. Il s'arrêta pour uriner contre un mur bas que prolongeait une grille. Un chien énorme bondit et tendit sa gueule blanche entre deux barreaux. Pignolle sentit le souffle chaud de la bête contre sa joue. Furieux, il injuria le chien.

— C'est un danois, dit Ragris. Une bête qui coûte cher à nourrir.

— Et ses maîtres dorment tranquillement pendant que deux pauvres gars courent les routes pour vendre leur bonheur. Admets-tu cela, Ragris ?

— C'est comme ça.

— S'ils peuvent nourrir un chien qui ressemble à un lion, ils pourraient aussi bien nous donner la pièce.

— Pas la peine de chanter, ils dorment.

— Attends un peu, je vais les faire dormir.

Pignolle coupa une menue branche à un saule et taquina le chien entre les barreaux. Le chien gronda. Pignolle redoubla d'ardeur, tout en gardant prudemment ses distances. Le chien hurla. La lumière se fit derrière les persiennes.

— Viens, dit Ragris, tu as gagné.

— Est-ce que j'ai eu tort ? demanda Pignolle en quittant le chien.

— Non, tu as bien fait. Les riches n'ont pas assez d'embêtements.

Pignolle s'attendait à un reproche. Décidément, il ne comprendrait jamais Ragris.

— Je suis bien content d'avoir pissé contre leur mur, conclut-il.

On entendit le moteur d'une voiture. Elle tourna dans le chemin et ses phares éblouirent les deux amis.

— Range-toi, dit Ragris. Le chemin est étroit.

L'auto venait sur eux mais elle ralentit et tourna une seconde fois dans une allée de sable rose. Les phares éclairèrent deux belles pelouses semées de tulipes. L'auto roulait doucement. On n'entendait plus qu'un léger ronronnement avec le crissement du sable. La masse sombre de la voiture disparut avec la lumière des phares.

C'était le banquier qui rentrait du spectacle. Son domestique noir lui ouvrit la porte. Les deux hommes étaient masqués par une touffe de feuillage; Pignolle et Ragris ne les virent pas. Sinon, Pignolle n'aurait jamais eu l'audace de proposer la chanson.

— En voilà un qui ne dort pas encore, dit-il. C'est une occasion.

— On peut essayer, dit Ragris.

Ils entrèrent dans le parc. Le sable rose était très doux sous les pieds. Une statue blanche méditait entre deux cyprès. C'était un authentique marbre grec, une de ces belles déesses de l'Olympe qui ont toujours l'air de s'ennuyer.

— Elle est belle. Qui est-ce? demanda Pignolle ébloui.

— La République, jeta négligemment Ragris.

Le banquier retira sa pelisse d'un geste las. Il était mécontent. Une panne stupide l'avait retardé et avec cela son foie le tourmentait. «Je n'aurais pas dû manger cette choucroute», se dit-il. Bambou, son domestique noir toujours souriant, lui tendit ses pantoufles. Bambou était un Sénégalais de deux mètres qu'il avait ramené de Dakar, comme il avait rapporté de Corfou la déesse grecque. Le banquier était un grand voyageur qui tenait à l'authenticité de ses souvenirs. Comme il passait une pantoufle, la chanson s'éleva.

— Assez! cria-t-il.

La chanson continua. Pignolle, que la joie d'embêter ce richard rendait audacieux, fit même trois pas en avant et chanta plus fort. Un objet fut lancé par la fenêtre. Ragris s'approcha pour l'examiner. C'était une pantoufle.

— Fais-moi déguerpir cet imbécile, dit le banquier à Bambou. En même temps, tu fermeras l'entrée du parc.

Il ajouta pour lui-même en se tâtant le foie :

« Je n'aurais pas dû manger cette choucroute. »

Le géant noir parut sur le seuil. Pignolle se tut, glacé de peur. Un dixième de seconde lui suffit pour comprendre qu'il était chez le banquier. Les dents blanches du Sénégalais luisaient dans l'ombre comme celles d'un loup. Pignolle eut une plainte brève. Il partit en flèche, le nègre à ses trousses. Ragris n'eut pas le temps de dire ouf ; les deux coureurs filaient dans l'allée.

Pignolle se sentait léger comme le vent. Il bondissait littéralement à la manière d'un chat, bien qu'il eût dans sa poche droite une cinquantaine de gros sous de bronze et dans la gauche trois œufs frais. C'est là un exploit qui fait pâlir celui du messager de Marathon. Le Noir allait à longues foulées en ricanant, tout à la joie d'effrayer l'intrus. Pignolle quitta le parc. Il freina brusquement par une savante glissade afin de tourner sur le chemin. Il courut en retenant désespérément son pantalon rebelle, la peur au ventre, les poumons en feu, la gorge sèche, croyant toujours avoir à ses trousses le nègre aux dents de loup. Mais Bambou s'était arrêté au bout de l'allée. Il avait reçu l'ordre de fermer la porte, pas de croquer le chanteur. Il le regardait fuir en riant de toutes ses belles dents blanches.

Ragris était là.

— Ne m'enferme pas, dit-il.

— Zi t'avais oublié, gazouilla Bambou. Ton copain y en a une de ces frousses !

— Tu as eu tort.

— Li patron pas content. Li n'aime pas les sansons.

— Ce n'est pas une raison. Où vais-je le retrouver, maintenant ?

— Li copain parti par là. Ti chercheras vers la rivière.

Bambou riait toujours, d'un grand rire qui ébranlait la nuit. Il tendit une pièce de cinq francs à Ragris.

— Bambou bien content, dit-il, bien amusé. Prends. Ti partageras.

— C'est beaucoup. Ça te gêne peut-être.

— Prends. Z'y dirai au patron z'ai donné dix francs.

— Merci, Bambou. Adieu.

Tandis que le Noir fermait la porte, Ragris partit. Il tenait dans une main la pièce de cinq francs et dans l'autre la pantoufle du banquier.

Pignolle courait toujours. Tous les mystères de la nuit s'unissaient pour lui faire croire qu'il était suivi. Les feuilles déplacées par le souffle de la course bruissaient doucement. Une chouette dérangée s'envolait derrière lui. Une pierre chassée bondissait dans le sillage du fuyard. Les sous dansaient dans sa poche une danse infernale. Un arbre mort tendait sous la lune ses bras fantomatiques. Tout à coup, il n'y eut plus rien. La terre ferme se dérobait. Un murmure vague et persistant s'élevait alentour. Il y avait de la fraîcheur dans l'air.

Les étoiles pâlissaient quand Ragris retrouva son ami. Il marchait le long de la rivière, mortellement inquiet. Pignolle n'avait pu aller bien loin. Le pre-

mier pont était trois cents mètres plus bas. Pignolle
avait-il seulement vu la rivière dans sa course éper-
due ? Ragris maudissait le nègre. Il s'arrêta, scruta
l'eau profonde qui gardait son secret. « S'il est mort,
songea-t-il, j'ai ses trois gosses sur les bras. » Alors,
il entendit un ronflement et trouva le trou. Pignolle
dormait, la tête plus bas que ses jambes demeurées
verticales contre la paroi. On avait creusé ce trou
pour enterrer des épluchures. Pignolle était tombé
la tête la première sur une couche de pommes de
terre ratatinées avec de longs germes blancs. Quand
Ragris l'eut éveillé, il lui fallut cinq bonnes minutes
pour comprendre la situation. Le nègre, la fuite, le
trou. Où était le nègre ? Quel imbécile avait creusé
ce trou ?

— Le trou t'a sauvé, dit Ragris. La rivière est trois
mètres plus loin et elle est profonde.

— Mince alors !

Pignolle caressait avec reconnaissance les peaux
d'orange et les germes blancs qui avaient amorti sa
chute. Il sentit dans sa poche une fraîcheur insolite.
Ses doigts tâtonnèrent dans le pantalon et rencon-
trèrent une masse visqueuse mêlée à des bris de
coquille. Les œufs ! Ragris jeta dans le trou la pantoufle du banquier.

— As-tu l'autre ? demanda Pignolle.

— Non.

— Dommage.

— Le nègre m'a donné cent sous.

— La brute ! Pour cent francs, je ne reviendrais
pas chanter dans ce parc. On a fait une bonne nuit
quand même. On devrait compter les sous.

— On n'a pas le temps. Rentrons. C'est dimanche. Il faut aller vendre le muguet.

— On ne pourra même pas dormir.

— Tu te plains ! Toi, tu as dormi pendant que moi je faisais l'imbécile à te chercher partout.

— C'est pas ma faute, gémit Pignolle. Aide-moi donc à me lever. Mes jambes sont toutes raides.

Un coq chantait le jour quand ils se mirent en route vers le marais.

IV

Le soleil monta verticalement le long du cèdre et
s'infiltra dans les fentes des persiennes. Vingt géné-
rations de mouches ayant laissé sur la vitre un voile
de points noirs, la lumière marqua un temps d'arrêt
avant d'envahir la chambre. Le livre des *Caractères*
fut éclairé d'abord. Puis le rayon lumineux révéla
Tacite, Shakespeare et le journal du grand-père. Le
visage d'Amédée grimaça quand la caresse atteignit
le lit. Il ferma les yeux très fort, essayant de retenir
ce rêve où régnait l'abondance : la maison était
repeinte en rose, le vélo avait deux pneus tout
neufs, et le facteur déposait trois lettres par jour
dans la boîte. Le mystère du rêve était dans cette
correspondance. Amédée aurait bien voulu savoir.
Il se dépêchait de les ouvrir mais déjà les enve-
loppes s'estompaient et les mots qu'il lisait étaient
inventés de toutes pièces par lui-même avec une
facilité qui sombrait dans l'extravagance. Le soleil
gagnait. Amédée décida de s'éveiller.

« Il y a parfois dans les rêves des choses curieuses
et qui semblent sans rapport, songea-t-il. Pourtant,
tout s'enchaîne. Le journal du grand-père parle de
peinture rose. Quant aux pneus, ils s'expliquent.
Un homme qui a les moyens de faire repeindre sa

maison peut se payer des pneus neufs, ce à quoi je pensais justement hier. De plus, il est bien évident qu'un facteur ne peut déposer moins de trois lettres dans la boîte d'une maison neuve. Qui pourrait m'envoyer ces lettres ? Je vois le percepteur et le notaire. Mais la troisième ?... Peut-être la facture des pneus. »

Tout en méditant, Amédée repoussait la couverture et prenait pied sur le tapis. La chambre contrastait désagréablement avec le rêve. Les meubles boiteux, rongés par les vers, chantaient leur misère au soleil de mai. L'hiver, on s'apercevait moins de leur laideur, mais dès les premiers beaux jours la lumière se faufilait partout, n'épargnant aucune ride sur le vieux visage de la maison en détresse. Le tapis effrangé se partageait en deux dès qu'on posait le pied dessus. Une latte défoncée découvrait sous le parquet incolore un amas de sciure et de bourrons de laine. Au mur, dans un cadre qui s'effritait, le portrait de la grand-mère à douze ans — tresses blondes et cerceau en main s'obstinait à sourire. Ce tableau ne parvenait pas à garder l'équilibre. Amédée le redressa. Il remit le tapis en place et poussa les persiennes.

« Il faudra que je nettoie les vitres », se dit-il comme il se le disait chaque matin.

C'était un très beau jour. Le ciel était bleu comme en juin, sans un nuage. Le soleil escaladait le cèdre, branche après branche. Un parfum léger de rose montait des jardins. Le 1er mai 1930. Amédée se recueillit. Quatre-vingts ans plus tôt, jour pour jour, le grand-père discutait avec Maringue sur la terre vierge l'emplacement de la future maison. Tout commençait. Il faisait bon vivre en ce temps-là.

La cuisine était sous la chambre. Quelqu'un y

marchait. C'était un pas saccadé, irritant, allant du bahut à l'évier. On récurait une casserole. On faisait couler de l'eau. On parlait. Il n'y avait qu'une personne et cette personne parlait toute seule, d'une voix monocorde, irritante comme le pas.

« Adélaïde vient de déjeuner, se dit Amédée. Le père va suivre. J'ai le temps. »

Car la cuisine était le domaine exclusif d'une personne à la fois. C'était l'usage. Adélaïde venait d'abord. Elle mangeait ce qui restait. Restait ce qu'elle ne mangeait pas. Le père venait ensuite. Il fouillait dans le bahut en ronchonnant, ne trouvait rien à son goût, partait en claquant la porte. Il cueillait au jardin, selon la saison, des fraises, une carotte, une tomate, une poire, ou encore un œuf chez les poules. Amédée descendait quand il avait le champ libre. Il n'y avait rien à manger pour lui, mais ses précautions étaient prises. La veille, il avait caché un quignon de pain et un morceau de fromage tout en haut du placard. Les souris lui en laissaient toujours assez.

Une coutume s'établit d'elle-même. C'est le fruit de l'habitude. Les trois êtres qui vivaient ici, n'ayant rien à se dire, avaient pris le parti de s'ignorer. On s'esquivait quand venait l'autre. Chacun avait le sentiment d'habiter seul la maison.

Amédée feuilleta les *Caractères*, puis les *Hommes illustres*. Shakespeare s'ouvrirait immanquablement sur *Hamlet*, au début de l'acte IV. Amédée avait si souvent relu ces livres qu'il lui suffisait de les caresser pour les revivre. En ce jour anniversaire, il opta pour le journal.

« 12 novembre 1853. — J'ai planté mon cèdre. Je dis bien : je l'ai planté moi-même. On s'est d'ailleurs gentiment moqué. L'arbuste se tient déjà très droit, très fier. Il vivra plus longtemps que moi, plus longtemps que la maison même. Je voudrais le voir dans cent ans. Le cèdre est le plus majestueux des arbres. »

Dans la cuisine, le manège d'Adélaïde cessait. Elle rentrait dans sa chambre. Sur le chemin, résonna le pas d'un homme. Toc! toc! derrière sa vitre, la folle guettait. Le martèlement commençait. Cela durerait jusqu'au soir.

Amédée ouvrit le carnet à la dernière page — la dernière page écrite.

« 15 juin 1870. — Je me demande une fois de plus pourquoi j'écris ces notes. J'ai pourtant raillé les gens qui tiennent un journal — je veux dire un journal régulier. Quelle corvée de noter chaque soir les menus faits du jour! Ce sont précisément ceux qui mènent une vie monotone qui tiennent un journal, parce qu'ils en ont le temps, parce qu'ils veulent se persuader, avec le recul, que leur existence a tout de même été bien remplie — remplie de vent. »

Au-dessous, la porte du bahut grinça. Le vieux soulevait des couvercles en maugréant. Il trottinait lourdement d'un meuble à l'autre, déplaçait une chaise, tirait un tiroir. Il se mit à casser des noix. Adélaïde cognait sa vitre en mesure.

« ... Pourquoi ces notes, si disparates qu'il s'écoule parfois des années entre deux pages? Je me dis que j'aurai plaisir à les relire un jour mais c'est là une bien vaine raison pour me justifier. D'abord, je n'en aurai jamais le temps. Ensuite j'écris trop mal pour avoir la patience de me relire. D'autres fois, je me dis qu'un de mes descendants sera intéressé par ce document. Quelle naïveté! Ma bibliothèque est pleine de livres rares et personne ne les ouvre. Mon journal sera brûlé au cours d'un de ces nettoyages qu'on fait périodiquement dans toutes les maisons. Alors ? Ma foi, c'est une chance à courir. Le carnet échappera peut-être aux flammes et le descendant — que j'estime sans le connaître — l'ouvrira. »

En bas, le vieux grommelait. La plupart des noix étaient vides. Il alla chercher fortune au jardin. Amédée pouvait descendre mais il voulait finir la lecture de cette page, tellement significative aujourd'hui.

« ... Pour moi, je ne bouderais pas mon plaisir s'il m'était donné de lire les notes qu'aurait pu prendre mon grand-père en 1790, année qu'il vécut à Paris. (Il est vrai que le cher homme ne savait pas écrire.) Mon propre journal ne relatera que les petites satisfactions d'un bourgeois dans une époque sans histoire. »

Ces dernières lignes troublaient Amédée. Il y devinait un peu d'amertume. L'aïeul n'avait plus écrit ensuite mais les feuillets blancs parlaient : guerre, chute de l'Empire, croissance du cèdre. Il y avait encore quelques mots sur la couverture : « J'ai retrouvé ce cahier, je le relirai en Suisse. » L'avait-il relu ? Peu probable. Il n'avait même pas emporté le cahier, retrouvé plus tard par Amédée dans une malle du grenier. Ce *post-scriptum* n'était pas daté. Il devait se situer en mai 1882, quelques jours avant le départ en Suisse. Le grand-père était mort là-bas.

Amédée ne l'avait pas connu. Autrefois on parlait encore de lui, quand le père était loquace. Adélaïde était alors une jeune fille mariable. Puis Amédée était rentré de la guerre. Il avait trouvé Adélaïde comme elle est maintenant, le père voûté, ratatiné, ruiné, à l'image de la maison. Le nom de Mlle Hortense avait été prononcé. Cinq cent mille francs de dot. Un nom, un chiffre. Visite, thé, petits fours. Futiles commentaires sur le temps, la dévaluation, la mode féminine. La robe de Mlle Hortense était ridicule. On se regardait, on s'épiait, on s'étudiait. Amédée se tenait au bout d'un fauteuil, méfiant. Au retour, le père avait dit : « Tu vas l'épouser. » Amédée avait refusé.

Alors le silence s'était abattu sur la maison et la gêne était devenue pauvreté, puis misère, mais une misère noble, sans plainte, à la Fracasse. Amédée avait retrouvé le journal au grenier. Ainsi le cahier n'avait pas été brûlé. Il était lu par un descendant et ce descendant c'était lui : Amédée. Il se sentait le confident du grand-père, son héritier spirituel. Lui et moi, songeait-il, on se ressemble. On doit penser de la même façon. Il parlait de lui comme d'un vivant. Le grand-père n'était pas mort dans la maison morte.

Une dizaine de feuillets retombèrent mollement sur une dizaine d'années. « 22 août 1859. — La terre du voisin est en vente. Je vais l'acheter. Non que j'aie l'intention d'y bâtir, mais je veux conserver autour de mon domaine un espace libre. Et si l'on doit bâtir un jour, je préfère que ce soient nos descendants. De toute façon, c'est un bon placement. Si les miens désirent la vendre, ils en tireront un bon prix. »

Je pense que je recevrai bientôt la lettre du notaire, se dit Amédée en refermant le cahier. Cette terre qui s'étendait sur la gauche du domaine lui appartenait personnellement. Trois ans plus tard, le grand-père qui avait de la suite dans les idées avait acquis la terre de droite dont la surface était approximativement la même. En 1881, il léguait les deux terres à ses petits-enfants. Amédée avait quinze mois, Adélaïde vingt jours. C'était bien ordonné. La future dynastie reposait sur des bases solides.

Ce n'est pas un sacrilège de vendre cette terre, pensait Amédée en descendant l'escalier. Le grand-père ne s'y oppose pas. Même, il l'envisage.

Il monta sur une chaise et prit son quignon de pain tout en haut du placard. Cela souleva un nuage de poussière qui dansa dans le rayon de soleil. Puis il emplit une cuvette d'eau froide et se lava le visage. En s'essuyant, il voyait le père par la fenêtre. Le vieillard était dans la cour. Il réparait un vieux collier de cheval. Dans quel dessein? Cela durait depuis trois semaines. Le bonhomme enfonçait un clou avec une pierre. La pierre se brisa. Il grogna et jeta le clou avec dépit. Plein de rancune, il fit le tour du collier.

S'étant rasé, Amédée remonta dans sa chambre et s'habilla. C'était dimanche, un grand dimanche. Il prit son beau pantalon d'été, gris clair, qu'il avait repassé la veille, se coiffa d'un canotier à ruban noir qu'il portait crânement de côté et descendit au jardin. Le père disparut dans la remise quand il le vit. Le collier était seul au milieu de la cour. Un homme passa sur le chemin. Adélaïde cognait à la vitre.

Amédée cueillit des violettes en abondance. Il en glissa plusieurs dans sa boutonnière et fit encore trois grosses bottes. Puis il prit son vélo dans la remise. Le père s'éclipsa vers le clapier. Amédée gonfla les chambres, fit jouer le guidon, souffla sur la selle. C'était un antique vélo, très haut, sans garde-boue, avec un guidon relevé comme les cornes d'un animal fantastique. Les trois bottes de violettes furent attachées autour du timbre qui ne fonctionnait pas. Amédée partit. La grille se referma sur lui dans une plainte et le vieux revint au collier.

Amédée avait une façon très particulière de se tenir à bicyclette. Il conduisait d'une main, l'autre étant élégamment retournée sur la hanche. Il portait le canotier sur l'oreille, la mine fière, et ses fleurs faisaient une jolie tache sur le veston clair. Les bottes de violettes se balançaient au guidon. Des gosses riaient sur son passage et lui riait aux gosses. Les gens disaient : « C'est Amédée. »

Le petit train départemental grimpait en soufflant le long de la route. Amédée descendait en roue libre. Il fit un geste large à Tane qui conduisait la locomotive. Tane répondit en agitant sa casquette ; son visage était noir de suie ; il regarda l'homme au complet clair qui descendait sur sa bicyclette et se dit : « Voilà un homme heureux. Il ne fait rien. » Tane ne pouvait poursuivre plus avant cette méditation car il lui fallait s'occuper de la machine mais Amédée, lui, en avait le loisir. Le vélo n'exigeait pour le moment aucun effort mécanique.

« Tane est un bon gars. C'est l'ami de Ragris et de Pignolle. Il va sur son train, de village en village, tout le long de la montagne et il est payé pour cela à la fin de chaque mois. Ce doit être agréable de recevoir ainsi périodiquement une somme d'argent parce qu'on s'est promené sur une machine, sans patron, seul maître à bord. Cela ne m'aurait pas déplu, mais c'est un métier sale. J'ai horreur de la saleté. Et puis, il y a des obligations. On est tenu par l'heure. Une supposition : un matin, Tane a envie de relire les *Caractères*. Il ne peut pas parce qu'il lui faut aller chercher sa machine au dépôt. Est-ce qu'un homme peut aliéner sa liberté à ce point ? »

Certainement, Tane n'avait jamais entendu parler des *Caractères* et il ne s'en souciait pas. Mais c'était un exemple. Amédée chercha un métier qui l'aurait tenté; il n'en trouva pas. On ne lui avait rien appris. On croyait que les rentes assuraient l'existence de la dynastie mais la guerre avait porté un coup fatal aux revenus. Il n'avait jamais travaillé. Voilà qu'il approchait de la cinquantaine. Maintenant, il était trop tard pour commencer. Cette constatation le rassura. Il pouvait s'abandonner en toute quiétude à l'oisiveté féconde du penseur.

La marchande de journaux était sur le seuil du magasin. C'était une amie. Amédée coupa une botte de violettes et la lui tendit.

— Merci, monsieur Amédée, dit-elle toute frétillante. Entrez donc un moment.

Amédée entra. La petite salle fleurait l'encre d'imprimerie. Il prit le journal local et le parcourut. En première page, des titres concernant les nouvelles politiques et la photo de Briand. Rien de nouveau. Il passa donc à la rubrique des faits divers dont il était friand mais ne trouva qu'un chien écrasé, un ivrogne arrêté pour tapage nocturne et une pendule volée à l'étalage d'un forain. Le roman-feuilleton était sans intérêt : toujours cette histoire interminable des *Mystères de Paris*. Films de la semaine : un Charlot, un Max Linder, un Valentino. Il replia le journal. Un client vint et l'acheta. Amédée venait d'économiser cinq sous.

La marchande disposait les violettes dans un verre d'eau.

— Ce qu'elles sentent bon, dit-elle.

— Elles tiendront huit jours. Je vous en apporterai d'autres la semaine prochaine.

Amédée s'arrêta ensuite chez le grainetier. Il

aimait cette salle obscure, encombrée de sacs pleins de grains blonds, l'odeur du son et des semences. Des vers de terre, des asticots, des porte-bois grouillaient dans trois cuvettes posées sur le comptoir. On vendait aussi des articles de pêche. Ragris et Pignolle se servaient ici. Amédée, pour jouer, manœuvra un tourniquet portant des sachets illustrés de jolies fleurs promises au semeur.

— J'apporte des violettes à votre dame, dit-il au marchand.

— Elle vient justement de sortir, mais croyez qu'elle sera bien contente. Toujours galant, monsieur Amédée. Tenez, j'ai reçu de Paris une belle sélection de glaïeuls. Emportez donc quelques oignons (Amédée protestait mollement). Mais si, j'y tiens. Avec vous, je saurai si les fleurs sont belles. Les autres achètent et la saison passe mais ils ne me disent jamais s'ils sont contents.

Amédée attachait le petit paquet d'oignons autour du timbre. C'était mieux que dans la poche; il ne fallait pas déformer le veston. La troisième botte était pour la gérante du Casino, une forte méridionale qui avait une voix d'homme. Elle fournissait aussi Pignolle et Ragris et leur faisait crédit. C'était une brave femme. Les amis de Pignolle et de Ragris étaient les amis d'Amédée. Le magasin était plein de ménagères qui attendaient leur tour. Amédée posa discrètement la botte près de la balance.

— Des fleurs pour vous, je ne m'arrête pas.

La marchande cria : «Merci, monsieur Amédée.» Mais il était déjà loin. Elle huma les fleurs. «Ce qu'elles sentent bon!» Puis elle se mit à peser du gruyère en faisant l'éloge d'Amédée.

Il roulait dans la ville, très lentement pour ne rien perdre du spectacle qu'offrait la rue. Les femmes étaient vraiment un objet de curiosité avec leurs toilettes que la mode transformait chaque année. On avait à peine le temps de s'habituer qu'un changement nouveau s'opérait dans la forme des robes et des coiffures. Les gosses endimanchés s'ennuyaient. Les hommes se rencontraient à la terrasse d'un café et commandaient un pot. Au coin des rues, les marchands de muguet appelaient les passants, leur panier posé près d'eux sur le trottoir. Une vieille ouvrait sa fenêtre. Un chien provoquait un chat. Amédée aimait bien le spectacle de la rue.

Il poussa jusqu'à la Loire qu'il longea un moment et revint par une rue tranquille bordée de maisons particulières avec jardinets. Il mit pied à terre pour marcher un peu, puis il s'arrêta, sollicité par des roses d'une grande beauté qui fleurissaient derrière une clôture. Grand amateur de fleurs, il rangea son vélo le long du trottoir pour les contempler à loisir. Une dame âgée sortit de la maison, un sécateur à la main. Elle hésita en voyant l'homme. Il sourit.

— Vous admirez mes roses ? dit-elle. Sa voix était très agréable, son visage ridé respirait la bonté.

— Oui. Elles sont très belles.

— Je suis contente qu'on me le dise. C'est tout ce qu'il y a de beau dans mon pauvre jardin. Si vous voulez, je vais vous montrer d'autres roses.

— Certainement. Je vais entrer une minute. Je ne voudrais pas vous déranger.

Il la suivit. « C'est une grande dame, songeait-il. On reconnaît les manières. Une dame de la bourgeoisie d'autrefois, pas le genre nouveau riche. » Elle lui montra d'autres rosiers derrière la maison. Elle donnait un nom à chacun et tout en parlant coupait de-ci de-là une fleur passée qui tombait mollement sur l'herbe dans une pluie de pétales.

Amédée cherchait des yeux le crottin de cheval. Il n'est pas de belles roses sans crottin. Il vit le tas dans un coin, masqué par un figuier.

— On n'en trouve pas facilement, dit-il.

— Avec ces automobiles, il y a moins de chevaux. Mais il en passe encore quelques-uns dans notre rue : le laitier, le correspondant de la gare, le maraîcher. Quand je les entends, j'y vais avec mon seau et ma pelle et c'est rare que je revienne bredouille. Mais il faut faire vite. Les voisins ont aussi des roses.

— Moins belles que les vôtres.

— Vous me flattez, mais je vous crois.

Elle riait en racontant tout cela d'un petit rire fêlé mais non sans charme. Le seau et la pelle étaient près du figuier. Amédée aimait la simplicité de la vieille dame. Il aimait aussi ce jardin, bien qu'il fût dans un état d'abandon lamentable. La terre était retournée seulement au pied des rosiers. Partout ailleurs poussaient de mauvaises herbes mêlées aux feuilles mortes que le vent n'avait pas emportées.

— Il faudrait bêcher, dit-il. C'est le moment.

— Je le sais bien mais je n'ai personne. Vous comprenez, je suis veuve, monsieur. D'habitude, un cheminot qui habite au bout de la rue me retournait le jardin chaque printemps et il se contentait de peu. Mes moyens sont de plus en plus limités. (Elle avait l'air de s'excuser et riait quand même.)

— Je comprends cela. Pourquoi le cheminot ne vient-il pas ?

— Il est parti. La compagnie lui a donné sa retraite. Il est retourné dans son pays pour s'y fixer.

Amédée réfléchissait. Il voulait rendre service à la vieille dame. Bien entendu, il n'envisageait pas de bêcher le jardin lui-même puisqu'il n'arrivait pas à faire ce travail chez lui. Ce serait bien agréable de voir ce grand jardin soigné. On planterait d'autres fleurs. Après les roses, la vieille dame aurait ainsi des œillets, des zinnias...

— Vous connaissez peut-être quelqu'un, risqua-t-elle timidement.

— Oui. Je connais quelqu'un. Je pense qu'ils accepteront.

— Un homme suffirait.

— Ces deux-là sont inséparables. Ils ne travaillent jamais l'un sans l'autre. Ce sera bien fait, je m'en porte garant, et pour le prix, soyez sans inquiétude. Ils prendront ce que vous voudrez.

Amédée savait qu'il pouvait s'engager au nom de ses amis. La vieille dame l'accompagna jusqu'à la bicyclette.

— Quand viendront-ils ?

— Dans la semaine.

— Je vous remercie, monsieur.

Elle resta sur le seuil et le regarda s'éloigner sur sa bicyclette. Il se retourna et leva une fois de plus son canotier. C'était vraiment une grande dame.

Il y avait beaucoup de monde à la terrasse de la brasserie. Des adolescents parlaient à voix très haute et fumaient des cigarettes blondes, tout fiers de montrer qu'ils étaient de jeunes hommes libres. Des couples se parlaient doucement avec des sourires extasiés. D'élégants vieillards méditaient sur leur canne, les yeux dans le vague, et de temps en temps buvaient une gorgée.

Ragris se tenait au bout de la terrasse avec son panier presque vide. Les affaires marchaient bien. Au début cependant un fâcheux incident s'était produit. Un concurrent était venu. C'était un gars robuste avec un panier plein de beau muguet. Il se glissait de table en table, essayant de vendre aux premiers clients de la brasserie ses petits bouquets de bonheur et feignant d'ignorer Ragris. Mais celui-ci le regardait d'un œil sévère. L'autre ne fit que six sous. Ragris s'avança lentement vers lui.

— Tire-toi de là, dit-il.

— De quoi ?

— Tire-toi de là.

— De quel droit me chasses-tu ?

— C'est le droit du premier occupant.

L'autre hésita. Ce droit-là était incontesté. La poigne de Ragris était retombée sur son épaule et ses yeux sombres le fixaient intensément. Il essaya de négocier :

— Je te donne vingt sous et tu me laisses la place.

— Non, fit Ragris. Si je suis venu de bonne heure, c'était pour être le premier et j'entends y rester.

— C'est un des meilleurs coins de la ville. Je suis au chômage. Tu ne peux pas faire ça à un chômeur.

— Si tu es chômeur, tu es payé. Laisse le muguet à ceux qui ne touchent pas le chômage.

— Si tu ne le touches pas, tu te défends mal.

— Ça me regarde.

— J'ai une femme à la maison.

— Moi, j'ai trois gosses. Est-ce que tu as des gosses ?

— Non. Ça va bien. Je m'en vais.

Il s'en allait, vaincu. Ragris avait un peu honte. Il avait parlé spontanément des trois gosses. Au fond, ce n'était pas tout à fait un mensonge car il contribuait pour une large part à la subsistance des enfants de Pignolle. Il rappela le chômeur.

— Écoute. Je peux t'indiquer une place.

— Oui ?

— Le temple. Il n'y a jamais personne. On n'y pense pas. C'est un bon coin.

— Tu as raison, j'y vais. Merci !

« Il n'est pas méchant, se dit Ragris. À sa place, j'aurais cédé aussi. »

Des clients quittaient la brasserie. D'autres arrivaient. Ragris leur tendait ses fleurs. « Du bonheur pour l'année, madame. » Il faut toujours s'adresser à la dame. Elle sourit et accepte, car le bonheur la tente. L'homme qui l'accompagne prend deux sous dans son gousset pour sacrifier à la tradition et pour se débarrasser du gêneur. « Deux sous de bonheur, monsieur. » Car faute de dame, Ragris s'adresse aux messieurs seuls. Certains mettent leur point d'honneur à porter leur brin de muguet comme tout le monde. D'autres y voient un intérêt immédiat : ne pas être importuné par les vendeurs qu'ils rencontrent ensuite. À ce train, le panier de Ragris était vide avant midi.

Si Pignolle avait aussi bien écoulé sa marchandise, ce serait une bonne journée. Ragris marchait d'un pas rapide vers l'église mais il était inquiet, bien qu'il eût pris ses dispositions le matin. Il avait dit :

— Tâche de ne pas te conduire comme l'année dernière. Si je te retrouve saoul à midi, c'est fini entre nous, je quitte le marais.

— Tu ferais cela ? balbutiait Pignolle.

— Je le ferais dès demain.

— Je ne boirai pas. Je vais rester bien sagement sur les marches de l'église à vendre mon muguet.

— Bon. D'abord, je te préviens que j'ai passé la consigne à tous les cafetiers du coin. Ils ont reçu l'ordre de ne pas te servir.

— Tu n'aurais pas dû. C'est humiliant. Ma dignité en souffre.

C'était faux. Ragris ne l'avait pas fait. Mais Pignolle fut tout de même troublé par cette affirmation. Il étendit la main et promit solennellement qu'ils boiraient le premier verre ensemble.

Ragris marchait de plus en plus vite parce qu'il était de plus en plus inquiet. Il se demandait si Pignolle aurait tenu sa promesse. « C'est un faible, songeait-il. Un des meilleurs gars que je connaisse, mais un faible. » Quand il déboucha sur la place de l'église, il vit avec étonnement que ses craintes n'étaient pas justifiées. Pignolle s'était admirablement comporté. Il offrait ses derniers bouquets aux dames qui sortaient de la grand-messe. C'était un Pignolle correct, proprement vêtu, qui vendait son muguet avec un mot aimable et sans insistance. Ragris poussa un soupir de soulagement. Il l'observa un moment. Les gens sortaient en foule de l'église et Pignolle vendit sans peine ses derniers bouquets. Alors, il prit son panier vide, regarda autour de lui, fit quelques pas. Ragris l'observait toujours.

« Que va-t-il faire ? se demandait-il. On dirait qu'il hésite. Il ne m'a pas vu. Le premier café n'est pas à vingt mètres. »

Mais Pignolle, tournant le dos au café, traversa la place d'un pas décidé cette fois. Il regarda encore autour de lui et disparut... dans un café.

Ragris bondit.

Quand il entra, Pignolle commandait un pot. Il vit son ami et lui sourit sans aucune gêne.

— Viens t'asseoir, dit-il. Je t'attendais.

— Tu m'avais pourtant promis...

— Qu'on boirait le premier verre ensemble. Eh bien, tu vois, je n'ai pas encore bu.

Le plus fort, c'est que Pignolle était sincère. Ragris dut l'admettre.

— Je n'arrive pas à comprendre pourquoi tu es venu là. Tu avais un autre café tout près de l'église.

— Je sais bien.

— Et tu n'y es pas entré une seule fois dans la matinée ?

— Je n'aurais pas mis les pieds dans cet établissement. Tu comprends, ils ont embauché un nègre. À ta santé. J'ai tout vendu. Et toi ?

— Moi aussi.

— On pouvait faire davantage.

— Si tu avais cueilli un peu plus de muguet hier, on gagnait au moins cinquante francs de plus aujourd'hui.

— Crois bien que je suis navré. Je ne pensais pas. Les autres années, on n'arrivait pas à tout vendre.

— Il vaut mieux avoir trop de muguet que pas assez.

Ragris ne poursuivit pas la leçon. En raison de la bonne conduite de Pignolle, il était porté à l'indulgence. Pignolle vida son verre et annonça :

— J'ai vu Marie.

— Qui ?

— Marie, la petite de cette nuit.

— Quand ? Où ?

— Vers onze heures. Elle passait sur le trottoir d'en face. Elle ne m'a pas vu. C'est dommage, on aurait causé. Elle est encore mieux au grand jour. Si tu voyais la jolie robe qu'elle avait !

— Comment était-elle ?

— Attends. Rouge il me semble. Ou peut-être verte. En tout cas, c'était une jolie robe. Il y avait un militaire avec elle.

— Alors ce n'était pas Marie.

— Si, si et si, affirma Pignolle. Je l'ai bien reconnue.

Il vit soudain qu'il y avait de la tristesse dans les yeux de son ami.

— Remarque bien, ajouta-t-il, je ne suis pas certain que le militaire était avec elle. À la réflexion, non, elle n'était pas accompagnée. Le militaire marchait devant. Il y avait beaucoup de monde sur le trottoir.

— Viens, on s'en va, dit Ragris.

Pignolle racontait sa matinée, les premiers bouquets de huit heures, le moment creux et, après, celui de l'affluence. On n'abondait pas. Si on avait quatre bras, on vendrait deux fois plus. Des gens demandaient leur muguet avant même qu'on ait pu leur offrir. Il y avait un autre marchand plus loin mais son muguet c'était une misère : à peine ouvert, jaune et sans parfum. Les gens venaient au muguet de Pignolle.

Il racontait tout cela en trottant dans le ruisseau mais Ragris n'écoutait pas. Il pensait à Marie. Des cheveux comme les siens, il n'en avait jamais vu de pareils. Sa voix était douce quand elle avait dit son nom dans l'ombre du couloir. Ils allaient ainsi sans voir leur chemin. L'un pérorait, l'autre reconstituait un visage. Ils occupaient toute la largeur du trottoir avec leurs paniers. Un homme arrivait en sens inverse. Pignolle, qui regardait le bout de ses semelles en finissant son histoire, le heurta violemment. L'autre était un gars bien charpenté quoique petit, sur la quarantaine, avec un gros crâne chauve, un cou de taureau, un nez large et aplati. Il repoussa Pignolle d'une chiquenaude et le traita de petit pou. C'était trop. Pignolle était dans son tort, bien sûr, il aurait dû s'excuser. Mais il était déjà furieux parce que le choc avait interrompu son discours et maintenant on l'appelait petit pou. Pignolle riposta. Il traita le molosse de grand pou et le coiffa de son panier. Ragris s'était retourné. Il n'avait pas eu le temps d'intervenir. La scène l'amusait car le costaud ainsi coiffé était vraiment drôle, mais elle l'ennuyait aussi car il pressentait de nouveaux embêtements. Décidément, Pignolle était incorrigible. Non content de son exploit, il harcelait la victime et réclamait son panier.

— Rends-moi mon panier.

— Attends seulement que je le retire et tu vas voir comme je vais t'arranger, hurlait l'autre.

Les passants s'arrêtaient, car le jeu était passionnant. L'un d'eux s'approcha de Pignolle et lui dit :

— Vous savez qui est cet homme ?

— Je ne veux pas le savoir, brailla Pignolle.

— Vous avez tort.

— Qui est-ce ? demanda Ragris au monsieur.

— C'est Kid Pirou, l'ancien boxeur, répondit l'autre obligeamment, et il ajouta plus bas sur un ton de confidences : trois fois champion.

— Champion de quoi ? s'enquit Pignolle.

— De France, monsieur.

— Seulement ? répliqua Pignolle avec dédain. Moi qui vous parle, j'ai battu la nuit dernière un nègre à la course. Et il était champion du monde, lui.

— C'est bien possible, dit le monsieur sans s'émouvoir. Vous ne semblez pas taillé pour la course mais il y a des gens qui trompent leur monde.

En tout cas, cela n'a aucun rapport avec la boxe. Vous feriez mieux de filer avant qu'il ne retrouve sa tête. Il a un direct du gauche qui ne pardonne pas.

Après cet avertissement, le monsieur traversa la rue, jugeant préférable de suivre à distance le combat qui mettait aux prises Kid Pirou et son panier, en attendant le second round qui se traduirait infailliblement par l'écrasement du coureur. Pignolle ricanait en suivant les efforts désordonnés du boxeur.

— Petit pou ! Je t'en donnerai du petit pou !

Kid Pirou trépignait, jurait tout ce qu'il savait, tirait sur le panier qui lui couvrait la tête, l'anse coincée sous le menton. « Juste à la taille », remarquait Pignolle. Kid Pirou entrevoyait vaguement son ennemi à travers l'osier et lui hurlait des choses désobligeantes. Des brins de terre sèche demeurés au fond du panier lui tombaient dans les yeux.

— Tu ne trouves pas qu'il ressemble à un gladiateur ? dit-il à Ragris.

— Viens donc, Pignolle, répondit Ragris en le prenant par le bras.

Il l'entraîna de force. Pignolle estima sa comparaison excellente. Il avait vu des gladiateurs sur une affiche de cinéma et ils étaient parfaitement comparables à Kid Pirou ainsi coiffé. « Je te dis qu'il ressemble à un gladiateur », répétait-il. Mais Ragris le tirait par le bras sans ménagement. Il marchait à grands pas, les dents serrées. Il n'aimait pas être l'objet de la curiosité publique. Avec Pignolle, c'était toujours la même chose. L'an dernier, il était saoul, cette fois il s'en prenait à un boxeur.

— Et mon panier, gémissait Pignolle. On ne peut pas faire cadeau de mon panier à cet ours.

Mais il devait suivre le train. Quand ils eurent

tourné, ils prirent le trot. Ils coururent ainsi un long moment. Finalement, ils s'arrêtèrent sous une porte cochère pour reprendre leur souffle.

— Tu as vu leur champion de France, comme je l'ai arrangé, s'écria triomphalement Pignolle.

— Tu es un imbécile.

— Pourtant, tu m'as soutenu.

— Je ne t'ai pas soutenu, je n'ai rien dit. Je n'ai pas l'habitude de traiter mes amis d'imbéciles devant tout le monde, aussi je te le dis entre nous.

— Oui. C'est plus intime.

— Pourquoi as-tu fait cela? Il pouvait te tuer d'un coup de poing.

— Pas de danger. Il était seul, on était deux. Tu es bien aussi fort que lui.

— C'est possible, mais il est plus adroit. La boxe, c'est spécial et c'était son métier.

— Tu n'aurais pas dû partir. Les gens riaient du boxeur. L'opinion publique était pour nous.

— Tu n'es qu'un sombre crétin, Pignolle. Cinq minutes plus tard, l'opinion publique aurait été pour le boxeur. J'ai voulu qu'on parte parce que je ne veux pas d'histoires. On aurait des ennuis de toute façon. Un gars du marais, c'est toujours suspect.

— Et pourquoi donc? Là, je ne te suis plus.

— Comprends donc, Pignolle, dit doucement Ragris, — il s'assit sur la borne et s'épongea le front — comprends donc. Le gars du marais, c'est celui qui vit de l'air et du temps. Il ne touche pas le chômage. Il vend du muguet, du poisson, des grenouilles, selon la saison. Et quand il n'a rien à vendre, il ne vend rien et il vit tout de même. Les bourgeois n'aiment pas cela, Pignolle. Ils pensent que ce n'est pas régulier.

— C'est pourtant une belle vie que nous menons. Pas vrai, Ragris?

— Oui, dit Ragris sourdement. C'est une très belle vie.

Ils restèrent un moment sous le porche. La rue était déserte. On entendait seulement les pleurs d'un bébé dans un étage et le bruit d'une fontaine. Kid Pirou ne les poursuivait pas. Ils repartirent.

Au bout de la rue, un monsieur venait sur eux en lisant son journal, un monsieur d'un certain âge avec melon et barbiche. Pignolle s'arrêta et prit son ami à témoin :

— Vois ce bonhomme, Ragris. Il ne regarde pas où il marche. Il va me rentrer dedans, c'est sûr. Est-ce que tu admets cela, Ragris? Celui-là n'est pas un ancien boxeur, ou alors il boxait sous l'empereur.

— Tiens-toi tranquille. Descendons sur la chaussée pour lui laisser le trottoir.

— Dommage. Si j'avais été seul, je t'assure bien...

Amédée arrivait, haut perché sur son vélo, une main sur la hanche, l'autre au guidon où se balançait le petit sac d'oignons. Le vieux monsieur au journal vit Amédée. Ils se saluèrent. Le canotier et le melon s'élevèrent en même temps. Le vieux monsieur passa son chemin. Amédée frotta sa semelle contre la roue pour freiner et mit pied à terre à la hauteur de ses amis.

— Bonjour, dit-il.

— Bonjour, dit Pignolle. Tu le connais?

— Oui, dit Amédée en remettant son canotier bien en place. Je le connais de longue date. C'est mon notaire.

V

La bonne apporta en même temps le fromage et
les fruits.

— J'voudrais un bout de cantal, s'il vous plaît,
dit Pierrot.

— Tu auras ce qu'on te donnera, répliqua la
mère pour le principe. Mais comme l'enfant avait
bien récité sa leçon, elle coupa dans le cantal un
méprisable petit morceau qui souleva l'indignation
de Pépé. Pourtant Pépé ne dit rien. Il se contenta
de ruminer tout seul sa rancune.

« Regardez-moi ce rogaton. Moi je lui en aurais
donné trois fois plus. Il va sur huit ans, ce gosse, il
faut qu'il mange. J'ai été élevé au fromage et aux
haricots et je suis là, et même j'enterrerai Laurent
qui a trente ans de moins. La pensée qu'il enter-
rerait Laurent le réconforta. Pour s'en assurer, il
regarda le gendre adipeux qui lisait son journal en
se curant les dents. Si je me curais les dents, songea Pépé, Marthe dirait que ce n'est pas correct. Lui,
il peut. Il est vrai que je n'ai plus de dents. »

— Tu veux du fromage, papa ? demanda Marthe.

— Oui, dit Pépé.

Il prit du cantal par solidarité, car il adorait son
petit-fils. Pierrot lui sourit. Il comprenait.

— Fromage?

Laurent repoussa l'assiette en grognant. On le dérangeait. Il tourna la page de son journal.

— Fromage?

— Non merci, maman.

Catherine n'aimait pas le fromage mais sa mère lui en proposait à chaque repas. Toujours à cause du principe.

— Tu ne manges pas assez, Catherine.

— Je n'ai pas faim, maman.

«Voilà bien Marthe, songeait Pépé. Le gosse aurait mangé trois fois plus de fromage mais elle reproche à la grande de jeûner. C'est vrai qu'elle ne mange pas assez. Elle veut garder la ligne pour son grand dadais de Lucien. »

Catherine avait vingt ans. Elle était belle, mais un peu fière. Les jeunes filles qu'on dote largement sont toujours un peu fières. Elle pensait à Lucien qui avait une tête niaise de jeune premier sur un long corps maigre. Elle avait reçu ce matin une carte en couleurs d'Avignon. Lucien courait les routes pour vendre des shampooings et des brosses à dents. Son contrat avec la maison qu'il représentait viendrait à terme à la fin de cette année. Ensuite, on ferait les fiançailles. «Il faudrait caser ce grand benêt dans l'affaire, songeait Pépé. Où le mettre? Je vous demande un peu, des brosses à dents! »

— Je voudrais bien une pomme, dit Pierrot.

— Attends que ton père soit servi, répliqua Marthe.

Laurent prit la pomme. La conscience de Pépé se révolta. Il n'y avait qu'une pomme dans le compotier, ce gros porc l'a prise. Il va enlever la peau, il laissera le trognon. Le gosse aurait tout mangé, comme on doit faire. Ah mais...

— Catherine n'a presque rien mangé, remarqua Pépé tout haut. Je sais bien que maintenant on veut des femmes minces, mais attention. Quand on se prive, la maladie guette. N'est-ce pas, Marthe ?

— C'est vrai, papa, répondit Marthe.

Elle se méfiait. Catherine sortait de son rêve. Laurent leva un œil et le laissa retomber mollement sur son journal.

— Il y a des choses qu'on mange sans faim et qui tiennent au ventre, reprit Pépé. La confiture, par exemple.

— Oui, je veux bien, dit Catherine.

Marthe eut une moue imperceptible mais elle jeta un ordre et la bonne apporta la confiture. Catherine en prit. Marthe tendit la main vers le compotier qui contenait encore des figues et une banane.

— Qu'est-ce que tu veux Pierrot ? demanda-t-elle.

— Je voudrais bien aussi de la confiture.

— Bien sûr, dit rapidement Pépé. Y a pas de raison.

Laurent prit aussi de la confiture. « C'est un peu fort, gronda la conscience de Pépé, il s'est déjà envoyé la pomme. » Farouchement, il se versa un verre de vin.

— Fais attention, papa, surveille-toi, dit Marthe. C'est trop pour ton âge.

La bonne servit le café. Laurent laissa tomber son journal et dit : « Complètement idiot, ce feuilleton. » Il disait cela tous les jours mais il le lisait quand même. Marthe lui présenta le sucrier. Un sucre ? Deux sucres ? Laurent mit trois morceaux dans sa tasse et remua. Puis il tourna son mufle las vers Pépé, essaya une expression qui voulait être aimable et parla du prochain conseil d'administration.

— Vous y assisterez, j'espère?

— Peu probable, répondit Pépé. Je ne m'y sens plus à ma place.

— Ce serait pourtant la moindre des choses. Votre présence...

— Oh, ma présence! Ce que je dis ne sert à rien. On n'en tient pas compte.

— Vous êtes tout de même le fondateur de cette maison. (Oh! si j'avais su, songea Pépé.) Vous avez de bonnes idées mais que voulez-vous, aujourd'hui, elles sont périmées. Il faut nous faire confiance.

— Bon.

— L'affaire tourne bien. Elle est prospère.

— Je ne dis pas le contraire. Seulement votre conseil d'administration, je m'y sens un étranger.

— Alors, vous vous ferez excuser.

— Je n'ai pas à m'excuser.

— Papa, dit Marthe sur un ton de reproche.

Laurent haussa les épaules, il se leva, embrassa rapidement au passage sa femme sur le front et partit à son bureau. Catherine passa au salon, prit une pièce de son trousseau pour la broder.

— C'est l'heure, Pierrot, dit Marthe. Lave-toi les mains.

Pierrot obéit. Avant de partir, il s'approcha de Pépé

— On ira se promener jeudi, Pépé?

— Bien sûr.

— Où donc?

— Je vais y réfléchir. (Il ajouta tout bas :) On fera une belle promenade.

Ce moment, au sortir du repas, où l'enfant partait à l'école, était pour Pépé le plus pénible de la journée. Les matins passent vite. Pépé ne voyait pas le gendre, ce qui était bien agréable. Il déjeunait, faisait un tour au jardin, bricolait dans son petit atelier personnel, et toutes ces choses étaient nouvelles après l'étape de la nuit. C'était vite midi. Pépé guettait le retour de Pierrot.

— ... Jour, Pépé.

— Salut, petit. Ça a marché, l'école ?

— J'ai eu deux bons points.

Ils rentraient ensemble dans la maison, se lavaient les mains ensemble sur l'évier en bavardant avec des rires étouffés comme des complices et ils se mettaient à table en même temps. Le repas était un moment agréable pour Pépé malgré la présence du gendre, car il avait encore bon appétit. Puis c'était l'heure triste où gémissaient au loin les sirènes d'usines, où résonnaient sur le trottoir les galoches des écoliers en retard. Il fallait affronter l'après-midi.

Pépé monta dans sa chambre, sans but. Il ferait le tour du lit, regarderait par la fenêtre, changerait le linge de place dans l'armoire. La troisième marche craqua. La troisième marche craquait toujours. Marthe cria :

— N'oublie pas de prendre les patins, papa.

Les patins ! Ces maudits patins de feutre qui vous entravent ! Furieux, Pépé redescendit et fila droit au jardin. Désœuvré, il chercha une occupation. Les arbres fleurissaient. Il les avait taillés lui-même. Cette tâche l'occupait plusieurs semaines, au printemps. Les allées étaient propres, bien ratissées. Il fit le tour des châssis où germaient des graines et se réfugia enfin dans son atelier.

C'était une cabane au fond du jardin, près de la tonnelle, un ancien poulailler que Pépé avait aménagé à sa façon. Il avait rassemblé là tout un bric-à-brac de souvenirs. Un établi lui permettait de fabriquer des jouets de bois pour le gosse, son plus grand plaisir. Il y réparait aussi les outils du jardin. Mais ce jour-là, Pépé n'avait pas le cœur à l'ouvrage. D'abord, il manquait de pointes. Le cœur gros, Pépé s'assit sur une caisse et songea.

Les jours anciens se présentèrent à sa mémoire et il sut à cela que le cafard venait. Les jours anciens parlaient des rues de la ville, avant l'aube, quand il s'en allait fureter dans les poubelles sagement alignées. L'heure où l'allumeur de réverbères passait... pour les éteindre. Pépé le connaissait bien. Un homme du Nord, un grand, peu loquace, mais il avait toujours un bonjour en passant. Il grognait quand il manquait son bec. Il s'en allait sur sa bicyclette, avec sa longue perche sur l'épaule. Pépé fourrait dans un grand sac les vieux papiers, les boîtes vides, les os, les noyaux de pêche. C'était un métier libre, un métier inconnu, sans grande concurrence. Les plus anciens avaient les meilleurs coins, c'était normal, et Pépé était le plus ancien. Il allait vider le sac au dépôt et recevait, selon ce qu'il avait trouvé, de cinq à dix francs. La ferraille était cotée, les vieux chiffons aussi. Ensuite, il jetait son sac vide sur l'épaule et rentrait chez lui en croquant un pain de seigle. Plus tard, il s'était fabriqué une petite carriole pour charger les sacs et le rendement avait doublé.

Les jours anciens parlèrent de sa cabane au bord des joncs. Il faisait beau. Un bébé dormait dans une panière, devant la porte. C'était Marthe. Une femme, courbée sur un baquet, lavait le linge. Pépé sortait avec son attirail. Il disait à la femme : « Je vais à la pêche. » Elle lui souriait. Pépé disait encore : « La petite dort bien. » Il s'en allait allégrement et revenait le soir, fourbu, heureux, la faim au ventre, sa filoche pleine de carpillons ou bien de grenouilles qui gigotaient, accueilli par l'odeur de la soupe et par les rires de Marthe qui faisait ses premiers pas dans la cabane.

La prospérité vint avec Bourricot. C'était un âne. Il avait de jolies oreilles velues qu'il tournait en tous sens. Il tirait gentiment la carriole sur les pavés de la ville et, contrairement à ce qu'on dit des ânes, il obéissait docilement. Pépé ne se contentait plus des poubelles. Il allait de maison en maison, annonçant son passage à son de trompe. Les ménagères paraissaient aux fenêtres et le hélaient. Elles lui vendaient les vêtements usagés, les casseroles percées, les bouteilles vides, les peaux de lapin, pour un rien, histoire de se débarrasser. Pépé bâtit un hangar près de sa cabane et y entreposa ses marchandises. Il ne passait plus par le dépôt. Il devint lui-même dépositaire. Ses anciens copains des poubelles lui revendaient leur récolte de l'aube. Un jour vint où Pépé eut beaucoup d'argent. Marthe allait sur ses six ans.

— Il faudrait l'envoyer à l'école, dit Pépé.

— Oui, répondit sa femme. Maintenant, l'école est obligatoire. Mais c'est bien loin, l'école.

Cette nuit-là, Pépé ne dormit pas. Il songea. Le matin, il dit à sa femme :

— On pourrait se fixer en ville, près d'une école. On achèterait une maison.

— Ce serait bien, dit la femme.

— Puisque tu es d'accord, je m'en occupe tout de suite.

Six mois plus tard, ils emménageaient.

— C'est mieux que la cabane, disait la femme. Y a des carreaux dans la cuisine, des parquets dans les chambres. Et des grandes fenêtres.

Elle astiquait partout, fière d'être une dame. Pépé était content pour elle. Lui, il se plaisait mieux dans la cabane, mais il ne voulait pas chagriner. Il acheta le local qu'abandonnait un artisan pour se fixer ailleurs. Il y entassa de la ferraille : de vieux bidons, des roues de vélos, de la tôle rouillée, tout ce qu'il trouvait. Il y avait de bons moments pour la ferraille. Pépé attendait les bons moments et c'est alors qu'il vendait. C'était le bonheur. Marthe avait de jolies robes bleues et des souliers vernis. Elle lisait couramment dans de gros livres. « Dire que je ne sais même pas lire », songeait Pépé. Il en ressentait un peu de honte et d'autres fois il en concevait de l'orgueil, car cela ne l'empêchait pas de faire tout doucement fortune, mais comme il était modeste, il attribuait sa réussite à la chance.

De beaux messieurs venaient maintenant chez Pépé. Ils choisissaient un lot de ferraille, donnaient une adresse pour l'expédition et payaient dès livraison. Pépé embaucha une employée de bureau, puis un emballeur. Les beaux messieurs transformaient les vieux bidons en objets neufs qu'ils revendaient. Pépé fit installer la force électrique, acheta des outils, des machines, embaucha deux ouvriers, puis quatre. Quand les beaux messieurs revenaient, Pépé leur disait : « Je ne vends plus. Je transforme moi-même. » Il fabriquait des tuyaux, des billes, des caisses à biscuits, tout ce qu'on lui commandait. Il embaucha encore deux ouvriers.

À vingt-trois ans, Marthe était un beau parti. Les prétendants ne manquaient pas. Les prétendants ne manquent jamais dans une maison où il y a des sous, surtout quand la fille n'est pas mal. Marthe n'avait que l'embarras du choix. C'est pourquoi elle hésitait.

— J'aimerais bien un gendre qui me seconderait dans l'affaire, disait Pépé. C'est trop pour moi. Des fois, je sens la fatigue.

C'était faux. Jamais il n'avait connu meilleure forme. Mais il désirait un gendre, un gars qui serait son copain, un deuxième patron qui saurait lire, lui, et faire des lettres. Le choix de Marthe se porta sur Laurent. Jour maudit ! Par la suite, quand Pépé devait y songer, il se demanderait par quelle aberration sa bonne étoile qui l'avait si bien dirigé dans la ferraille lui avait imposé Laurent. C'était en 1908, l'année où il perdit sa femme. « Le porc est entré dans la maison en 1908, devait-il songer plus d'une fois, l'année où ma pauvre vieille nous a quittés. » Pourtant, les débuts furent supportables. Laurent n'était pas plus laid qu'un autre ; en tout cas, il était beaucoup moins riche qu'on avait dit. Mais Pépé n'était pas regardant là-dessus. Laurent se mit vite au courant. Il réussissait bien, trop bien même ; voyait grand. Pépé avait peur d'aller trop loin, mais il cédait quand même, par crainte, car déjà la crainte venait. Une fois, la situation financière fut sérieusement compromise, mais la guerre éclata et d'importants marchés s'offrirent qui sauvèrent l'usine. Laurent triomphait : « Je l'avais bien dit. » Il engraissait. Il faisait l'important devant Pépé, Pépé qui manquait d'audace, Pépé qui ne savait pas lire.

Comme il y a tout de même une justice, on le

mobilisa. À l'arrière, bien sûr. Cela ne dura pas, hélas! Six mois plus tard, il revenait, encore plus gras et plus hargneux. Pépé se souvenait avec tendresse de ces six mois bénis. Il était de nouveau le maître de l'usine. Catherine avait quatre ans. C'était une fillette blonde et rieuse, comme Marthe au temps de la cabane. Laurent de retour, tout changea. Il obtint de nouveaux marchés, embaucha des femmes, faute d'hommes, et l'affaire prit des proportions considérables, ce dont il s'attribua tout le mérite. Pépé ne le contestait pas, seulement il regrettait ses cinq ou six ouvriers d'autrefois. En ce temps, tout était plus simple. On prenait son temps, on voyait tout, on avait vite fait le tour de l'affaire qui rapportait d'ailleurs bien assez. Maintenant, on comptait par millions et rien n'était sûr. Pépé ne pouvait plus suivre. Il s'effaça.

Dans le même temps, Marthe s'embourgeoisait. Elle se transformait, devenait pareille à son mari. Tout y était : l'embonpoint, les manières, jusqu'à cette façon de se plaindre avec d'élégantes grimaces de la dureté des temps. La dureté des temps! Quand on compte avec des millions! Cela laissait Pépé rêveur. Il remarquait que ce sont surtout les riches qui se plaignent de la dureté des temps. Ah! si Laurent avait connu les poubelles! Une fois que Laurent se plaignait encore, il le lui dit :

— Autrefois, je n'avais qu'un âne. J'étais heureux. Je trouvais que je gagnais bien ma vie.

— Taisez-vous, avait répondu Laurent. N'en parlez jamais.

Et Marthe avait ajouté :

— Il a raison, papa. On rirait de nous.

Alors, ce jour-là, Pépé s'était réfugié sous la tonnelle et il avait pleuré sur Bourricot qui était son meilleur ami, sur la cabane qui était *sa* cabane.

— Nous devrions transformer l'affaire en société, lui avait dit un jour Laurent. Les avantages se traduiraient d'abord par un apport de capitaux... Vous m'écoutez?

— Oui, avait répondu distraitement Pépé. Si vous croyez! Faites à votre idée. Cela m'est égal.

Tandis qu'il s'éloignait, Laurent grondait :

— Il est assommant, ton père.

— Il est vieux, maintenant, répondait Marthe. Il compte sur toi.

Catherine devenait une petite demoiselle. Elle jouait du piano, elle parlait robes et bijoux. À table, elle découpait une cuisse de poulet en s'aidant d'une fourchette, chose que n'avait jamais su faire Pépé. Elle passait insensiblement dans le clan Laurent, et Pépé se sentait seul. Sa grande joie fut la naissance de Pierrot.

Pépé soupira. Une souris courut sous l'établi. Le soleil baignait le jardin. Tout était calme. Et voilà que des voix d'hommes s'élevèrent chez la voisine.

« Tiens! Mme Mercier ne reçoit jamais personne, songea Pépé. C'est étonnant, tout ce monde. »

Il sortit de l'atelier et fit quelques pas dans l'allée, les mains au dos, comme un jardinier qui passe l'inspection des semis. Il longea la clôture. De l'autre côté, il y avait trois hommes. L'un s'assit sur le banc adossé au tronc d'un pommier, les autres se mirent à bêcher. Cette diversion à ses peines enchanta Pépé. Un homme qui bêche, c'est un spectacle de qualité pour le connaisseur. Quand deux hommes bêchent, c'est mieux encore; on compare, on suit l'ouvrage. Pépé s'assit sons la tonnelle où les guirlandes de la vigne s'enchevêtraient

98

dans les lattes de bois croisées en losanges bleus. De
là, il pouvait tout voir sans être vu.

— Je suis contente qu'ils soient venus, dit
Mme Mercier en prenant son tricot.
— Ne vous l'avais-je pas promis? répondit
Amédée.
— Bien sûr. C'est très aimable à vous. Sont-ils
vos amis?
— Ce sont mes meilleurs amis. Vous verrez le
beau jardin qu'ils vont faire.

Les mains agiles de la vieille dame poursuivaient
leur manège. La pelote de laine tournait sur le banc.
Amédée goûtait la tiédeur de l'après-midi. Il regardait
jouer les aiguilles. Parfois, une rose s'effeuillait. Des
hirondelles bâtissaient hâtivement leur nid sous le
toit de la maison. Il arrivait qu'un brin de paille leur
échappât, tombât mollement sur l'herbe. Pignolle et
Ragris bêchaient en cadence. Leurs outils s'enfon-
çaient en même temps dans la terre. L'intervalle
entre les deux hommes demeurait constant.

— Je ferais peut-être mieux de rentrer ma bicyclette, dit Amédée. Elle est dans la rue.
— C'est plus prudent, répondit la vieille dame. Il
n'y a pas de voleurs, que je sache, mais je serais
désolée si on vous la prenait.

Amédée rentra son antique vélo. Un petit paquet
pendait au guidon. C'étaient les oignons de glaïeuls
que le grainetier lui avait offerts le dimanche pré-
cédent. Il coupa la ficelle et tendit le sachet à la
dame.

— Je voudrais vous offrir ceci, dit-il. Ce sont des
glaïeuls.
— Vous êtes trop bon, Monsieur. Je les planterai. Avez-vous un jardin vous-même?

— Oui. Un très grand jardin. Avec beaucoup de fleurs.

Il ne parla pas des herbes. Il ne dit pas qu'on ne distinguait plus les allées des plates-bandes, qu'on se piquait aux chardons pour atteindre le cœur des massifs, que les liserons sauvages se mêlaient aux roses. Il avait bien eu l'intention de planter des glaïeuls, mais cela nécessitait un bêchage préalable. Or, la bêche était cassée. C'était une bonne raison. Il était donc préférable d'offrir ces oignons à la vieille dame qui leur apporterait tous ses soins.

— Comment vous appelez-vous? demanda-t-elle.

— Amédée.

— J'ai une bonne provision de laine. Je vous tricoterai un gilet avec vos initiales.

Elle ajouta pour être en règle :

— Mon nom, c'est Mercier. Mme Mercier. Mon mari était fonctionnaire.

La veste de Pignolle, qu'il avait accrochée à un arbre, tomba. La dame se leva, ramassa la veste et la pendit avec précaution.

— Oh! Ce n'était pas la peine, Madame, dit Pignolle sur sa bêche.

— Dis merci, ordonna Ragris.

— Merci, Madame.

Elle revint à son banc en souriant. Ils étaient gentils, ces hommes. Elle prit une tabatière dans sa poche, pinça un peu de poudre noire qu'elle se glissa rapidement dans les narines.

— C'est mon péché mignon, dit-elle. Oh! je vous prie de m'excuser. Peut-être prisez-vous aussi, Monsieur?

Amédée ne prisait pas, mais l'odeur forte du tabac le tenta. Autrefois, avant d'être gâteux et misérable, son père prisait, comme toutes les personnes distinguées. Il accepta, par curiosité autant que par politesse. Il en ressentit des picotements dans les yeux et se mit à éternuer. Pignolle et Ragris éclatèrent de rire.

Mme Mercier allait reprendre son tricot mais elle suspendit son geste quand on entendit le pas d'un cheval dans la rue, avec un bruit aigre d'essieu et le cliquetis d'une sonnette.

— C'est le charbonnier, dit-elle. Il a deux chevaux. Je vais voir.

Elle prit le seau et la pelle et sortit. Amédée la suivit. Un tas de crottin frais fumait sur la chaussée.

— J'ai de la chance, dit la dame. Juste devant ma porte.

Elle glissait la pelle sous le tas.

— Attendez, dit Amédée. Je vais le faire.

— Ne salissez pas votre costume.

Amédée remplissait le seau. « Par exemple, songeait-il, je n'aurais jamais fait cela pour moi-même. » Il lui plaisait que la vieille dame recueillît ainsi des excréments dans la rue pour l'amour des roses. Quand le seau fut plein, ils rentrèrent.

— Que dois-je en faire ? demanda-t-il.

— Videz sur le tas. Je vous remercie. Vous êtes très adroit. On voit que vous avez l'habitude.

Pignolle et Ragris bêchaient au même rythme. La terre retombait devant eux en mottes brunes qu'ils brisaient d'un coup précis. Derrière, l'espace en friche diminuait. Pignolle avait la gorge sèche. Il tint bon encore dix minutes, puis donna des signes de faiblesse.

— Alors, dit Ragris, tu flanches ?

— Si tu savais comme j'ai soif !

Il dit cela très haut, avec intention. L'effet ne se fit pas attendre. Mme Mercier s'agita.

— Mon Dieu, s'écria-t-elle, je n'y pensais pas. Suis-je sotte !

Elle disparut dans la maison. Ragris ficha son outil dans la terre et s'épongea le front.

— Tu nous fais toujours remarquer, gronda-t-il.

— C'est régulier, affirma Pignolle en remontant son pantalon. Un gars qui bêche a droit à son litre.

Amédée intervint :

— Ragris a raison. Il fallait te taire. Ce n'est pas convenable.

— Convenable ! Tu es bon, toi. Ce n'est pas en faisant la causette sur le banc que tu vas te fatiguer.

Mme Mercier revint avec des verres et une bouteille. Ragris fit jouer son couteau qui comportait un tire-bouchon. Mais il repoussa la bouteille qu'on lui tendait quand il vit l'étiquette.

— Du bourgogne ? Non, ce serait dommage.

— Bien sûr, approuva Pignolle. Du rouge ordinaire aurait suffi.

— Mais je n'en ai pas, dit la dame. Je ne bois que de l'eau. Le vin me tourne la tête. Mon mari aimait une bonne cave. Il avait fait rentrer cent bouteilles peu de temps avant sa mort et je les ai toujours. Voilà une bonne occasion.

Ragris comprit qu'on ne pouvait refuser sans désobliger la dame. Il déboucha la bouteille et emplit les verres. Pignolle vida le sien d'un trait. Du rose parut à ses pommettes.

— Cent bouteilles, murmura-t-il.

— Tu disais quelque chose ? demanda sévèrement Ragris.

— Non. Pour du bon vin, c'est du bon vin. Cela donne du cœur à l'ouvrage.

Se sentant coupable, il se remit aussitôt à bêcher. Ragris l'imita. Mme Mercier posa la bouteille dans l'herbe en disant : « Si vous avez soif, ne vous gênez pas. » Elle regagna sa place. Tandis que Pignolle et Ragris bêchaient, Amédée bavardait sur le banc avec la vieille dame dont les yeux demeuraient fixés sur son tricot. La pelote tombait souvent. Il la ramassait chaque fois. À la fin, il la garda, la tournant lentement entre ses doigts pour alimenter l'ouvrage. La fatigue aidant, Pignolle et Ragris bêchaient moins vite. Le vin leur avait délié la langue.

— C'est vraiment un beau temps, dit Pignolle. On devrait poser des lignes ce soir.

— Tu as raison. C'est ce qu'on fera si on ne rentre pas trop tard au marais. Les anguilles sont énervées en ce moment.

— Tu me feras penser aux crochets. On n'en a plus. Avec la chaleur, les grenouilles vont commencer à sortir. On pourrait se faire des sous.

— J'y penserai.

La surface en friche diminuait rapidement derrière eux. Pignolle lorgnait fréquemment du côté de la bouteille, mais il n'osait rien dire. Le malheur, c'est qu'ils s'en éloignaient de plus en plus. Pignolle bêchait maintenant le long de la clôture. Il y avait, dans le jardin voisin, une jolie tonnelle bleue tapissée de vigne, et sous cette tonnelle un vieillard qui regardait bêcher les deux hommes, suspendu à leurs lèvres.

— Comment se plantent les glaïeuls ? demanda Mme Mercier.

— Je vais vous montrer, répondit Amédée. Où faut-il les mettre ?

— Ici. Est-ce possible?

— Oui. Le coin est bien exposé.

Il enfonça les oignons dans la terre meuble à l'endroit choisi, laissant des intervalles de trente centimètres. Voilà des oignons qu'il n'aurait jamais plantés chez lui, et il le faisait pour cette dame.

— Faut-il arroser? demanda-t-elle.

— Non. Inutile. Dans un mois, ils seront sortis. Vous aurez des fleurs en juillet. Il faudra mettre des tuteurs, à cause du vent.

Il recouvrit les oignons et prodigua ses conseils. Mme Mercier écoutait avec attention, approuvant de la tête. Amédée fit l'éloge du glaïeul, fleur qui se dresse noblement vers le ciel, aux couleurs chaudes, ouvrant progressivement ses corolles de la base à la pointe comme pour repousser l'échéance fatale. Il conseilla de biner autour des tiges quand viendrait la sécheresse, chose qu'il ne faisait jamais chez lui.

— Ce sera vraiment bon cette nuit pour les anguilles, dit Ragris.

— Oui. On aurait tort de ne pas poser des lignes. Il y a de beaux vers dans cette terre. On devrait en emporter.

Ragris trouva une vieille boîte. Ils y mirent les vers de terre qui se tortillaient dans les mottes retournées. Pignolle poussa un soupir et se frotta les reins.

— J'en ai assez, dit-il. Et toi?

— Moi aussi. On a bien travaillé. Cela suffit.

— On ne peut pas finir aujourd'hui. On reviendra.

Pignolle prit sa veste. Il s'approcha sournoisement de la bouteille. Ragris fit tomber les mottes collées à ses sabots.

— Je vais chercher mon porte-monnaie, annonça Mme Mercier, les voyant sur le départ.

— Ne vous dérangez pas, Madame, dit Ragris. Ce n'est pas terminé. Nous reviendrons. Vous paierez la prochaine fois.

Le prix n'avait pas été fixé, mais Ragris crut lire le soulagement sur le visage ridé.

— Comme vous voudrez, dit-elle. Oh! attendez un instant. J'ai quelque chose pour vous.

Elle alla chercher une autre bouteille de bourgogne qu'elle leur tendit. Ragris protesta. Pignolle était dans une grande détresse.

— Si, dit la dame, vous la boirez chez vous. Ce vin ne doit pas rester éternellement dans ma cave. Je ne reçois personne, sinon quelques vieilles bonnes femmes comme moi et nous ne prenons que du café. Mon mari avait acheté ce vin pour le boire avec ses amis et vous êtes mes amis.

Ragris prit la bouteille. Une onde de bien-être envahit Pignolle. Amédée sortit son vélo.

Mme Mercier les accompagna jusqu'à la rue, serra leurs mains calleuses et rentra dans sa maison.

— Elle est bien, cette dame, remarqua Ragris.

— Cent bouteilles, dit Pignolle dans un souffle.

— Qu'as-tu là? lui demanda Ragris en montrant sa poche gonflée par un objet insolite.

— Euh! C'est la bouteille, celle que nous avons bue cet après-midi. J'ai pensé...

— Tu n'avais pas le droit de la prendre.

— Il en restait près de la moitié. Elle est à nous, n'est-ce pas? Tu as entendu ce qu'a dit la dame.

— Elle n'a jamais dit de l'emporter. Elle nous en a donné une autre. Va remettre cette bouteille à sa place.

— Voyons, Ragris...

— Va vite.

Pignolle fit demi-tour et s'en fut en traînant les pieds. Il poussa la porte, contourna la maison et posa la bouteille à sa place. Mais il se ravisa et but la moitié du contenu à même le goulot. Il la remit définitivement près d'un arbre, bien en vue, pour montrer à l'hôtesse qu'ils étaient réguliers. La vieille dame parut à la fenêtre.

— Vous avez oublié quelque chose?

— Oui, mon mouchoir. Bonsoir, Madame.

— Bonsoir. Oh! je vois que vous avez laissé la bouteille. Prenez-la.

— Où donc?

— Là, au pied de l'arbre.

— Merci beaucoup, Madame.

Il rejoignit ses copains.

— Elle a dit de garder la bouteille, annonça-t-il avec fermeté.

— Je sais. J'ai entendu, dit Ragris. Mais il y avait plus de vin. Il en manque encore la moitié.

— Je vais t'expliquer...

— N'explique rien. Tu es un âne.

Il l'accabla de reproches. Pignolle subissait l'orage, le dos voûté, le pas lourd. Amédée les suivait distraitement, son vélo à la main. Pépé était sorti dans la rue pour les regarder partir. En rentrant de l'école, Pierrot le trouva là et vit qu'il souriait.

VI

Les trois enfants de Pignolle venaient de découvrir un jeu passionnant : une planche étant posée sur l'eau, il s'agissait de la pousser au large, le plus loin possible. Comme la planche était reliée à la rive par une longue ficelle, il était facile de la récupérer.

Ils étaient deux garçons robustes de six et huit ans et une toute petite fille, jolie et crasseuse, à demi nue. Agenouillé dans la boue, l'aîné manœuvrait la planche. La tenant d'une main ferme, il la fit avancer légèrement deux ou trois fois pour chercher la ligne droite, puis il la lâcha. Le radeau s'en alla très loin, provoquant de grandes rides sur l'eau. Satisfait, l'aîné ramena la planche. Son frère déclara qu'il ferait mieux. La petite fille gambadait sur la berge, applaudissant aux exploits des grands, avec des cris perçants quand le gracieux navire fonçait vers le large.

Le plus jeune garçon battit le record de son frère. La planche fut brusquement stoppée dans sa course car la ficelle n'était pas assez longue. Comme elle n'était pas non plus très solide, elle cassa net. Les enfants étaient consternés. Ils contemplaient le bateau qui flottait à dix mètres de la rive. Impossible de le récupérer.

— Il nous faut une autre planche, dit l'aîné. Où l'avais-tu trouvée ?

— Sur la cabane.

— C'est toi qui l'as perdue, débrouille-toi pour en trouver une autre.

— Il nous faudrait aussi une ficelle plus longue. Fouille donc dans la boîte de papa, il y a du fil pour sa pêche.

S'étant ainsi réparti la tâche, les deux garçons se séparèrent. L'aîné fit ses recommandations à la petite.

— Reste là, Cricri. Attends-nous.

— Ze reste, répondit Cricri. Z'attends.

Assise sur une pierre, la petite croisa ses pieds nus et se mit à sucer son pouce. L'aîné fouilla dans la boîte de son père et déroula vingt bons mètres d'un fil résistant destiné à monter des lignes de fond. Pendant ce temps, son frère faisait prudemment le tour de la cabane, choisissait un côté favorable par rapport à la mère qui, à l'intérieur, s'occupait à des travaux ménagers. Il avisa une planche vermoulue qui ne tenait plus que par un clou. Il détacha facilement la volige. Ainsi équipés, les deux frères rejoignirent Cricri et le jeu recommença.

Mélie sentit un air frais dans son dos. Elle se retourna, vit l'ouverture dans le mur de bois et poussa une série de hurlements prolongés. Elle sortit en trombe, les cheveux au vent, aperçut les enfants qui jouaient avec la planche et leur promit des châtiments raffinés, d'une voix aiguë qui devenait indistincte pour les garçons. Ils ne bronchèrent pas, trop occupés par une tactique nouvelle qui permettait d'envoyer le navire à une distance considérable. Seule, Cricri se retourna et prévint ses frères :

— Maman crie. Elle a vu.

Pignolle rentrait justement.

— Qu'y a-t-il donc, Mélie ? Pourquoi ces cris ?

— Les gosses ont pris une planche pour faire des bateaux. Regarde.

— C'est ingénieux, dit-il.

— Tu les soutiens encore. Ils trempent la planche dans l'eau.

— Il faut bien que ces gosses s'amusent.

— Je veux qu'on bouche ce trou.

— Attends. Je vais arranger ça.

Avec des punaises, il fixa trois cartons sur l'ouverture.

— C'est suffisant pour le moment, dit-il. Je remettrai la planche plus tard. Quand ils auront joué un jour ou deux, ils n'y penseront plus. On peut supporter un peu d'air.

Mélie ne pensait déjà plus à la planche. Penchée sur le poêle, elle grognait. Elle s'en prenait maintenant aux haricots qui brûlaient, en un monologue inintelligible. Pignolle attendit la fin et demanda un restant de soupe. Elle lui répondit que le chat l'avait mangée. Il prit un morceau de lard et une pomme de terre cuite et sortit pour dîner sur le seuil tout en suivant le jeu des enfants qui ne manquait pas d'intérêt. Puis il but deux verres de vin et chercha dans sa boîte de pêche. Il lui fallait une bonne longueur de fil pour monter la ligne qu'il désirait. Ragris prétendait qu'il avait vu un brochet d'un mètre qui chassait dans un banc d'alevins. Avec un vif, on pourrait l'avoir. On attacherait le fil à un bouquet de roseaux. Comme le marais était peu profond, la bête se fatiguerait vite à tourner en surface. Mais Pignolle ne trouva pas le fil. Bah ! Ragris lui en fournirait. Il renseigna Mélie :

— Ragris m'attend. On va aux tanches.

— Tu ne manges pas ? C'est cuit.

— Pas le temps.

Mélie parla aux haricots avec colère. Pignolle était déjà loin. Ragris fixait une virole de cuivre au bout d'un scion.

— Te voilà enfin ? dit-il.

— Je cherchais du fil pour le brochet.

— On s'occupera du brochet un autre jour. Du moment qu'on l'a repéré, rien ne presse. Les tanches sont folles. Partons. En plein midi, elles mordent bien.

Le coin de prédilection des tanches se trouvait au fond du marais, dans un petit golfe encombré d'herbes et de lentilles d'eau. Ragris lança sa ligne dans une partie dégagée. Le flotteur trouva sa position verticale et demeura immobile. La canne fut posée en équilibre sur une fourche de bois fichée dans la terre, et son extrémité coincée sous une pierre. Pignolle fit de même un peu plus loin. Désormais, il suffisait d'attendre. Les tanches se prendraient toutes seules. Elles folâtraient en surface. Le tapis de lentilles d'eau remuait doucement. L'une d'elles, très grosse, sortit entièrement de l'eau et frétilla un moment sur la nappe végétale, puis elle s'enfonça, laissant un trou à cette place. Un saule déraciné continuait sa vie, le tronc aux trois quarts immergé, et dans ses branches qui flottaient les poissons grouillaient. On les voyait bouger dans le feuillage.

Pignolle eut la première touche. À cet instant, il s'occupait à vider les mégots qu'il trouvait dans sa poche pour reconstituer une cigarette. C'était une tâche délicate. Il prit son temps. «Minute, ma petite», dit-il au poisson. Il alluma la cigarette et retira la ligne, mais il était trop tard. La tanche avait gagné les herbes; le fil résistait.

— Ragris, cria-t-il, je suis accroché.

— C'est bien fait. Je t'ai vu. Fallait te presser.

Ragris ne pouvait pas lui porter secours. Son flotteur oscillait, plongeait à petits coups brefs. Ragris sortit doucement sa canne de la fourche, donna un peu de fil et ferra quand le bouchon plongea en direction des herbes. La tanche parut. Comme elle était assez grosse, il ne la sortit pas tout de suite mais la noya en surface. La gueule ouverte du poisson prisonnier émergeait seule. Il l'amena jusqu'au bord, leva la canne ployante et la tanche retomba sur la terre ferme avec des sauts désespérés. Elle était verte et bleue, comme les herbes où elle vivait. Il lui mit un doigt dans la gueule qu'il tordit d'un coup bref pour casser les reins, et la jeta dans son sac.

— Ragris, je suis accroché.

— Je viens.

— Je me demande si elle est encore au bout, dit Pignolle.

— Donne-moi ça, manchot.

Il prit la canne, la maintint horizontale à fleur d'eau, tirant par petits coups secs de droite et de gauche. L'hameçon tenait bien. Pas question d'aller décrocher à la main bien que la hauteur d'eau fût assez faible. Il y avait des mètres de vase là-dessous. C'est à cet endroit qu'une vache était tombée dans le temps. On ne l'avait jamais retrouvée.

— Ça y est, dit Ragris, je l'ai. Mais ton poisson est parti.

Il ramena l'hameçon avec un paquet d'algues.

« Débrouille-toi maintenant, dit-il, je dois surveiller ma ligne. Mais tu feras bien de changer de coin. L'eau est dérangée. »

Pignolle libéra l'hameçon et jeta au loin les algues ruisselantes. Comme Ragris était en train de prendre une deuxième tanche, il alla pêcher près de lui.

— C'est bon, dans ton coin, dit-il.

— C'était bon aussi dans le tien.

— Dis donc, Ragris, je pensais qu'il faudra retourner chez la vieille dame pour finir son jardin.

— On ira.

— Elle nous doit des sous.

— Elle paiera. On n'en a pas besoin tout de suite. Il nous reste l'argent du muguet.

— Cent bouteilles qu'elle a dans sa cave, Ragris.

— C'est pour ça que tu es pressé d'y retourner.

— Tu l'as toujours, la bouteille qu'elle nous a donnée ?

— Bien sûr. Je ne vais pas la boire tout seul.

— Quand est-ce qu'on la boira ?

— Quand on aura quelqu'un. Pour un vin pareil, il faut être plusieurs amis.

Un homme venait sur le chemin. Ragris ajouta :

— Puisque tu as envie de la boire, cette bouteille, on la videra tout à l'heure à nous trois. Voilà Tane.

— Ohé ! les gars ! cria Tane.

— Viens, répondit Pignolle. On pêche.

Tane agita les mains en signe d'allégresse car il était content de revoir ses amis. Il quitta le chemin et vint droit sur eux.

— Arrête, hurla Ragris. C'est du sable mouvant. Fais le tour des roseaux.

Tane obéit. Quand il arriva, Ragris se battait avec une grosse tanche qui avait mordu voracement,

sans crier gare, c'est-à-dire sans touches prélimi-
naires. C'était une tanche énorme. Elle cherchait à
gagner le saule. Ragris serrait les dents. Pignolle lui
prodiguait ses conseils : ferre à gauche, donne du
fil, allez, en douceur.

— Tais-toi donc, grogna Ragris, tu me gênes.

Vexé, Pignolle se tut. Il serra la main de Tane et
lui demanda une cigarette.

— Regarde donc ta ligne, dit Tane. On ne voit
plus le bouchon.

— C'est ma foi vrai, constata Pignolle. Et il courut à sa ligne en maintenant son pantalon. Il sortit
une petite anguille en même temps que Ragris
ramenait sa tanche.

— Elle est rudement belle, dit Tane.

— Oui, dit Ragris satisfait. Elle fait bien cinq
livres.

Tane eut un sifflement d'admiration. Cinq livres
sans épuisette. Heureusement, la tanche avait avalé
l'hameçon et le fil était solide.

— C'est gentil d'être venu, dit Ragris.

— J'étais de repos, expliqua Tane. Je me suis dit
comme ça, je vais aller faire un tour au marais.
Tiens, Pignolle, je t'ai apporté des haricots pour tes
gosses qui sont toujours affamés. Il m'en reste vingt
kilos de la dernière récolte.

— La Mélie sera bien contente, remarqua
Pignolle.

— Ne vous occupez pas de moi, dit encore Tane.
Je vais vous regarder pêcher. C'est bien reposant.

Il se tint discrètement à l'écart, pensant que sa
présence gênerait. Pignolle et Ragris changeaient
leur ver. Il s'allongea sur l'herbe, rabattit sa casquette sur les yeux et se laissa glisser dans un état
de torpeur agréable et voisin du sommeil. Le soleil

était au zénith. Il faisait chaud comme en juillet. Le marais, au cœur du printemps, avait une vie intense. Les rongeurs s'affairaient dans leurs trous secrets. Parfois, la terre bougeait sans qu'on sût quelle bête était dessous. Des passereaux piaillaient dans les saules. Un crapaud pustuleux contemplait la lumière. Des éphémères épuisaient leur vie d'un jour, en un vol désordonné.

Tout en surveillant sa ligne, Ragris regardait vivre le marais. Une poule d'eau sautillait lourdement dans les roseaux à la recherche de larves. Une couleuvre traversa le golfe. Sa nage était rapide, sinueuse, sa tête droite et fière hors de l'eau. Ragris fit entendre un sifflement très bref. La couleuvre s'arrêta, balança gravement sa tête embellie d'un collier clair, comme pour chercher l'ennemi et reprit sa nage, un peu plus vite, jusqu'à une souche pourrissante où elle disparut tout entière.

Pignolle et Ragris prirent encore chacun deux tanches. Tane s'éveilla en s'étirant.

— C'est fou ce qu'on dort bien sur l'herbe, dit-il. Ça sent bon. Pêchez-vous encore longtemps?

— On s'arrête, décida Ragris. Le bon moment est passé, elles ne mordront plus. Allons manger.

— Vous n'avez pas déjeuné? s'étonna Tane.

— Non. Rentrons. Je préparerai la grosse tanche.

Pignolle offrit son anguille à Tane. Son premier soin, quand ils arrivèrent à la cabane verte, fut de sortir la bouteille de sa cachette.

— Regarde-moi ça, Tane.

— C'est ça, dit Ragris, casse-la. Elle sera toute bue. Sors plutôt les assiettes.

Ayant allumé le poêle, Ragris vida la tanche et l'apprêta. Bientôt l'odeur agréable du poisson cuit se répandit dans la pièce. Pignolle avait débouché la bouteille depuis longtemps.

— Ça tombe bien, dit-il en furetant dans le placard, on a justement trois verres.

Il était là comme chez lui. La cabane verte était son second domicile. Il y prenait la plupart de ses repas, ce qui lui évitait d'entendre les lamentations aiguës de Mélie. Ses gosses y trouvaient leur compte : ils mangeaient sa part. Mélie s'étonnait même quand il venait à l'heure du repas pour se mettre à table. Il était mal reçu parce qu'il n'avait pas prévenu.

Tane apprécia le vin. Il parla de son petit train qu'il conduisait chaque jour sur la voie étroite de la montagne.

— On a une nouvelle machine au dépôt, dit-il. Elle n'est pas pour moi. Notez bien, j'aurais pu l'avoir mais j'aime mieux la vieille, je suis habitué.

— Tu veux du poisson, Tane ?

— Non. J'ai mangé. Quand irez-vous dans la montagne ?

— Bientôt. On a beaucoup d'occupations ici maintenant, expliqua Ragris. On ira dans les bois le mois prochain, pour les escargots.

Tane approuva.

— Vous prendrez le train du matin. C'est mon train. On choisira le jour. Il faudra une bonne pluie la veille.

La bouche pleine, Pignolle expliqua :

— Ragris a vu ce matin un brochet grand comme la table. Je veux monter une ligne.

— Le brochet n'est pas pour toi, coupa Ragris. C'est un trop gros morceau, je m'en charge. Ne mange pas si vite, Pignolle. Fais attention aux arêtes.

Tane sortit de sa poche un journal froissé qu'il déplia soigneusement.

— On parle du marais là-dedans, dit-il.

— Du marais ? Pourquoi ?

— Ils disent qu'ils veulent l'assécher et le combler pour faire des jardins et, dans vingt ou trente ans, ils bâtiront des maisons dessus.

Pignolle compta sur ses doigts. Vingt ans, trente ans. On avait de la marge. Mais Ragris était soucieux. Quand il n'y aurait plus d'eau, il n'y aurait plus de poissons. Les ouvriers viendraient d'abord, puis les maraîchers s'installeraient. On ne serait plus chez soi.

« Onze ans que je suis au marais, pensa-t-il tout haut. Je m'y plaisais bien. »

Pignolle essuya ses doigts graisseux dans son mouchoir. L'inquiétude le gagnait. Il demanda timidement :

— Tu ne vas pas t'en aller ?

— Sais pas. S'ils viennent nous embêter, il faudra bien plier bagage.

— Pour aller où ? interrogea Pignolle avec anxiété.

— On partirait. On marcherait droit devant soi et on trouverait un autre coin. Il y a des coins partout. On s'arrêterait dans un autre marais, ou dans une maison abandonnée à l'entrée d'un bois.

— Il y a beaucoup de maisons abandonnées dans la montagne, affirma Tane. Et c'est de la bonne construction. Des fois, le toit est même intact.

Il y eut un silence. Ragris se curait les dents avec une allumette, les yeux dans le vague. Il se voyait marchant sur une route, de bon matin. On s'arrêtait dans un village. On travaillait deux jours dans une ferme, deux jours dans une autre et quand on voulait se fixer un temps, on s'arrêtait là où il y avait un gîte et des bêtes.

— Tu m'emmènerais? demanda peureusement Pignolle.

— On n'en est pas encore là, répondit Ragris.

— C'est bien mon avis, dit Tane en repliant son journal. Le marais n'est pas près de changer. Ils disent qu'il faudra beaucoup d'argent et qu'il y a mieux à faire ailleurs dans l'immédiat. C'est quatre heures, je vais rentrer, les gars.

Les commentaires de Tane rassurèrent Pignolle qui partit à son tour chez lui très confiant. Mais si le journal parlait ainsi du marais, c'est que l'idée était en l'air, songea Ragris quand il fut seul. Les choses finissent toujours par se faire.

Pour la dixième fois de la journée, Pépé fit le tour du jardin. Enfin, il vit que la voisine sortait de sa maison pour cueillir quelques fleurs. Il s'approcha de la clôture dans l'espoir d'engager la conversation. Ce n'était pas facile, car la famille de Pépé ne fréquentait pas Mme Mercier. Elle n'est pas de notre condition, disait la famille. Marthe lui faisait un bonjour condescendant, du bout des lèvres, quand elle ne pouvait l'éviter. Pour Laurent, c'était plus simple : il ne saluait personne dans le quartier. Pépé n'avait aucune sympathie particulière pour la vieille dame, mais il aurait aimé entretenir de bonnes relations de voisinage. Leurs jardins mitoyens se prêtaient aux bavardages gratuits, aux commentaires inoffensifs sur le temps et la culture. Il ne manquait pas de souhaiter le bonjour à Mme Mercier chaque fois qu'il la voyait mais ne s'étendait pas davantage, redoutant la malveillance de la famille.

Cette fois, Pépé se campa devant la clôture, toussota deux ou trois fois pour bien signaler sa présence et quand la vieille dame leva les yeux vers lui, il lui dit hardiment bonjour, avec la ferme intention de ne pas en rester là.

— J'admirais votre jardin, dit-il en connaisseur.

— Il est propre, n'est-ce pas?

— Ceux qui l'ont bêché ont bien travaillé.

— Ils sont venus lundi. Ce sont de braves gens. Ils reviendront pour finir.

Alors, Pépé posa la question qui lui brûlait les lèvres :

— Quand reviendront-ils?

— Je ne sais pas exactement. Ils ont dit bientôt, sans préciser. Oh! je suis sûre qu'ils reviendront.

Ce fut tout pour cette fois. Les jours suivants, il s'arrangea pour se trouver vers la clôture quand la vieille dame sortait. Ils prirent l'habitude de bavarder à propos des fleurs, des semences, des arbres. Pépé regardait parfois du côté de sa maison comme s'il craignait d'être surpris. La vieille avait une voix très agréable. Son visage ridé ressemblait à une jolie pomme rose après la gelée. Pépé demandait ·

— Sont-ils revenus?

— Pas encore.

— Ce serait dommage s'ils ne revenaient pas. Il vous faudrait laisser ce carré en friche.

— Ils reviendront. Pensez donc : je ne les ai pas payés.

— C'est une bonne raison.

Le facteur arriva chez Mme Mercier et l'entretien en resta là. Pépé rentra chez lui.

— C'est une lettre recommandée, dit le facteur. Il faut signer ici.

La lettre annonçait que la pension trimestrielle

serait payée avec trois semaines de retard, en raison de nouvelles modalités. « Cela ne m'arrange pas du tout, murmura la vieille dame. Si les hommes reviennent, je ne pourrai même pas les payer. »

Au réveil, Pépé s'assurait que le ciel était beau.

« Un temps idéal pour bêcher, songeait-il. Si j'étais eux, je viendrais aujourd'hui. Je suis sûr qu'ils viendront aujourd'hui. »

Mais la journée s'écoulait sans que son vœu fût exaucé. Il errait alors comme une âme en peine de sa chambre à la tonnelle, de la tonnelle à l'atelier. Là, il fouillait dans ses trésors poussiéreux : un vieux journal de 1890 qu'il avait conservé à cause d'un article qui parlait de l'assèchement futur du marais. Il se souvenait parfaitement du soir d'hiver où sa femme lui avait lu cet article dans la cabane. Maintenant, c'était Pierrot qui lui faisait la lecture. L'enfant ânonnait d'abord les titres et Pépé choisissait. Et voilà que la veille, Pierrot lui avait lu un article tout pareil à celui de 1890. « Assèchement du Marais. » « Oui, lis-moi celui-là », avait dit Pépé qu'une grande peur étreignait soudain. Il avait écouté en silence, puis : « Veux-tu relire encore ? » L'enfant avait obéi, un peu étonné. Ensuite les questions étaient venues.

— Pourquoi deux fois, Pépé ?

— C'est très intéressant.

— Où est-ce, le marais ?

— Pas très loin d'ici. Les gens de la ville n'y vont jamais. Ils trouvent que c'est laid. Ils disent qu'il y a des moustiques.

— On devrait y aller un jour.

L'article était comme celui de 1890. Quarante ans avaient passé depuis le premier projet, mais heureusement le marais était toujours là. « Je ne voudrais pas qu'ils fassent cela de mon vivant», songea-t-il.

Il fouilla encore dans ses tiroirs et mit au jour une petite couverture qui sentait le fauve. Il en tira quelques poils gris qui avaient appartenu à Bourricot. La couverture protégeait autrefois l'échine de l'âne, les matins d'hiver. Il trouva encore des lacets et des pièges qui avaient capturé nombre de lapins et de sarcelles. En quittant la cabane, il avait enfoui un tas d'objets de ce genre dans une caisse remisée ensuite à l'atelier. Plus tard, Pépé et sa femme avaient plus d'une fois projeté d'y mettre de l'ordre. Il devait y avoir beaucoup de choses à jeter. Mais ils n'en avaient rien fait, faute de temps. Puis, quand Marthe avait décidé de s'en charger, Pépé s'était cabré, exigeant d'abord un inventaire. Il avait abandonné au balai de sa fille quelques articles sans personnalité mais n'avait pu se résoudre à détruire certains autres, comme la couverture et le vieux journal qui étaient trop riches de souvenirs. «J'ai bien fait de les garder, dit-il. C'est agréable de les avoir là.»

Pierrot vint le rejoindre. C'était jeudi.

— Tu es prêt? demanda Pépé.

— Oui. Maman dit qu'on peut partir. Elle donne un coup de brosse à ta veste.

— Fais attention de ne pas te salir, cria Marthe à Pierrot. Je t'ai mis ton costume neuf.

Elle arrivait, tenant à bout de bras la veste de Pépé, et dans l'autre main une brosse.

— Merci, dit Pépé en prenant la veste. Tu as tort de l'habiller comme un prince. C'est bon le dimanche. Le jeudi, c'est pour jouer

— Je veux qu'il soit propre. Les autres enfants du square sont convenables.

— Où va-t-on? demanda timidement Pierrot à son grand-père.

— J'ai dit au square, trancha Marthe. Allez et ne restez pas trop tard.

Le square était un jardin aux pelouses bordées d'arceaux dont l'accès était interdit, aux allées couvertes d'un beau sable qu'il ne fallait pas toucher. Au milieu, il y avait un kiosque rond dont le sous-sol était un véritable labyrinthe, endroit idéal pour les parties de cache-cache. Mais défense d'entrer. Le garde veillait aussi jalousement sur le bassin où s'ennuyaient trois poissons rouges. Il ne fallait pas lancer de pierres dans l'eau. Les enfants jouaient au ballon avec la modération qu'imposaient les multiples règlements. De leurs bancs, les mères les rappelaient souvent à l'ordre.

Pierrot et Pépé firent le tour du parc. Le garde les salua parce qu'il les voyait souvent.

— On est déjà venu ici jeudi dernier, remarqua Pierrot.

— Je sais bien, répondit tristement Pépé.

Ils se consultèrent du regard.

— Dis, Pépé, on ne pourrait pas aller ailleurs?

— Si, viens.

Ils s'enfuirent par des rues que l'enfant ne connaissait pas. Pépé marchait vite. Pierrot courait presque pour le suivre.

— Où va-t-on? demandait-il en riant.

— Tu verras. Ça te plaira sûrement.

Pierrot ne posa plus de questions. Il attendait la surprise. Une complicité s'établissait entre eux. Une fois, Pépé se mit à rire tout seul et l'enfant comprit que ce jeudi-là serait très différent des autres. Ils ne s'arrêtèrent qu'à la hauteur de la scierie, quand parut la plaine couverte de roseaux.

— Le marais ! murmura l'enfant ébloui. Comme c'est beau.

— On y est, tu vois.

— C'est bien mieux que le square.

— Viens. On va marcher. Il n'a pas beaucoup changé. Tiens, là, il y avait trois gros saules. Et là, tous ces roseaux n'existaient pas. C'était de l'eau. J'y prenais de ces carpes !

— Tu venais à la pêche, Pépé ?

— Il ne faudra rien dire à ta mère, ordonna sévèrement Pépé. On se ferait gronder.

— Oui, Pépé. Je dirai rien, répondit docilement Pierrot.

— Il y avait plus d'eau, mais c'est presque comme autrefois.

— Quand c'était, autrefois, Pépé ?

— Si tu en parlais à ta mère, elle ne nous laisserait plus sortir ensemble, même pour aller au square.

— C'est bien mieux que le square.

Pierrot marchait avec ravissement sur le chemin vierge qui bordait la jungle du marais. On entendait parfois dans les buissons le bruit mou d'une aile agitée. Une branche souple bougeait toute seule. Plus loin, c'était le floc d'un plongeon. Il y avait sur l'eau des ronds concentriques, rien d'autre ; on arrivait toujours trop tard. Pépé quitta le chemin ; une piste s'ouvrait dans les roseaux.

— Viens, dit Pépé. Fais attention à la boue.

Les hautes herbes caressaient leurs jambes au passage. Les tiges des joncs se glissaient sournoisement dans la culotte du petit. Entre le vieillard et l'enfant, une bête qui ressemblait à un écureuil traversa la sente, très vite et disparut. Pierrot retenait son souffle. C'était mieux que tout ce qu'il avait vu jusqu'à ce jour. Pépé allait devant, évitant les trous, écartant les ronces, recommandant à Pierrot :

— Suis-moi, marche bien où je marche. Ne te salis pas.

Sur la gauche, une bête rampa furtivement. On ne la vit pas. On devinait à l'oreille le mouvement de reptation sur les feuilles sèches.

— Un serpent, Pépé ?

— Ce n'est pas une vipère. Il n'y en a pas ici. Une couleuvre, ou peut-être bien une anguille. Des fois, elles sortent.

Ils s'arrêtèrent au bout d'une presqu'île nue bordée de joncs. Pépé se tenait au milieu dans une attitude recueillie. Il regardait fixement le sol. On n'y voyait rien que la base d'un pieu couvert de mousse. C'était un des piquets de la cabane, tout ce qu'il en restait. Pépé l'avait lui-même abattue pour en faire du bois de chauffage, l'hiver qui avait suivi son départ.

— C'était là, murmura-t-il.

— Quoi donc, Pépé ?

— Tu ne diras rien à ta mère. Regarde, tes souliers sont tout sales.

— On les nettoiera avant de rentrer, Pépé. Je dirai rien.

Pépé regardait l'endroit. Sur ce tertre, sa femme s'installait pour faire la lessive. La porte de la cabane s'ouvrait vers l'est. C'était là que Marthe était née, elle qui était maintenant une des grandes dames de la ville. « Si c'était à refaire », songeait-il.

— On va voir ailleurs, Pépé ?

Il y avait au loin une cabane sombre qui intriguait Pierrot. Des enfants y jouaient. Une autre bicoque s'érigeait ailleurs, plus jolie, toute verte, et sur le seuil était un homme qui regardait vers Pépé.

Ils revinrent sur le chemin. Pierrot vit avec plaisir qu'ils se rapprochaient de la cabane noire. Pépé marchait trop lentement à son gré ; il le distança. Les trois gosses de Pignolle, intrigués, suspendirent leur jeu. Puis ils accueillirent l'intrus à coups de pierres.

— Pourquoi me lancent-ils des pierres, Pépé ?

— C'est une manière de jouer. Ils sont chez eux. On les dérange.

Mélie sortit de la cabane et se mit à glapir à l'adresse des gosses. Ils cessèrent. Tous trois s'avancèrent au pas, méfiants. Cricri sautillait sur ses pieds nus en reniflant. Mélie examina le vieux bien habillé. C'était un promeneur de la ville comme il en passait quelquefois, rarement il est vrai. Elle haussa les épaules pour marquer son hostilité et retourna vaquer à ses affaires.

Cricri s'assit au milieu du chemin, fesses nues, en suçant son pouce. Les deux garçons firent encore quelques pas et s'immobilisèrent, les mains dans les poches, la mine arrogante.

— Qu'est-ce que tu veux ? demanda l'aîné.

— Je me promène, répondit Pierrot. C'est beau ici.

Les deux Pignolle ne se souciaient pas de Pépé. C'était un vieux. Si les choses se gâtaient, ils trouveraient toujours leur salut dans la fuite.

— Comment tu t'appelles ?

— Pierrot.

— Comme moi, remarqua l'aîné. C'est drôle.

Cricri manifesta sa joie. Pie-ot ! Pie-ot ! Le petit riche s'appelait comme son grand frère.

— Tu veux jouer ? proposa Pierrot Pignolle.

124

— À quoi ?

— Au bateau. Viens.

Sans s'occuper de Pépé, ils entraînèrent leur nouvel ami.

— Le bateau, c'est cette planche, expliqua le grand. On la pousse et on la ramène avec la ficelle. Essaie.

« Ils sont crasseux, remarqua Pépé, mais quelle bonne mine ils ont à côté des gosses du square ! » Il se demanda comment ils connaissaient le jeu du bateau. Pépé aussi le pratiquait dans son enfance. Il admira l'idée de la ficelle. De son temps, on n'y pensait pas, on ramenait la planche vers le bord en lançant des pierres, puis avec une perche. « Pourvu qu'il ne se salisse pas », songea-t-il. Mais il y avait peu de risques. Pierrot s'était déchaussé et la berge était propre à cet endroit. Il décida de le laisser jouer un moment. Par discrétion, il s'éloigna.

Ragris était debout contre la cabane verte, adossé au montant de la porte. Il pensait à Marie.

La jeune fille lui était apparue en songe, dans la nuit. C'était vague. Il avait vu seulement son visage, aussi net que dans la réalité. Marie parlait et riait, mais on n'entendait pas le rire, aucun son ne sortait de sa voix. Le rêve était obscur. Ragris essayait de se souvenir mais plus il cherchait, plus les images s'estompaient.

— Bonjour, dit Pépé.

Surpris, Ragris considéra le petit vieillard bien habillé qui se tenait devant lui. Il était mécontent d'être dérangé alors que ses pensées suivaient un cours si agréable. Décontenancé, Pépé dit bonjour une deuxième fois.

— Bonjour, fit Ragris sèchement.

— Vous habitez ici? demanda humblement Pépé.

— Oui.

— Elle est bien, votre cabane. Elle est même très bien. C'était du solide. Elle a toujours été verte.

Très intrigué, Ragris scrutait le vieux visage où brillaient deux petits yeux vifs et fureteurs. Que voulait-il, cet inconnu? Où allait-il en venir?

— Le marais va disparaître, ajouta Pépé.

— Et alors? C'est pour ça que vous êtes là?

— C'est un peu pour cela.

Ragris s'en doutait. Il savait que les choses commenceraient ainsi. Des ingénieurs, des entrepreneurs viendraient d'abord avec l'air de se promener. Ils prendraient des notes, tireraient des plans. Puis les maraîchers suivraient, pour voir ce qu'on pouvait acheter. Ce vieux monsieur inaugurait la série.

— Depuis le temps qu'ils en parlent! poursuivit Pépé. Le marais se comblera bien tout seul. Ces roseaux gagnent du terrain. Ils en parlaient déjà dans le temps; quand j'avais à peu près votre âge. C'est même un peu à cause de cela que je suis parti, et puis aussi pour l'école. J'avais une petite fille. Ma cabane était là-bas, où j'étais tout à l'heure.

— Je vous ai vu, dit lentement Ragris. Le vieillard ne lui inspirait plus aucune méfiance; il l'intéressait même à tel point qu'il ne pensait plus à Marie. Pépé racontait comment était sa cabane. Il avait aussi un âne qui s'appelait Bourricot. Il parlait très vite, achevant à peine ses mots, pressé de gagner la sympathie de ce grand garçon qui l'écoutait maintenant avec bienveillance.

— C'était encore mieux que maintenant. Il y avait de l'eau partout. On était bien avec le fermier.

126

Il nous donnait du lait contre du poisson. Une fois, une de ses vaches est tombée dans l'eau. J'étais gosse. Elle braillait, cette bête. Ce sont des choses qui restent.

— Vous étiez là quand c'est arrivé?

— Oui. Je suis né au marais. Dans votre cabane, il y avait un vieux bonhomme. C'est lui qui m'a appris tous les trucs des pièges. Je l'appelais Pépé. Alors, pour rire, il m'appelait Pépé aussi. Le nom est resté. Ma femme et ma fille ne m'appelaient pas autrement. J'avais aussi un autre surnom, confia Pépé avec un petit rire.

— Comment était-ce?

— La Rainette.

— C'est joli. Pourquoi La Rainette?

— J'étais très fort pour pêcher les grenouilles. Il faut dire, je n'ai aucun mérite, il y en avait tellement. Mes clients étaient surtout des restaurateurs. Je suis petit, pas vrai, alors ils disaient que ce nom m'allait bien. Savez-vous quand le vieux est mort?

— En 1919.

— Je ne l'ai pas su. Quand je suis parti pour me fixer en ville, il m'a dit qu'il comprenait mais que c'était une erreur.

— Était-ce une erreur?

— J'aurais dû rester, dit Pépé sourdement.

... Quand Pierrot revint, il trouva son grand-père assis dans la cabane.

— Bonjour, Monsieur, dit-il à Ragris.

— C'est mon petit-fils, expliqua Pépé en se rengorgeant. Il jouait avec les gosses de l'autre cabane.

— Ce sont les enfants de Pignolle, répondit Ragris. Il tendit la main à Pierrot qui fut très fier de cette marque d'estime. La main de Ragris était

127

grande et calleuse; celle de Pierrot y tenait entièrement.

— On devrait partir, Pépé. Il est tard.

— Tu es bien raisonnable. Je ne voyais pas tourner l'heure. Partons. Il ne faut pas se faire gronder.

Ce disant, Pépé se leva, mais il vit que la culotte
de Pierrot était maculée de boue. Ses jambes étaient
sales. Son petit chemisier bleu était couvert de
taches vertes. Pépé fut atterré.

— Dans quel état t'es-tu mis, balbutia-t-il.

— On jouait si bien, répondit Pierrot au bord des
larmes. J'ai pourtant bien fait attention.

— Viens ici, dit Ragris. On va enlever le plus
gros.

Il frotta vigoureusement la culotte. La boue, déjà
sèche, tomba en poussière; les taches du chemisier,
provoquées par les herbes, résistèrent à tous les
essais.

— On trouvera bien une explication, décida
Pépé. On dira que tu es tombé dans la pelouse du
square. C'est vrai, avec leurs arceaux, on s'entrave.
Mais tes jambes!

Ragris emplit une bassine d'eau et prit un morceau de savon qu'il tendit à Pierrot.

— Lave-toi les jambes, dit-il. Ce sera vite fait. Je
vais donner un coup à tes chaussures.

Quand Pierrot et Pépé partirent, ils se retour-
nèrent plusieurs fois pour faire des gestes d'adieu à
Ragris.

— Il est gentil, dit Pierrot.

— Tu es content de ta promenade?

— Oui. C'est bien mieux que le square.

— Tu ne diras rien à ta mère?

— Je dirai rien, Pépé.

Pignolle rentrait à ce moment. Il les croisa et vit

qu'ils faisaient des saluts vers la cabane verte. Il s'arrêta chez Ragris.

— Qui est-ce ? demanda-t-il.

— Un ami, répondit Ragris en vidant la bassine, un vrai. Il reviendra.

VII

Quand Pierrot et Pépé rentrèrent, le soir tombait. Marthe les accueillit assez froidement. Elle scruta leurs visages radieux. Ils apportaient une odeur étrange qui ressemblait à celle des chemins après la pluie.

— Vous avez bien été au square?

— Oui, répondit Pépé avec aisance. On a même dit bonjour au garde. Il y avait beaucoup de monde. Forcément, avec ce soleil. Il faisait tellement beau qu'on est revenu par le chemin des écoliers. On a fait un tour en ville. On s'est laissé prendre par l'heure.

Il se lançait dans d'interminables explications pour dissiper la méfiance de sa fille. Pierrot se taisait prudemment. Quelque chose le démangeait dans sa culotte. Tant qu'il marchait, il n'avait rien senti.

— Viens ici, Pierrot.

— Oui, maman.

— Pourquoi ces taches sur ton chemisier?

— Il s'est étalé sur la pelouse, raconta Pépé. Son pied s'est pris dans les arceaux. On ne peut pas croire comme ça tache, l'herbe écrasée.

Marthe passa l'inspection. Pour le chemisier, elle

n'insista pas. Les jambes étaient propres mais une chaussette retournée révéla traîtreusement une petite masse grisâtre : de la boue séchée.

— Et ça ?

— Tiens, on dirait de la boue, fit Pépé. C'est curieux.

— Il n'y a pas de boue au square, déclara Marthe.

— Il y en a dans la pelouse, dit Pépé. Ils ont arrosé le gazon ce matin. Quand Pierrot est tombé...

— Déshabille-toi, ordonna Marthe à son fils. Tu vas faire un peu de toilette.

Quand Pierrot retira sa culotte, un jonc tomba sur le tapis. Marthe fixa l'enfant. Il se mit à pleurer. Pépé se taisait, vaincu. Le silence lui parut interminable. Il remarqua pour la première fois qu'on entendait distinctement la pendulette qui comptait le temps sur la cheminée de la pièce voisine.

— Je vais faire ma toilette, dit Pierrot.

Il s'éclipsa en reniflant. Sa mère ne chercha pas à le retenir.

— Tu es retourné là-bas, Papa ?

— Oui.

— Tu m'as dit que vous étiez au square.

— C'est la vérité. Mais ton square, on en a assez. On ne s'y amuse pas du tout. Quel mal y a-t-il à faire une promenade dans la campagne, je te le demande ?

Pépé s'énervait. Une vieille rancune qui dormait en lui depuis vingt ans — depuis l'apparition de Laurent — menaçait d'éclater. Un vieux grand-père oisif n'avait-il pas le droit d'aller se promener dans la banlieue de la ville ? Il se défendait avec tant de chaleur que Marthe en fut ébranlée mais elle se ressaisit vite. Ce qu'il fallait faire comprendre à son père, c'est que le marais, dans leur famille, avait une signification particulière. C'était comme une maladie honteuse.

— J'y retournerai, dit rageusement Pépé. J'y retournerai tous les jours si ça me plaît. Pierrot s'est bien amusé.

— De quoi lui as-tu parlé?

— Des plantes, des bêtes. C'est très instructif.

— Et de nous? De la cabane?

— Non. J'ai causé avec un homme qui habite là-bas. Pierrot jouait avec des gosses.

— Des gosses de là-bas? demanda Marthe horrifiée.

— Oui. Si tu veux savoir, ils s'appellent Pignolle. De braves petits. Oh! ils n'ont pas des habits comme les gosses du square, bien sûr...

— Je m'en doute. Ils sont en guenilles et crasseux. Ils ont des poux. Mon fils aura des poux.

— Tu n'as jamais eu de poux quand nous étions au marais, Marthe, dit gravement Pépé.

— J'en ai eu. Je m'en souviens.

— C'était après, à la ville, quand tu allais à l'école. Ce sont les gosses des riches qui te les ont donnés.

Une voiture s'arrêta devant la maison. Marthe prêta l'oreille.

— C'est Laurent, dit-elle. Si je lui racontais...

— Non, Marthe, non.

Pépé s'affolait, non qu'il eût peur de son gendre, mais il redoutait de ne plus pouvoir sortir désormais avec Pierrot. Irrité par ses craintes, il cria :

— Tu peux bien lui dire si tu veux.

Il partit en claquant la porte et courut se réfugier

à l'atelier bien que la nuit fût tombée. C'est là que Marthe vint le chercher pour dîner.

— Allons viens, papa, ne boude pas, dit-elle. Je ne dirai rien à Laurent.

Et il se laissa conduire comme un enfant.

La semaine qui suivit fut morne, marquée seulement par une visite inopinée de Lucien entre deux voyages, ce qui n'était pas précisément une distraction. Lucien était un garçon de vingt-cinq ans, maigre et boutonneux, avec des cheveux noirs laqués à la gomina. Ce que Pépé détestait en lui, c'était cette façon de s'adresser à Laurent comme à un dieu. Laurent trônait, doucereux et gras. Industriel arrivé, il recevait les hommages. Lui, Pépé, était quantité négligeable, un meuble déprécié, une archive. Lucien faisait les yeux doux à Catherine et parlait commerce avec son futur beau-père. Catherine regardait Lucien avec adoration ; Lucien regardait Laurent avec déférence. Tout le repas se passait ainsi. C'était assommant.

Il ne fut plus question du marais. Pierrot même n'en parla pas. Pépé tourna en rond dans le jardin, lorgnant chez la voisine où demeurait cette bande de terre en friche. Il bricolait au jardin, méditait sous la tonnelle. Au cafard des premiers jours succédait une joie discrète, faite d'espoir. Il était retourné là-bas, il y retournerait. La présence de Ragris prouvait que le marais nourrissait encore son homme. Cela réconfortait Pépé de trouver en Ragris un gars qui vivait comme lui-même autrefois. « J'aurais dû rester, songea-t-il. J'aurais bien arrangé ma cabane, un vrai petit chalet au bord de l'eau. Marthe se serait mariée en ville avec un commerçant et je n'aurais pas à subir ce porc de Laurent dans ma propre maison. Je vivrais heureux avec mes amis du marais. Peut-être que ma pauvre femme ne serait pas morte si j'étais resté. Au marais, elle n'était jamais malade. Peut-être que c'était un châtiment. » Il compta sur ses doigts : plus de trente-cinq ans qu'il était parti. Et deux ou trois fois seulement il était retourné là-bas. Il n'osait pas. Avec ses beaux habits de citadin, il avait peur de revoir le vieux de la cabane. Il avait le sentiment d'avoir trahi. Il était d'abord revenu avec sa femme, en se promenant un soir d'automne. Le marais avait sa robe de pourpre et d'or. De la fumée sortait de la cabane où le vieux était cloîtré. Ils n'étaient pas entrés. Mais ce n'était pas encore le temps du regret. Il se promettait souvent de revenir mais il n'avait pas le temps : sa petite usine marchait trop bien. La deuxième fois, c'était en 14. Laurent venait d'être mobilisé. Il était venu à la pêche. Il avait dit un beau matin : « Je vais à la pêche. » Et personne ne lui avait tenu tête. Il était encore le maître chez lui. La cabane verte était close. Le vieux était parti avec son chien pour un de ces raids familiers qui le conduisaient au hasard des chemins. Il restait des fois trois jours parti. Pépé respira l'air de son marais natal avec bonheur. Pourtant il ne connut pas la tristesse. Il avait en ville une belle maison, une usine prospère. « C'est tout de même mieux qu'au temps de Bourricot », songeait-il en pêchant. Il avait plié bagage au soleil couchant. La cabane était toujours close. Le vieux n'était pas rentré. Pépé aurait bien voulu le revoir, quoiqu'il redoutât ses reproches. Mais ce n'était pas encore le temps de la honte.

La grande lassitude était venue après la guerre, quand Laurent avait transformé l'usine en une formidable machine à faire de l'or. Les jours anciens étaient venus tourmenter Pépé. Mais c'était trop tard. On disait que le marais se comblait lentement. Les migrations de canards ne s'y posaient même plus. C'était trop tard, se disait Pépé en caressant la couverture de Bourricot. Il ne pourrait plus s'adapter. Il sentait bien que l'air de sa maison devenait de plus en plus irrespirable mais il était trop vieux pour en changer. Et voilà que ces deux gars étaient venus faire le jardin de la voisine. Le rêve de Pépé avait pris corps. Son désir s'était fait impérieux. Les hommes qui sentent approcher leur fin souhaitent ainsi de revenir là où ils sont nés, mais Pépé ne songeait pas à la mort. Au contraire, l'air du marais gonflait ses poumons comme une nouvelle jeunesse.

Il attendit patiemment le jeudi suivant, dans l'espoir de retourner chez Ragris avec Pierrot. Mais quand vint l'heure de la promenade, Marthe s'habilla.

— Tu sors? demanda Pépé.

— Oui. Nous allons au square.

— Tous les trois?

— Oui.

— Alors, je reste là, dit Pépé en retirant sa veste.

— Viens donc, dit Marthe doucement. Cela te sortira un peu.

— Non. Pas au square.

— Viens, Pépé, supplia Pierrot. Avec toi, je m'ennuierai moins.

Pépé faiblit. Marthe lui chuchota :

— Si tu veux retourner là-bas, vas-y tout seul, les jours d'école. Mais ne dis rien. Je ne veux pas d'histoires avec Laurent.

Ils firent au square une promenade parfaitement

ennuyeuse. Une main dans la main de sa mère, l'autre dans celle de Pépé, Pierrot se sentait prisonnier. Pépé supportait l'épreuve, réconforté par les concessions de Marthe qui lui permettait de revoir Ragris. Il ne s'en ferait pas faute. L'ennui, c'est que Pierrot serait privé. Il ne lui dirait rien, pour ne pas l'attrister. Il se promit de fabriquer un beau chariot qu'il peindrait avec trois couleurs. Si Pierrot était condamné au square tous les jeudis, ce chariot le consolerait.

De gros nuages noirs vinrent à propos s'accumuler dans le ciel.

— Je me demande si nous aurons le temps de rentrer avant l'orage, dit Marthe.

— Sûrement pas, dit Pépé.

Déjà, les mères désertaient les bancs, appelant leur progéniture. Elles rentraient fébrilement leurs ouvrages et leurs livres dans les sacs et battaient le rappel. Le garde, nez en l'air, guettait le frémissement des arbres. Un coup de vent souffla sur l'allée en soulevant du sable.

— Allons goûter dans une pâtisserie, dit Marthe. Nous rentrerons après la pluie.

Les sous du muguet étant épuisés, Pignolle vint pleurer chez Ragris.

— Tu n'as pas un peu d'argent ?

— Non.

— Il me reste encore un peu de haricots de Tane, geignit Pignolle. On boit de l'eau depuis trois jours. Mélie est impossible quand son porte-monnaie est vide. As-tu une idée pour trouver des sous ?

— Oui. Allons chez Mme Mercier. Elle nous en doit.

— Mme Mercier ? Qui est-ce ?

— La dame dont nous avons bêché le jardin.

Le visage de Pignolle s'éclaira. Il ne se souvenait plus qu'on leur devait de l'argent. C'était tellement rare. Habituellement ils étaient débiteurs.

— Il faut y aller tout de suite, déclara-t-il.

— D'accord, je suis prêt.

Ragris ferma la cabane. Pignolle courut prévenir Mélie qu'il rapporterait de l'argent le soir même.

— J'espère bien, grogna Mélie. Tu passeras chez l'épicier. Tu rapporteras des pâtes et du jambon. J'en ai assez des haricots.

— Oui, répondit docilement Pignolle. J'achèterai du vin aussi.

Il courut derrière son ami.

— Attends-moi, Ragris.

— Dépêche-toi, répondit Ragris sans se retourner. Il y aura de l'orage avant ce soir.

— Ça m'étonnerait, dit Pignolle en remontant son pantalon. Il n'y a pas un nuage. Pourquoi pleuvrait-il ?

— Je le sens.

— Peut-être bien que la dame nous donnera une bouteille, dit Pignolle qui passait d'un sujet à un autre avec une facilité déconcertante.

— Peut-être. En tout cas, ne demande rien. Sois convenable.

— Je sais me tenir. Comment sais-tu son nom ?

— C'est Pépé qui me l'a dit. Ils sont voisins.

— Pépé ? Celui qui s'appelle La Rainette ?

— Si tu veux, il a deux noms.

— Pépé la Rainette, Pépé la Rainette, répéta Pignolle visiblement charmé. Quel drôle de nom pour un bourgeois. On va peut-être le voir, dis.

— C'est possible.

— Je voudrais bien le connaître. Un gars comme

lui, plein de sous, qui s'ennuie du marais, moi je ne comprends pas.

— Tu ne comprends jamais rien. Moi, je comprends.

Pignolle se tut. Il savait que son ami avait raison. Il y avait ainsi des choses compliquées que Ragris remuait dans sa tête quand il était silencieux et qui dépassaient l'entendement de Pignolle. Mais il ne pouvait rester longtemps sans parler.

— Si la Mélie avait une belle maison, elle serait toujours aimable. On aurait une cave. Mais je verrais mieux Paméla dans une belle maison.

— Laisse donc Paméla.

— C'était une princesse. Il n'y a pas de femme plus belle, même pas Marie.

— Pourquoi parles-tu de Marie, interrogea durement Ragris. L'as-tu revue?

— Non.

— Alors, parle d'autre chose.

— J'y pensais rapport à Paméla. Marie a dit qu'elle viendrait nous voir. Crois-tu qu'elle viendra?

— Non.

— Alors, on pourrait aller chez elle?

— Elle n'est pas chez elle mais chez ses patrons. Et puis, fiche-moi la paix avec Marie.

Pignolle se tut trois minutes, ce qui était considérable. Il remarqua que le petit-fils de Pépé la Rainette s'appelait Pierrot, comme son aîné.

— Il lance la planche aussi bien que mon gamin. On croirait pas.

Mme Mercier les reçut avec sa gentillesse habituelle.

— On vient finir, expliqua Ragris.

— C'est très bien de ne pas m'oublier, dit-elle.
M. Amédée n'est pas venu?

— Non. Il n'habite pas avec nous. On ne l'a pas
vu ces jours derniers.

Ils empoignèrent les bêches et se mirent au travail. Mme Mercier s'assit sur le banc avec son tricot. Elle agitait parfois doucement la tête. Elle était
ennuyée parce que sa pension ne venait pas.
«Comment vais-je faire? murmura-t-elle. Il faut
pourtant les payer. » Elle avait déjà réclamé. On lui
avait répondu par lettre recommandée qu'il fallait
redresser une erreur qui traînait depuis le début et
refaire les calculs. Elle toucherait davantage. Elle
pouvait demander un acompte mais elle n'osait pas.
«J'aurais dû demander un acompte», songea-
t-elle. Un coup de vent fit rouler sa pelote de laine.

— On ne pourra pas finir aujourd'hui, dit Ragris.

— Tu veux rire? protesta Pignolle. En moins
d'une heure on en verra la fin.

— Regarde le ciel.

— Tu avais raison, répondit Pignolle en considé-
rant les nuages. Il va pleuvoir.

Ils ne s'arrêtèrent qu'aux premières gouttes, bien
que Mme Mercier les appelât depuis dix minutes.
Ils gagnèrent la maison. La pluie crépitait sur les
feuilles. Des ruisseaux se dessinaient déjà dans
l'allée.

— Entrez. Il ne faudrait pas attraper du mal.
Mme Mercier les poussait dans un petit salon
encombré de meubles anciens et de bibelots.
Pignolle s'extasiait.

— Déchausse-toi, ordonna Ragris.

Ils laissèrent leurs sabots dans le couloir et
s'avancèrent, pieds nus, sur le grand tapis qui
représentait une bergère et ses moutons.

— Ôte ta casquette, dit encore Ragris.

Pignolle s'exécuta. Ils s'assirent sur le bord d'un divan grenat qui s'enfonçait agréablement sous leurs poids. Mme Mercier apportait des verres. Pignolle sortait des mégots de sa boîte à pastilles.

— Laisse, dit Ragris. C'est dégoûtant. Prends cette cigarette. Tu l'allumeras avec la permission de la dame. Elle te donnera un cendrier.

— Tu connais les manières, approuva Pignolle en refermant sa boîte. Mais ne me fais pas la leçon devant elle. C'est humiliant.

— Je m'arrange toujours pour le faire quand elle n'est pas là.

Mme Mercier revenait avec une bouteille. Elle vit que Ragris était plongé dans la contemplation d'un petit tableau. C'est à cet instant qu'on frappa.

— Tiens, dit-elle. Je n'attends pourtant personne. C'est peut-être enfin ma pension.

Elle posa la bouteille et courut à la porte, un peu affolée.

— Elle touche une pension, remarqua Pignolle.

— J'ai entendu. Dis plutôt qu'elle ne l'a pas encore touchée.

Ragris se rapprocha du petit tableau qui représentait le visage d'une jeune femme. Pignolle prit la bouteille pour l'ouvrir.

— Pose cette bouteille, ordonna Ragris.

— Elle est là pour être bue.

— On ne t'a pas demandé de l'ouvrir.

— On va me le demander.

— Alors, attends.

Dans le couloir, la vieille dame s'étonnait. Elle poussait de petits cris ravis auxquels répondait une voix d'homme bien connue. Amédée entra, ruisselant.

— Vos amis sont là, vous voyez.

— Quelle bonne surprise !

— On était venu pour le jardin, expliqua Pignolle.

— Monsieur Pignolle, gazouilla la dame, voulez-vous avoir la bonté d'ouvrir cette bouteille.

Pignolle sortit son tire-bouchon et dit à Ragris : « Tu vois bien. » Amédée raconta qu'il avait été surpris par le début de l'orage comme il sortait de chez son notaire. Il avait songé à s'abriter chez Mme Mercier dont la maison était proche.

— Vous avez bien fait, dit la vieille dame. Je suis contente de vous avoir tous les trois. Votre veston est trempé, monsieur Amédée. Donnez, je vais le faire sécher à la cuisine.

Amédée résista. Il lui déplaisait de montrer ses bretelles dans un salon. Mme Mercier insista et finit par emporter triomphalement le veston.

— Tu es tout le temps chez ton notaire, dit Pignolle en tirant sur le bouchon.

Ragris le réprimanda :

— Les affaires d'Amédée ne te regardent pas.

— Il n'y a pas de secret, dit Amédée. Je vends ma terre, nous venons de trouver un acquéreur.

— Eh ben ! murmura Pignolle.

On ne savait si son exclamation se rapportait à la vente du terrain ou à la résistance du bouchon sur lequel il tirait, rouge et crispé, en mordant sa langue, la bouteille coincée entre ses genoux. Le bouchon vint dans un bruit sec. Quelques gouttes de vin tombèrent sur le tapis. Pignolle posa son pied dessus. Ragris ne vit rien ; il contemplait le visage de femme, pendu au mur, car ce visage ressemblait à Marie.

Au-dehors, l'orage battait son plein. La pluie claquait sur les vitres. L'eau s'engouffrait en bouillonnant dans la terre nouvellement bêchée. Les rosiers tremblaient sous l'avalanche.

— Si ce tableau vous plaît, dit Mme Mercier, emportez-le.

— Non, balbutia Ragris. Je ne peux pas.

— Cela vous ferait plaisir de l'avoir dans votre maison. Mais je vous préviens : il n'a aucune valeur. Je l'ai eu en prime autrefois.

Elle décrocha le sous-verre et montra, derrière, le nom d'un grand magasin.

— Prenez-le donc, poursuivit-elle. Il y a trop de tableaux ici. Je voudrais m'en défaire. C'est du travail pour faire le ménage !

— En ce cas, dit Ragris un peu gêné...

Il aurait bien voulu garder cette image. Comment l'expliquer ? Il n'osait pas regarder Pignolle qui se prélassait sur le divan. Pour une fois, c'était lui Ragris qui se sentait en faute.

— C'est très bien, conclut Mme Mercier, vous l'emportez.

— Cent bouteilles, songea tout haut Pignolle en dégustant le vin.

La pluie cessa. Le soleil revint aussitôt. Les arbres mouillés étincelèrent. Un oiseau sortit du feuillage, sautilla jusqu'au bord d'une branche et regarda autour de lui en pépiant, l'œil rond, le plumage tout hérissé.

— On ne pourra pas finir aujourd'hui, dit Ragris. C'est trop mouillé.

— Il reste si peu à faire, dit Mme Mercier. Je vais tout de même vous payer.

Ragris vit qu'une rougeur affleurait sur les pommettes ridées.

— Non, dit-il. La prochaine fois.

Elle parut soulagée.

— C'est-à-dire, commença Pignolle en se levant lourdement.

— Non, répéta Ragris sans quitter des yeux la vieille dame, la prochaine fois.

— Comme vous voudrez, répondit-elle. Son regard pétillant allait très loin dans les yeux de Ragris.

— Je vais voir si le veston est sec, dit-elle.

Pignolle était furieux. Il tira la manche de Ragris.

— C'est malin, gronda-t-il. Tu peux faire le grand seigneur. Moi, je vais entendre Mélie en rentrant. Elle veut que je rapporte des nouilles et du jambon.

— Tu rapporteras tout cela.

— Avec quels sous ?

— Je t'expliquerai. Tais-toi.

Amédée somnolait béatement dans un fauteuil. Il n'avait pas l'habitude de boire. Si seulement elle nous donnait une bouteille, songea Pignolle. Ragris serrait le petit tableau sous son bras. Ils reprirent leurs sabots. Amédée récupéra son veston. La vieille dame jeta une cape sur ses épaules. Ils sortirent.

Un arc-en-ciel radieux enjambait le jardin. La terre buvait avidement. Les ruisseaux de l'allée se tarissaient déjà. Les roses se redressaient en pleurant, avec des perles sur leurs feuilles. Un oiseau prit son vol et des gouttes tombèrent d'un arbre.

— Les glaïeuls sont déjà sortis, dit Amédée.

Ils se groupèrent autour des germes blancs qui se dressaient comme des petites lances. Dans le jardin voisin, Pierrot considérait tout ce monde avec étonnement. Il venait de rentrer du square. Marthe appela : « Pierrot, viens te changer. »

Ragris vit l'enfant et lui fit un petit signe amical. Dans la maison, Pierrot alerta Pépé :

— M. Ragris est chez la voisine.

— Bon, dit Pépé tout joyeux. Je vais aller lui dire bonjour. Reste ici sagement.

Il s'approcha de la clôture et salua d'abord Mme Mercier, puis il dit bonjour aux hommes. Ragris vint lui serrer la main.

— Ils se connaissent donc ? s'étonna Mme Mercier.

— Bien sûr, répondit Pignolle. C'est Pépé la Rainette.

— Comment dites-vous ?

— Pépé la Rainette. Ici, on l'appelle peut-être autrement.

— Cette pluie a fait beaucoup de bien aux glaïeuls, dit Amédée.

Son tableau sous le bras, Ragris s'entretenait avec Pépé. Il lui faisait des compliments sur sa maison.

— La pêche est-elle bonne en ce moment ? interrogea Pépé.

— Il ne faut pas se plaindre.

— Je voudrais bien aller pêcher un de ces jours avec vous, proposa timidement Pépé.

— Quand vous voudrez. Bientôt on va s'attaquer aux grenouilles. Il y en a beaucoup cette année. Si cela vous plaît.

— Oui, oui, j'irai un de ces jours.

— On vous attendra.

— Papa, ne prends pas froid, cria Marthe invisible.

— Excusez-moi, dit Pépé, je dois rentrer. Il répéta plusieurs fois en s'en allant qu'il viendrait un de ces jours. Quand il entra dans la maison il savait déjà qu'il ne pourrait pas attendre bien longtemps. Il irait au marais dès le lendemain.

— Avec qui causais-tu ? lui demanda Marthe, intriguée.

— Avec un ami.

Il souriait. Demain, il ferait beau. Les grenouilles sortiraient partout. Marthe n'insista pas. « Il devient bizarre », songea-t-elle.

Mme Mercier n'offrit pas de bouteille. C'était un simple oubli de sa part mais Pignolle en fut mortifié.

— Elle aurait pu, maugréa-t-il. C'était une manière d'acompte.

— Elle m'a donné le tableau, dit Ragris.

— Un tableau, tu parles !

Amédée se tenait poliment en dehors du débat. Il ne comprenait rien au tableau et ne cherchait pas à comprendre. Pour lui, c'était un caprice d'homme. Il n'était pas contre les caprices quand ils touchent aux choses de l'art. Il se proposait lui-même de faire relier son vieux Plutarque dès qu'il en aurait les moyens, ce qui ne saurait tarder maintenant.

— Alors, ton idée ? grogna Pignolle.

— Quoi ?

— Ton idée pour les sous. Mélie veut des nouilles et du jambon. Si je rentre les mains vides...

— On s'arrête au casino. Tu achèteras ce que veut Mélie.

— Et une bouteille de vin.

— Si tu veux.

— Bien sûr que je veux, s'écria Pignolle réconforté. Mais il s'effara : ton idée, elle est minable. C'est vite dit, d'acheter si on n'a pas de sous.

— Elle nous fera crédit

— Pas à moi. Elle ne veut plus. Je n'ai pas de mémoire, j'oublie de payer, gémit Pignolle.

— À moi, elle fera crédit. J'achèterai à ta place. Je paierai dimanche. Demain matin, on va aux escargots avec Tane. Quand j'aurai vendu les escargots, je paierai le casino et même il nous restera de l'argent.

— Si je pouvais, dit Amédée, je vous en prêterais. Quand j'aurai vendu ma terre, on fera une petite fête.

Pignolle était enchanté par la perspective de prendre le train. Les escargots étaient d'un bon rapport. Ce soir, Mélie aurait ses nouilles et ne ferait pas d'histoires.

— J'aimerais mieux que tu n'achètes pas de vin, dit Ragris.

— Pourquoi?

— Tu vas boire tout le litre ce soir et demain tu ne pourras pas te lever.

— Je n'en boirai que la moitié, promit Pignolle. Tu verras, je serai debout le premier. J'irai te sortir du lit.

— Si j'avais de quoi payer le train, dit tristement Amédée, j'irais bien avec vous.

— Il s'imagine qu'on paie le tacot, éclata Pignolle secoué par l'indignation.

— Tane est un véritable ami, expliqua Ragris. Viens avec nous, Amédée.

— Tu crois que je peux?

— J'en suis sûr.

— Plus on est de fous, plus on s'amuse, déclara sentencieusement Pignolle.

VIII

Pignolle dormait profondément sous le clapier quand Ragris frappa la porte de la cabane. Personne ne répondit. Les trois gosses n'entendirent rien. Cri-cri s'agita dans sa caisse et sourit vaguement. Elle abandonna son pouce droit pour le gauche qu'elle se mit à sucer avidement, sans ouvrir les yeux. Mélie entendit mais ne broncha pas. Elle croyait que Pignolle voulait entrer.

Ragris frappa une deuxième fois. N'obtenant pas de réponse il posa la cage à serins avec l'intention d'enfoncer la porte. Mais la voix de Pignolle s'éleva derrière lui.

— Bonjour mon vieux, je suis prêt. On peut partir.

Il s'étirait dans le soleil levant. Sa casquette était de travers, le col de sa veste remonté jusqu'aux oreilles. Son pantalon était criblé de brins de paille et un fil d'araignée brillait le long de sa manche.

— J'allais enfoncer la porte, dit Ragris. D'où sors-tu ?

— J'ai dormi dehors. Mélie s'est enfermée hier soir comme j'étais sorti un moment.

— Tu avais pourtant le jambon et les nouilles !

— Mais pas les sous. Madame était furieuse. Elle

voulait faire des achats ce matin. Un chapeau, qu'elle disait.

— Dépêche-toi. Il faut courir. On va manquer le tacot.

Ils arrivèrent au bout de la rue comme le train passait. Tane leur fit un grand salut du haut de sa machine. Ragris tendit à bout de bras sa cage à serins. Tane comprit.

L'arrêt était cent mètres plus loin, devant la poste. Il y régnait une grande animation malgré l'heure matinale car c'était le jour du marché aux fromages. Le marché se tenait dans la cour de la poste, sur des tables aux pieds enterrés. Les premières paysannes déballaient leurs cabrions. On vendait aussi des mottes de beurre serrées entre deux feuilles de choux, de la crème fraîche et des œufs. Les femmes de la campagne arrivaient avec leurs paniers chargés sur des voitures à bras. Le train de sept heures amènerait d'autres vendeuses.

Debout près de sa machine, Tane attendait l'instant du départ. Il vit arriver ses amis.

— Bonjour, vous allez aux escargots? demanda-t-il avec un coup de menton qui montrait la cage.

— Oui, dit Ragris, tu nous arrêteras après le Cabaret de l'Âne, à la hauteur du bois.

— Bon. Je redescends à onze heures. Si vous êtes prêts...

— On t'attendra à la lisière.

— D'accord. J'avertirai. Vous m'entendrez.

— Est-ce qu'on pourrait emmener Amédée?

— Pardi. S'il est là...

— Il ne va pas tarder, dit Ragris en regardant autour de lui.

— On a bien une minute, répondit Tane. Il s'assit sur le marchepied de la locomotive et se mit à rouler une cigarette. La machine haletait comme un jeune chien entre deux courses.

Juché sur son tombereau plein de bûches, un montagnard à blouse bleue attendait le départ du train pour faire peser son chargement sur la bascule située devant la poste. Finalement il descendit et s'approcha de Tane toujours assis sur le marche-pied. Il croisa les bras, bien campé dans sa blouse bleue.

— C'est pour aujourd'hui ou pour demain ? grogna-t-il.

— De quoi ?

Tane se rebiffa. Il jeta son mégot et regarda sous le nez le grand montagnard.

— Enlève ton tacot de là.

— Ici c'est moi qui commande, cria Tane.

— Écoute-moi, dit le grand sans s'émouvoir. J'ai une coupe en bordure de la voie ferrée. Un de ces matins, je mettrai mon char en travers rien que pour t'embêter. Chacun son tour. Figure-toi que là-haut c'est moi qui commande.

Pignolle se tenait prudemment à l'écart. Ragris était gêné. Il voulait éviter les histoires.

— Amédée ne viendra plus maintenant, dit-il.

— C'est bon, dit Tane au grand. Je m'en vais parce que ça me plaît.

D'un bond, il fut sur sa machine. Le montagnard s'en retourna vers son cheval, d'un grand pas tranquille. Pignolle et Ragris s'installèrent à leur place favorite : la plate-forme de queue, au bout du deuxième et dernier wagon. Il n'y avait jamais personne à cause des courants d'air mais c'était une bonne place

Tu-tu ! Le petit train s'ébranla. Il souffla, cracha, grogna, gémit, parut se disloquer et se lança bravement pour affronter la côte. Amédée arrivait en sens inverse. Il courait, un livre sous le bras. Tane se pencha pour lui crier :

— Ils sont en queue. Grimpe. Je vais doucement.

— Merci, répondit Amédée hors d'haleine.

Il laissa passer les deux wagons, tendit la main pour agripper la passerelle mais il la manqua. Son livre tomba. Il le ramassa et s'élança derrière le tacot, s'efforçant de franchir une traverse à chaque bond. Pignolle et Ragris l'encourageaient. Amédée gagnait du terrain. Ils le prirent par les mains et le hissèrent à bord.

Amédée était en nage. À bout de force, il cherchait un appui.

— Ne t'assois pas sur la cage, dit Ragris, c'est fragile.

— Je n'ai pas l'habitude de me lever si tôt, dit Amédée quand il eut repris son souffle. Le temps de faire ma toilette...

— Il est vêtu comme un prince pour aller aux escargots, fit Pignolle. Et même, il emporte un livre.

— C'est pour quoi faire, la cage ? s'enquit Amédée en s'épongeant.

— Pour mettre les escargots, expliqua Ragris. C'est commode. On les glisse par le volet qui se referme tout seul. Ils ne peuvent pas s'échapper et se gardent bien vivants.

Amédée hocha la tête. La destination de cette cage le surprenait. Il se promit d'y méditer à loisir. Tutu, chantait le train. La côte était vaincue. Chocs, cliquetis, grincements, tous les bruits étranges du wagon croissaient avec la vitesse. Les trois amis étaient ballottés de droite à gauche. Parfois, la porte de la volière s'ouvrait toute seule et se refermait un peu plus tard, au hasard du roulis.

— J'ai oublié de prendre une gamelle pour les escargots, constata Pignolle. On est parti tellement vite !

Loin de le tourmenter, cet oubli le soulagea. Il aurait une bonne raison pour ne pas se fatiguer à l'ouvrage. Mais Ragris se fâcha. C'était toujours la même chose. On ne pouvait pas compter sur Pignolle. C'était comme pour le litre. Pignolle n'avait pas tenu sa promesse. S'il n'avait pas tout bu la veille, il aurait eu le sommeil moins lourd au réveil et n'aurait pas oublié la gamelle.

— Te fâche pas, dit Pignolle conciliant. Je les mettrai dans ma casquette et quand j'en aurai trop, je les viderai dans ta cage. Elle est grande. On cherchera ensemble.

Amédée contemplait la fuite des rails. C'était un spectacle fascinant. Le train longea une prairie. Un poulain le suivit dans un galop fou jusqu'à la clôture. Plus loin, dans les genêts, un lièvre détala. Le ciel était d'un bleu limpide. L'herbe sentait bon. Amédée découvrait la campagne au matin.

— Je suis bien content d'être venu, dit-il.

Le tacot s'arrêta dans un village. Tane vint les voir.

— Ça va, les gars ?

— Ça va, Tane.

— Venez boire un verre.

— Tu crois qu'on a le temps ? dit Ragris.

— On le prendra.

Tane jouissait d'une grande considération dans les villages qu'il traversait ainsi depuis dix ans. L'aubergiste offrit à boire. Il serra la main des amis de Tane. Amédée n'osa pas refuser un verre. Il posa son livre sur le comptoir.

— Qu'est-ce que c'est, comme livre? lui demanda l'aubergiste pour faire la conversation.

— La Bruyère, dit Amédée.

— Connais pas, dit l'aubergiste en essuyant les verres. Ici, on lit beaucoup, surtout l'hiver. Mais La Bruyère, connais pas.

Au grand soulagement d'Amédée, l'aubergiste n'insista pas. D'autres clients arrivaient. Ragris bavardait avec Tane. Amédée but timidement une gorgée de vin. Pignolle ne le perdait pas de vue.

— Ça ne passe pas? demanda-t-il.

— Non. À jeun, je n'ai pas l'habitude.

— Faut surtout pas te rendre malade. Donne.

Charitable, Pignolle vida le verre d'Amédée.

— On s'en va, cria Tane à la ronde.

— Tu nous arrêtes au bois, lui rappela Ragris.

— Comme convenu.

Le petit train quitta le village. Il roula gaiement entre deux collines couvertes de fougères et de buissons. Il longea une mare où des canards barbotaient puis un maquis de noisetiers, de charmilles et de ronces dont les branches caressaient le wagon. Amédée tirait des feuilles pour s'amuser.

— Je suis bien content d'être venu, dit-il encore.

Le train s'arrêta devant le bois.

— C'est pour nous, dit Ragris. Sautez.

Ils descendirent lestement et firent signe que tout allait bien. Tane leur répondit de la main. Le tacot repartit. La passerelle de queue disparut bientôt dans la verdure.

— Ce qu'on est bien ici, dit Amédée.

Il avait les pieds enfoncés jusqu'aux chevilles dans l'herbe humide. Devant lui, la forêt s'étendait, avec son mystère insondable, ses coins d'ombre, son silence, ses frémissements. Pour lui, c'était nouveau. Pignolle s'assit avec indifférence sur une traverse de la voie. Ragris n'était pas insensible à cette tranquille beauté du matin mais il n'était pas venu là pour s'amuser.

— Entrons dans le bois, dit-il. Tu viens, Pignolle ?

Pignolle s'était déchaussé. Il faisait jouer ses orteils avec jubilation.

— J'aurais dû mettre mes sabots, expliqua-t-il. Ces galoches me font mal. Attends, j'arrive.

— Dépêche-toi, cria Ragris. Il fit trois pas et se baissa pour cueillir un gros bourgogne qui se prélassait au pied d'un arbre. Amédée le suivit timidement. Il n'avait pas prévu toute cette humidité. Ragris trouva deux autres escargots blancs qu'il jeta dans la cage. Amédée s'émerveillait.

— C'est drôle, dit-il, je ne les avais pas vus.

— Il faut bien regarder. Souvent, ils sont de la couleur des feuilles. Fais attention, ici on enfonce dans la mousse. Cherche un coin au soleil pour lire ton livre. Plus loin, il y a une clairière avec une maison en ruine. Tu seras bien.

— J'avais un caillou dedans, expliqua la voix lointaine de Pignolle. Tout de même, elles sont un peu étroites ces galoches. Avec l'eau, elles vont encore se resserrer.

— Viens pieds nus, cria Ragris en cueillant son quatrième escargot.

Amédée s'en fut vers la clairière qu'on devinait derrière un rideau de châtaigniers. Il tenait La Bruyère entre ses dents, ce qui lui laissait les mains libres pour relever son pantalon. Il avait des jambes menues et pâlottes. Un gros lézard se chauffait dans les ruines. Amédée et le lézard s'observèrent. Pignolle abandonna ses galoches sur le rail et suivit

Ragris. Amédée entendait leurs voix. Il n'avait jamais vu un lézard aussi gros. Celui-ci avait une belle peau d'un gris bleuté, des yeux verts transparents. Son gosier palpitait sans cesse bien que sa tête dressée fût parfaitement immobile. Il fit un tour complet sur lui-même et disparut dans une fissure. Amédée s'assit et ouvrit son livre au chapitre des *Jugements*.

« La liberté n'est pas oisiveté, c'est un usage libre du temps, c'est le choix du travail et de l'exercice ; être libre, en un mot, n'est pas ne rien faire, c'est être seul arbitre de ce qu'on fait ou de ce qu'on ne fait point. »

Derrière un taillis s'éleva un cri triomphant de Pignolle : « J'en ai un ! » Amédée relut la définition de la liberté. Il était bien sur la pierre chaude. Tout autour, la nature était immobile et grandiose. On n'entendait rien que le craquement de menues branches sous les pas de Pignolle. « Nous sommes les derniers hommes libres », se dit Amédée. Une coccinelle fit le tour d'une feuille et s'envola. Tane lui-même n'était pas libre. Il était tenu par l'heure. Le mot *oisiveté* chiffonna d'abord Amédée mais à la réflexion cela ne le concernait pas. La conversation, la méditation, la promenade réfléchie n'ont rien de commun avec l'oisiveté. C'eût été dire que La Bruyère lui-même était oisif.

Ragris allait à pas lents sous les châtaigniers. Parfois même, il s'arrêtait, mais il n'était pas inactif. Il fixait le sol couvert de feuilles mortes et blanchies par l'ombre du sous-bois. C'était la meilleure façon de distinguer les escargots dont la lenteur même les protégeait. Il en repérait ainsi plusieurs sans tourner la tête. Rassurés par l'immobilité de l'homme, les escargots sortaient leurs cornes et cheminaient

Ragris les prenait par la coquille et les jetait dans la cage. Parfois, une feuille adhérait au corps visqueux.

La méthode de Pignolle était différente. Il ne pouvait pas rester en place. Il marchait sans cesse, la casquette tendue comme font les mendiants et s'il en trouvait un par hasard, il l'annonçait à tous les échos. Quand il en eut une demi-douzaine dans sa casquette il les porta à Ragris dont la volière s'emplissait à vue d'œil. Pignolle s'étonnait :

— Je me demande comment tu fais.

Ragris haussait les épaules avec lassitude, signifiant par là que le cas de Pignolle était sans espoir.

— Tu n'es bon à rien, répondait-il.

Amédée les appela.

— Venez, hurlait-il. C'est plein d'escargots ici.

Entre les pierres du vieux mur se trouvaient des centaines de petits-gris. C'était un travail tout indiqué pour Pignolle. Il commença la cueillette mais Ragris s'interposa.

— Non, je ne veux que des bourgognes. Ils se vendent plus cher.

Pignolle protesta. Les petits-gris étaient plus fins, donc plus recherchés par les gourmets.

— Pas par les restaurateurs, dit Ragris. Ils sont trop petits. Les bourgognes ont une coquille plus solide. Dans un plat, c'est plus joli.

Pignolle s'obstina. Il décollait du mur les petits-gris dont il emplissait sa casquette. Comme il était pieds nus, il se blessa une cheville sur une pierre. C'était une écorchure très superficielle mais Pignolle la mit à profit. Il s'assit en gémissant près d'Amédée. Mécontent, Ragris s'enfonça dans le bois pour continuer ses recherches.

Quand il revint, sa cage était pleine. Amédée fai-

sait la lecture à Pignolle mais il ne voyait pas que
Pignolle dormait paisiblement, ses pieds nus croisés
sur une souche. Les petits-gris, ayant abandonné la
casquette, dessinaient sur les vêtements du dor-
meur un réseau d'argent.

— Il dort, dit Ragris. Ne perds pas ton temps. Il
ne comprend rien à ces choses-là.

Amédée soupira et ferma le livre. Il ne regrettait
pas d'avoir lu à voix haute malgré l'inattention de
Pignolle. La Bruyère serait bien content s'il savait
qu'un honnête homme du xxᵉ siècle lisait ses *Jugements* au cœur d'un bois. Une telle lecture sur les
ruines d'une maison avait la valeur d'un symbole.

— Je suis bien content d'être venu, dit-il.

Ragris s'approcha de Pignolle et lui cria dans
l'oreille : « Au feu, Paméla ! Au feu, Paméla ! »

Pignolle bondit, hagard, défait.

— Je rêvais justement que Paméla se peignait
devant la cabane, balbutia-t-il. Tu m'as fait peur.

— Dépêche-toi, paresseux. Il doit être près de
onze heures. Le train ne va pas tarder.

Tutu, gémit le tacot dans le lointain.

— Écoutez, les gars, il arrive. Filons.

Ils dévalèrent la pente du bois à toute allure.
Ragris allait en tête, bien qu'il portât la volière
pleine d'escargots, mais il était favorisé par ses
grandes jambes, tandis que Pignolle était handicapé
par ses pieds nus, Amédée par le manque d'expérience ; c'était la première fois qu'il courait dans
une forêt pour prendre un train. Il serrait La
Bruyère sur son cœur et bondissait dans la mousse.
Ils arrivèrent juste à temps pour voir la locomotive
écraser les galoches que Pignolle avait laissées sur
la voie. Tane leur cria : « Grimpez. »

Ils grimpèrent. Ce leur fut chose facile car le tacot

allait au pas. Dans le tournant, Ragris fit un signe vers l'avant qui voulait dire que tout allait bien. Tane comprit et donna de la vitesse.

— Mes galoches, geignait Pignolle.

— C'est bien fait, dit Ragris. Tu ne devais pas les laisser sur la voie.

Amédée lissait le livre des *Caractères* qu'il avait froissé pendant la course. Il se promit de le faire relier. Entre la casquette et le crâne de Pignolle deux petits-gris se frayaient un chemin. Le tacot roulait vers la plaine à toute allure. Son tutu vainqueur résonnait dans la vallée.

Au village, Tane vint les voir. Il s'extasia devant la volière pleine d'escargots.

— Allons boire un verre, proposa-t-il.

— Tu crois qu'on a le temps ?

— On le prendra.

Pignolle approuva. Un verre, c'est vite bu. Il allait descendre mais Ragris lui ordonna de rester sur la plate-forme.

— Quand on est pieds nus, dit-il, on ne va pas dans une auberge. On te prendrait pour un mendiant.

C'était un châtiment terrible pour Pignolle.

— Venez voir, les gars, dit Tane quand ils sortirent de l'auberge.

Ragris et Amédée le suivirent à la machine. Tane leur montra une dinde superbe qui s'était jetée sur la locomotive.

— On la mangera ensemble, dit-il. Venez chez moi. Je suis libre après midi. On jouera aux cartes.

C'était vraiment une bonne journée qui se préparait. Amédée signala qu'il avait perdu le goût de la dinde. On en mangeait autrefois chez lui, au réveillon, avec des marrons. Mais c'était loin. Dans un grincement d'essieu, un tombereau passa, tiré par un fort cheval. L'homme qui tenait les guides était précisément le montagnard entrevu le matin. Tane et le montagnard échangèrent un bonjour sans rancune.

— La dinde est à lui, expliqua Tane.

Pépé fit plusieurs fois le tour de la cabane verte. Il n'y avait personne. Un petit garçon dépenaillé s'approcha. C'était le deuxième de Pignolle.

— Il est pas là, expliqua le gosse.

— Où est-il ?

— Aux escargots.

— Ton père est avec lui ?

— Je crois bien.

— Quand vont-ils rentrer ?

— Sais pas.

— Comment t'appelles-tu ?

— Gilbert.

— Gilbert, cria une voix en écho. Gilbert, viens jouer.

C'était l'aîné. Il appela deux fois encore. Voyant Pépé, il courut prévenir sa mère.

— M'man, le vieux riche qui revient.

Mélie sortit. Elle mit sa main en visière pour examiner Pépé. Cricri vint en sautillant. Elle se mit à hurler : Pépé-la-Ainette, Pépé-la-Ainette.

— À quoi jouez-vous ? demanda Pépé.

— Au bateau, expliqua Gilbert. Avec une planche ; on tire la ficelle.

— Je connais. Montre-moi ça.

— C'est là-bas.

Gilbert allait d'un pas décidé, les mains dans les poches. Pépé avait peine à le suivre. Quand ils arrivèrent, Pierrot venait d'opérer une lancée remar-

158

quable. La planche filait bon train dans un passage difficile, entre deux mottes de joncs.

— Bien, dit Pépé.

— Pépé-la-Ainette, Pépé-la-Ainette.

Cricri gambadait autour du visiteur.

— C'est ma sœur, expliqua Gilbert. Cricri, qu'elle s'appelle.

Cricri s'immobilisa et dévisagea Pépé. Elle avait de bonnes joues rebondies, d'une propreté douteuse, un nez retroussé et crotteux, des boucles emmêlées, de grands yeux étonnés.

— Est-ce que tu aimerais une poupée? demanda Pépé.

Les yeux s'agrandirent encore, la bouche s'arrondit.

— Je t'apporterai une poupée, décida Pépé.

— Et nous? dirent les grands.

— Qu'est-ce que vous diriez d'un bateau, proposa Pépé.

— Un bateau avec des mâts et des cheminées? demanda Gilbert incrédule.

— Un bateau qui marche tout seul? interrogea Pierrot. Il se mit à se ronger fébrilement les ongles, ce qui était chez lui le signe d'une grande anxiété.

— Oui, un vrai bateau.

Gilbert hocha gravement la tête.

— Ce serait bien, affirma Pierrot entre deux rongées.

— Je vous ferai un bateau.

Pépé vit que Mélie les regardait. Il la salua.

— C'est vous, Pépé-la-Rainette? interrogea Mélie sans douceur.

— Oui, madame. Au temps du marais, on ne m'appelait pas autrement.

— Pignolle m'en a causé.

— Vous êtes madame Pignolle ?

— Ouais.

— Vous avez de beaux enfants. Ils sont bien polis. Si j'avais su, je leur aurais apporté des bonbons. Les hommes, c'est bête, ça ne pense pas à ces choses-là.

Mélie l'examinait des pieds à la tête sans bienveillance. Pépé fouilla nerveusement dans son portefeuille et en tira un billet de cinquante francs qu'il tendit à Pierrot.

— Donne, hurla Mélie.

Pierrot, déçu, tendit le billet que Mélie arracha.

— C'est pour mon chapeau, glapit-elle.

Cricri se mit à pleurer.

— Je vous achèterai des bonbons, dit Pépé aux enfants.

Dans le crâne obscur de Mélie, des ébauches de sentiments se livraient bataille. Elle avait un peu honte à cause du billet. Elle devinait que ce Pépé-la-Rainette était une relation qu'il serait intéressant d'entretenir. Elle caressa le billet. Depuis le 1er mai, elle n'avait jamais eu tant d'argent. Les sourcils froncés, elle fixa Pépé et lui proposa d'entrer un moment dans la cabane. Il accepta autant par curiosité que pour passer le temps.

L'image ressemblait vraiment à Marie. Les cheveux blonds et vaporeux se détachaient nettement sur le fond presque noir. Les yeux étaient verts. Ragris ne savait pas la couleur des yeux de Marie. Il imagina successivement le vert, le bleu, le marron. La femme du portrait avait des boucles d'oreilles très brillantes. Sa bouche riait. Ragris contempla longuement la bouche.

Les cloches du dimanche tintèrent au loin. Ragris

n'avait pas envie de se lever. Depuis que l'image était dans la cabane, il pouvait rester des heures à l'observer. Dans la volière, les escargots dégorgeaient. Le silence de la cabane était seulement troublé par le choc léger des coquilles et par les bruits étranges de succion et de bouillonnement. Ragris soupira; il fallait se lever pour aller les vendre. Il lava plusieurs fois les escargots. L'eau, mêlée de bave, était gluante. Il frotta les coquilles avec soin. Puis il se nettoya et se rendit sur la place du marché où il espérait vendre au meilleur prix en s'adressant directement aux consommateurs. Un hôtelier lui aurait acheté d'un coup tout le contenu de la cage mais il aurait imposé son prix.

Les ménagères s'arrêtaient devant les escargots, hésitaient, regardaient furtivement Ragris comme pour s'assurer à sa mine de la qualité de sa marchandise, puis elles partaient. Ragris savait; les ménagères faisaient d'abord le tour de la place pour examiner les prix; elles achèteraient au deuxième tour. Les gosses endimanchés se pressaient autour de la cage, tendaient un doigt entre les barreaux pour faire rentrer les cornes des escargots. Ils riaient. Ragris laissait faire.

Un vieux ménage passa. La femme tenait un porte-monnaie, l'homme un sac plein de légumes. Il s'arrêta et dit, l'œil brillant :

— Regarde donc, Antoinette, des escargots.

— Non, c'est trop dégoûtant à préparer. D'abord c'est mauvais pour mon foie. Viens.

L'homme suivit sa femme en ronchonnant. Puis vinrent deux gaillards costauds qui se promenaient entre les étalages des marchandises. Ragris reconnut immédiatement l'un d'eux : c'était Kid Pirou.

Il s'approcha de Ragris. Il avait de petits yeux méchants dans une tête de dogue.

— Je t'ai déjà vu quelque part, dit-il. Sa voix de fausset n'était pas en rapport avec sa personne.

— Moi aussi, répondit Ragris.

— Tu étais avec le pou qui m'a coiffé.

— Oui.

L'homme qui accompagnait Kid Pirou fut secoué d'un rire nerveux.

— Ah! l'histoire du panier, gloussa-t-il. Elle est drôle.

Kid Pirou ne la trouvait pas drôle. Il eut une crispation inquiétante des mâchoires qui fit saillir tout un réseau de muscles vers les tempes. Il grogna :

— Où est-il, ce morveux ?

— Je ne suis pas sa nourrice.

— Je te demande où il est, cria le boxeur. Et plus il criait, plus sa voix devenait fluette. Mais Ragris ne se démontait pas.

— Si je le savais, je n'en dirais rien. Je n'aime pas qu'on embête mes copains.

— Il me plaît, ce gars-là, déclara le nerveux qui accompagnait Kid Pirou. Visiblement, le calme de Ragris lui en imposait.

Les éclats de voix attiraient des badauds. On riait. Le nerveux comprit que les rieurs n'étaient pas du côté de Kid Pirou.

— Viens donc, dit-il, laisse tomber.

L'hercule fit demi-tour à contrecœur. Il lança une dernière menace.

— Dis à ton copain que si je le retrouve...

Il n'acheva pas mais son poing velu, serré et levé à hauteur de sa grosse tête, en disait long.

— Je lui ferai la commission, promit Ragris.

L'incident avait eu l'avantage d'attirer plusieurs

162

personnes autour des escargots. Ragris vanta sa marchandise. Il en vendit la plus grande partie en quelques minutes. Puis une heure s'écoula sans qu'un acheteur se présentât. Il envisageait de baisser le prix pour liquider le restant quand il entendit la voix de Marie.

Tout près de là, un forain appelait à grands cris les passantes. Il vendait du tissu et des robes. Les femmes s'arrêtaient, fouillaient dans les étoffes. Le forain les encourageait et brassait lui-même dans le tas comme un glorieux pillard. La voix de Marie demandait le prix d'une robe. Ragris aperçut la jeune fille. Elle palpait la robe qui se balançait à un cintre. Elle parut réfléchir et renonça finalement. Quand elle se retourna, elle vit Ragris mais ne parut pas le reconnaître. Elle semblait chercher quelqu'un. Ragris n'osait pas lui parler. Il la regardait avec tant d'insistance qu'elle tourna de nouveau le visage vers lui.

— Bonjour, dit-il.

Elle le regarda et sourit. Elle se souvenait.

— Bonjour, fit-elle. C'est vous qui chantiez le mai, n'est-ce pas?

— Oui.

— Et vous vendez des escargots?

— Je vends un peu de tout selon la saison. Est-ce que ça vous déplaît? demanda-t-il avec un peu d'inquiétude. Et brusquement il eut honte de ses escargots.

— Non. C'est amusant. Vous faites des métiers auxquels on ne pense pas. Moi je suis domestique, ce n'est pas mieux.

Elle l'examinait curieusement. Elle ne l'avait pas vu ainsi la première fois. Il avait un regard profond et timide. Ses yeux sont marron, remarqua Ragris. C'est étrange avec des cheveux blonds

— Je vous ai attendue, dit-il.

— Pourquoi?

— Vous deviez venir.

— Je n'ai pas pensé...

Elle vit que les yeux de Ragris se voilaient de tristesse.

— Je n'ai pas eu beaucoup de temps, ajouta-t-elle. Est-ce que cela vous ferait vraiment plaisir?

— Bien sûr. Je vous ai attendue. Je n'ai pas beaucoup d'amis. Ce serait très agréable pour moi d'avoir votre visite.

— Je ne connais pas le marais, dit-elle. La prochaine fois que je serai libre, j'irai vous voir.

Le visage de Ragris s'éclaira. Marie regarda autour d'elle mais ne vit pas ce qu'elle cherchait. Si les yeux du tableau étaient marron, la ressemblance serait profonde, songea Ragris.

— Avez-vous des boucles d'oreilles? demanda-t-il.

— Non, fit-elle étonnée.

— Venez. Il y a un marchand tout près d'ici. Je pense que des boucles d'oreilles vous iraient très bien.

Il la prit par la main. Elle se laissa faire en riant. Le marchand avait des bagues, des colliers, des pendentifs, des bracelets étalés sur un tapis à même le sol.

— Je cherche des boucles d'oreilles, dit Ragris.

— Là, répondit le marchand qui montrait le bout du tapis. Attendez, j'en ai d'autres.

Il sortit d'une caisse une boîte pleine de boucles d'oreilles. Ragris prit la boîte et la tendit à la jeune fille.

— Lesquelles?

— Il y en a trop. Je ne sais pas.

Elle riait, amusée par le jeu.

— Je vais guider votre choix, proposa le marchand. Voyons, dit-il en s'adressant à Ragris, est-ce que Mademoiselle est votre fiancée?

— Non, répondit Ragris en rougissant.

Marie éclata de rire. Elle vit l'embarras de Ragris.

— Choisissez vous-même, dit-elle gentiment.

— Celles-ci, décida Ragris.

Elles étaient semblables à celles du portrait. Marie les prit, fit jouer les pinces, les fixa à ses oreilles et agita gaiement la tête. Le marchand lui tendit une glace fendue : « On jurerait que vous êtes deux fiancés », dit-il.

Cette fois, Ragris ne rougit pas. Marie ne rit pas. Elle regardait dans la glace son visage et, derrière, celui de Ragris.

— Est-ce bien? demanda-t-elle.

— Très bien, dit-il.

— Je vous remercie.

Ragris paya. Une fois encore, Marie parut chercher quelqu'un. Ils s'éloignèrent. Marie caressait les boucles.

— Pourquoi me les avez-vous offertes? demanda-t-elle.

— Je ne sais pas. J'ai pensé que cela vous irait très bien. Il avait envie d'ajouter : « C'est à cause du portrait. »

— Il faut que je parte, dit-elle. Mes patrons reçoivent du monde à midi. J'irai vous voir, c'est promis.

— Je vous attendrai.

Ils se serrèrent la main. Ragris revint à ses escargots. Il vit Marie disparaître derrière les voitures des forains. Quand elle reparut, il y avait un soldat avec elle.

IX

Ernest et Bruno poussaient la voiture en jurant quand les roues passaient dans un trou. Ils étaient vêtus de blanc. Le blanc était la couleur de cet équipage. Il y avait du blanc partout sur le véhicule et sur les hommes. Même leurs souliers étaient blancs.

Ils transportaient une échelle double, des échantillons de papier peint reliés en un énorme volume, des caisses et des boîtes contenant de la colle, de la peinture, des pinceaux, une spatule, des racloirs et divers outils. Des seaux pendaient à l'avant et s'entrechoquaient aux cahots.

Ils poussaient à même l'échelle qui était deux fois plus longue que la voiture. Le chemin était en mauvais état. Il était difficile de diriger simultanément les deux grandes roues en dehors des trous. L'une d'elles buta sur un caillou et fut déviée dans l'ornière. Un seau tomba. Bruno s'emporta.

— Arrêtons une minute, dit Ernest. On n'est plus loin. On va rouler une cigarette.

Il tira sur la ficelle qui retenait une tige de fer. Celle-ci se planta dans la terre. La voiture trouva son équilibre. Bruno glissa une cale sous les roues et ramassa le seau. Ils s'assirent sur le talus et sortirent leur tabac.

— Ça doit être la grande maison là-bas, dit Ernest en craquant une allumette. Il attendit que l'odeur du soufre se fût dissipée pour allumer la cigarette de son copain. La flamme passa du bleu au jaune. Bruno s'approcha, les mains tendues contre le vent pour abriter l'allumette. Il aspira deux ou trois fois rapidement. L'extrémité de la cigarette scintilla et la fumée odorante entoura les deux hommes.

— Au 17, qu'il a dit.

— La maison qu'on vient de passer, c'était le 15.

Bruno se leva, repoussa au milieu de la voiture une caisse qui avait glissé et vérifia la suspension des seaux. Ernest s'appuya de tout son poids sur la traverse des bras, retira la tige de fer, tourna légèrement pour éviter les cales puis il s'arc-bouta et quand la voiture eut démarré, ils poussèrent à même l'échelle.

— C'est ici sûrement, dit Bruno quand ils arrivèrent devant la maison.

Ils cherchèrent vainement le numéro.

— Tu parles d'une baraque, reprit Bruno. C'est sinistre.

La maison n'avait pas fière allure avec ses murs décrépis, lézardés, qui révélaient parfois les briques et que le lierre envahissait. Sous une fenêtre, il y avait deux tuiles brisées, tombées du toit depuis longtemps. Un volet gémissait, pendu à un seul gond.

— Sinistre, tu l'as dit, approuva Ernest. C'est le maçon qu'on aurait dû faire venir.

Ils appelèrent. Personne ne répondit.

— C'est sûrement ici, dit Bruno. Soulève donc ce lierre, le numéro est peut-être dessous.

Ils ne trouvèrent pas de plaque sous le feuillage.

— Le nom du gars n'est même pas sur la porte, grogna Ernest.

— On s'est peut-être trompé. Va donc voir la prochaine maison. Je t'attends.

Ernest s'exécuta en maugréant. Il revint cinq minutes plus tard.

— C'est une histoire de fous. La prochaine maison porte le numéro 85.

Il tira violemment la sonnette mais aucune sonnerie ne retentit. Seule une plainte lugubre fut transmise par le grincement d'une chaînette qui n'allait pas plus loin que l'autre côté du mur où elle était fixée.

— Moi je dis que c'est là, déclara péremptoirement Bruno. Ils sont sourds ou bien ils dorment encore.

— C'est peut-être le château de la Belle au bois dormant, gouailla Ernest.

Au même moment, ils entendirent un bruit léger : toc, toc !

— Écoute ça, Ernest, souffla Bruno en pâlissant.

Toc ! toc ! Ernest avoua que la frousse le gagnait.

— Vois-tu quelque chose ? demanda-t-il à Bruno qui regardait à travers la grille.

— Je vois une femme à la fenêtre. Elle est comme une statue. On dirait qu'elle dort debout.

— La Belle..., commença Ernest. Mais dans un accès de rage, Bruno tirait une nouvelle fois la sonnette, si violemment qu'elle lui resta dans les mains avec trois mètres d'une chaîne rouillée qui fit, en venant, un très curieux bruit de grelot. Amédée sortit. Il cria : « Voilà ! » et descendit majestueusement l'escalier. Toc ! Toc ! faisait le doigt d'Adélaïde à la fenêtre.

— Bonjour, Messieurs, dit Amédée en ouvrant la grille.

— Enfin, c'est vous. On se demandait...

Amédée souriait, accueillant, la main tendue. Il était rasé de frais. Il portait à la boutonnière un œillet cueilli au passage, dans une bordure.

— On se demandait si c'était bien ici, acheva Bruno. Et il se disait en même temps que ce gars avait de l'allure. Il faisait grand seigneur. C'était même drôle, un gars comme lui, dans une maison pareille. Ernest se grattait le crâne. Il n'arrivait pas à comprendre pourquoi la maison suivante portait le numéro 85. Il y a ainsi des choses inexplicables. Bruno s'excusa :

— On a cassé la sonnette.

— Tant mieux, dit Amédée. Elle ne fonctionnait pas. Je n'aime pas les sonnettes. Si les gens veulent entrer ils n'ont qu'à pousser la porte, mais ils n'entrent jamais. Voyez.

Il ouvrit la grille toute grande.

— On n'aurait pas osé, dit Bruno. Donne-moi un coup de main, Nénesse.

Ils poussèrent la voiture dans l'allée, broyant au passage quelques œillets et, après une courbe savante, s'arrêtèrent devant le perron. Toc! Toc! faisait le doigt d'Adélaïde.

— Qu'est-ce que c'est? demanda Nénesse.

— Ne faites pas attention, dit Amédée. La chambre est au premier. Venez. Je vais vous montrer.

— On décharge et on vous suit, répondit Bruno. Donne-moi la main pour l'échelle, Nénesse.

Bruno s'encadra entre deux montants de l'échelle et monta les marches. Ernest suivit avec les seaux. Quand ils furent dans le couloir, la porte d'Adélaïde s'ouvrit

— Ah! fit Bruno.

Adélaïde le fixait d'un œil morne, sans bouger. Malgré sa raie au milieu, Bruno ne ressemblait pas au petit lieutenant de 1914. Plié sous l'échelle, il continua son chemin, les jambes flageolantes. Ernest vit l'apparition funambulesque. Il ne dit rien, car le souffle lui manquait. Ses lèvres tremblèrent. Un des seaux qu'il portait cogna dans le mur. Adélaïde disparut et la porte se referma avec un bruit sec. Puis le toc toc retentit de nouveau contre la vitre.

Sur la première marche de l'escalier qui conduisait à l'étage, Bruno s'épongeait le front, appuyé à l'échelle. Ernest posa les seaux.

— Donne-moi ton mouchoir, Bruno. J'ai chaud moi aussi.

— Nénesse, gémit Bruno.

Sur la droite, une autre porte s'ouvrit. Parut un vieillard qui portait un morceau de cuir et un sécateur. Quand il vit les deux hommes, il marmonna dans sa barbe quelques mots inintelligibles et rentra précipitamment.

— Nénesse, geignit Bruno avec désespoir. Qu'est-ce que tu penses de tout ça, Nénesse?

— Sais pas, vieux. Si tu veux mon avis, c'est une maison de fous.

— Je vous attends, Messieurs, annonça la voix claire d'Amédée au premier étage.

— Et lui, Nénesse? T'as une opinion?

— Il a l'air bien. Il n'a même pas demandé un devis. Faudra pas oublier toutes ces émotions sur la note.

Quand ils furent à l'étage, Amédée leur montra

la chambre. Il fallait repeindre les plinthes, la porte, la fenêtre et changer le papier. Les mains sur les hanches, Bruno hochait la tête en connaisseur. Il écoutait gravement et mesurait l'importance de la tâche.

— Ça n'a pas été fait depuis longtemps? demanda-t-il.

— La dernière fois, c'était bien avant la guerre.

— Cette pièce n'est jamais chauffée en hiver?

— Non. Je n'aime pas le feu dans les chambres.

Le papier peint, d'un rose passé, était moisi et gondolé. Bruno en tira tout un lambeau sans aucune peine, ce qui découvrit un autre papier, bleu celui-là, à ramages.

— Ils ne se fatiguaient pas pour tapisser dans le temps, constata Bruno, hein Nénesse?

— On aura de quoi gratter, dit Ernest.

Bruno soupçonnait l'existence d'un troisième papier sous les ramages. Il prit son couteau et fendit largement le papier bleu, révélant ainsi la tapisserie d'origine, jaune orangée.

— Vous m'en garderez un morceau, dit Amédée qui s'efforçait de cacher son émotion. Il connaissait par cœur ce passage du journal où le grand-père disait : « Pour cette pièce, j'ai choisi un papier jaune avec des capucines. »

— Comme vous voudrez, répondit Bruno qui s'attendait à tout désormais.

Amédée demanda les échantillons.

— Ils sont dans la voiture, dit Ernest.

— Je vais les examiner.

— Il est un peu sonné lui aussi, conclut Bruno quand Amédée fut sorti. Puis s'étant craché bravement dans les mains : « Allez, Nénesse, on attaque. »

Amédée avait débarrassé la chambre. Ses meubles, ses livres et le portrait de la grand-mère se trouvaient relégués dans une autre pièce. Bruno mit l'échelle en place et commença le brossage du plafond. Une poussière blanche et âcre se répandit. Ernest descendit chercher de l'eau. Il traversa très vite le couloir, sans respirer. La présence d'Amédée sur le perron le rassura.

— J'ai besoin d'eau, dit Ernest.

— Il y en a dans la cuisine, mais prenez plutôt à la pompe, derrière la maison.

Amédée était assis sur une marche. Il feuilletait les échantillons de papier peint. Ernest décrocha le dernier seau pendu à la voiture et contourna la maison. Il préférait la pompe à la cuisine. Pour rien au monde, il n'aurait poussé une de ces portes derrière lesquelles se dressaient des êtres aux regards inexpressifs, rigides comme des fantômes. Il revint avec le seau plein. Amédée s'intéressait à un jaune embelli de fleurs qui étaient peut-être des capucines. Toc! Toc! Ernest eut un haut-le-corps. Un paquet d'eau tomba sur son pied.

— Mais qu'est-ce qu'elle fait derrière cette fenêtre?

— Rien, dit Amédée, elle attend. Faites comme si elle n'existait pas. C'est le prix qui est indiqué derrière chaque échantillon?

— Oui... oui, c'est le prix du rouleau.

Sur son échelle, Bruno frottait avec vigueur. Il disparaissait dans un nuage blanc. Ernest balbutia:

— On en a vu de drôles, Bruno, mais une maison comme celle-là, c'est la première.

— Quoi? répondit la voix de Bruno dans le nuage blanc. Il n'avait pas compris à cause des frottements de la brosse. Il éternua, poussa un grand soupir d'aise et se mit à siffloter. Rassuré, Ernest plongea l'éponge dans le seau d'eau et en imbiba le papier pour le décoller plus facilement. En bas, le vieillard tournait en rond dans le salon délabré, agitant le sécateur et le morceau de cuir. Il marmonnait dans sa barbe, se refusant à sortir tant que son fils demeurerait sur le perron. La présence des tapissiers dans la maison le contrariait. Adélaïde cognait inlassablement la vitre, guettait sur le chemin la venue du prochain passant. Amédée tournait avec perplexité les pages de son album. Le vieux posa le sécateur et le morceau de cuir sur la table et se gratta la barbe à petits coups d'ongle, en poussant des piaulements de plaisir.

Ragris retira le carton qui maintenait l'image contre la vitre puis, avec un crayon marron, il changea la couleur des yeux. Le crayon glissait avec précaution sur l'iris. Le vert disparut progressivement mais pas complètement. Il demeurait, imperceptible et un peu lumineux, sous la couleur qu'imposait Ragris. L'effet obtenu n'était pas sans beauté. Quand il eut fait les deux yeux, Ragris s'aperçut que le portrait donnait une impression de léger strabisme. Il fit jouer sa gomme et put corriger aisément ce défaut. Ensuite il posa l'image debout contre l'oreiller et se recula pour juger.

Une bouffée de joie l'envahit : c'était une réussite. Il avait non seulement donné au portrait les yeux de Marie, mais ce changement faisait encore ressortir les cheveux blonds. Et c'était cela précisément qui faisait le charme de Marie : ce regard sombre dans cette blondeur.

Il glissa l'image derrière la vitre, fixa le carton et accrocha le cadre au mur. «Qui était le soldat?»

songea-t-il. Longtemps, il considéra le portrait, debout, partagé entre la douceur qui émanait du portrait et son anxiété à cause du soldat.

C'est dans cette attitude que le trouva Pépé. Il vit le crayon et la gomme.

— Très jolie, cette jeune femme, dit-il. Est-ce vous qui l'avez dessinée?

— Non, je l'ai simplement arrangée, balbutia Ragris surpris. Il sentit qu'il rougissait, ce qui le contraria. Je ne vous ai pas entendu, ajouta-t-il.

— Est-ce que je vous dérange?

— Mais non, au contraire. Vous avez bien fait de venir.

Un sentiment qui ressemblait à la pudeur l'empêcha d'avouer qu'il s'ennuyait. Depuis quelques jours, il n'avait plus envie de sortir. Le petit tableau offert par Mme Mercier le fascinait. De plus, le souvenir du soldat entrevu au bras de Marie le tourmentait. Il roulait dans sa tête les pensées les plus complexes, à la recherche d'une justification : le soldat était peut-être un parent. Malgré la présence de Pépé, Ragris ne pouvait s'empêcher de songer encore au soldat. Il en eut conscience.

— Vous êtes le bienvenu, dit-il. Asseyez-vous.

- Votre ami Pignolle est-il chez lui?

— Il pêche la grenouille.

— Vraiment! J'ai bien envie d'aller le rejoindre.

— Si c'est votre idée, allez-y. Vous le trouverez au grand trou, derrière la ferme.

— Je connais. C'est là que je les pêchais aussi dans le temps.

— C'est toujours le meilleur coin. Elles s'y plaisent. Et on peut facilement s'approcher de l'eau.

— J'étais très fort autrefois, vous savez.

174

— Bien sûr, répondit doucement Ragris que la joie du petit homme attendrissait.

— Pourquoi ne pêchez-vous pas?

— Je n'en ai pas envie. Je m'y mettrai demain. On a une commande de cent douzaines à livrer dimanche au Grand Hôtel. Il nous faudra bien trois ou quatre jours pour les prendre.

— Trois ou quatre jours? À vous deux? Pépé était consterné.

— Mais oui, et sans s'amuser. Et je peux dire que Pignolle et moi on se défend bien aux grenouilles.

— Cent douzaines, c'est ce que je prenais autrefois, tout seul, dans une journée.

— Bien possible. Elles devaient être plus nombreuses. Peut-être aussi qu'elles étaient moins farouches, admit Ragris. Mais il ne croyait pas Pépé. «Il se vante, pensa-t-il. C'est tellement loin, il ne sait plus. Mais je ne veux pas le détromper.»

— Je peux vous aider, si vous avez une ligne, hasarda Pépé.

— Je vais vous donner la mienne, dit Ragris. Il prit une gaule assez rigide posée verticalement contre la cabane et se mit à dérouler la ficelle fixée à l'extrémité. Puis il attacha au bout un crochet à trois branches.

— Qu'est-ce que vous faites là? s'inquiéta Pépé.

— Eh bien, vous le voyez, j'attache un hameçon.

— Pas besoin, déclara Pépé.

— Mais comment voulez-vous les attraper alors? Je vais vous donner une patte rouge que vous attacherez après.

— Pas besoin. Une gaule et une ficelle. C'est tout.

— Je comprends. Vous allez mettre une peau directement à la ficelle, sans crochet.

— Oui.

— Vous savez faire ce truc-là ?

— Je ne les prends pas autrement.

Ragris eut un grand soupir. Il avait entendu parler de cette méthode, en Bresse, mais il n'était pas assez fort pour la pratiquer avec succès. Il doutait d'ailleurs que Pépé en fût capable.

— Prenez ce sac, dit-il. Vous les mettrez dedans.

— Trop petit. Donnez-moi plutôt l'autre.

— Celui-là ? Vous n'avez pas la prétention de le remplir ?

— Bien sûr que non, mais j'aurais peut-être bien rempli le petit et un sac ne doit pas être plein. Avec le grand, elles resteront au fond et ne pourront pas sauter.

Il fixa le sac à sa ceinture et empoigna la gaule qu'il fit jouer comme un fouet. Bien. Elle n'était pas trop souple.

— Ah ! J'allais oublier de vous donner les bouteilles, dit-il soudain.

Il prit un cabas qu'il avait posé derrière la porte en arrivant et en sortit trois bouteilles.

— Je reconnais l'étiquette, dit Ragris en souriant. La vue des bouteilles le réjouissait.

— C'est Mme Mercier qui vous les envoie. Quand elle a su que je venais vous voir, elle m'a donné les bouteilles pour vous. Je voudrais bien les payer, qu'elle a dit, mais je n'ai pas encore reçu ma pension. Pépé se tut, visiblement embarrassé. Je pense que je n'aurais pas dû parler de la pension, ajouta-t-il.

— Je le savais. Est-elle vraiment gênée ?

— Non. Elle vivote. Elle a demandé un acompte. C'est une dame tout à fait respectable. Soyez sûr qu'elle vous paiera.

— Même si elle ne payait pas! Elle nous a déjà donné cinq ou six bouteilles.

— Faut-il en porter une à Pignolle?

— Surtout pas. Quand il voit du vin, il n'est plus bon à rien.

Pépé ajusta son sac et s'en fut d'un pas rapide le long des roseaux. Bientôt Ragris ne vit plus que la gaule qui avançait par saccades dans le soleil. Il déboucha une bouteille et but longuement, à même le goulot. Puis il s'allongea sur le lit et contempla les yeux de Marie.

Pignolle avait ramené la visière de sa casquette sur la nuque. Debout sur la berge, il pêchait, immobile et silencieux. Les grenouilles qu'il avait capturées sautaient lourdement dans la cage à serins posée à ses pieds. Quand il vit Pépé, il se recula sans bruit.

— Voilà du renfort, dit-il. Comment ça va?

— Bonjour. Je viens voir si j'ai perdu la forme. Donnez-moi une grenouille.

— Dans la cage. Attendez.

Pignolle poussa le volet et prit la bête la moins vive, celle que le crochet avait le plus mutilée, car il savait quel sort lui était réservé. Pépé serra les pattes de la grenouille et l'assomma contre une pierre. Puis il retira prestement la peau qu'il attacha au bout de la ficelle. Pignolle s'étonna : et le crochet?

— Pas besoin.

— J'ai vu des gars qui pêchaient avec un hameçon simple et une peau de grenouille, expliqua-t-il. D'autres se servent d'une mouche ou d'un chiffon rouge. Il y en a même qui ne mettent rien du tout, mais il y a toujours quelque chose pour accrocher.

— Vous allez voir, se contenta de répondre Pépé.

Il acheva de fixer la peau, s'assura que la ficelle était aussi longue que la gaule, élargit d'un coup de coude l'ouverture du sac qui pendait sur son ventre jusqu'à ses pieds. Pignolle suivait tous ses mouvements avec stupeur. « Moi, je ne pêche plus, décidat-il. Je regarde faire. Il ne prendra rien, c'est sûr. » Une sourde irritation gagnait Pignolle à cause de ce vieux petit citadin sans expérience qui s'amenait au marais avec sa cravate et ses souliers bien cirés et prétendait lui faire une démonstration de sa méthode sans crochet.

Pépé jeta la peau sur l'eau, près d'une touffe de nénuphars, et la fit remuer doucement. Les lentilles d'eau s'animèrent aussitôt. Une grosse grenouille s'approcha, fascinée par l'appât. Puis elle s'immobilisa, sans perdre de vue la peau de sa sœur. En trois coups de pattes, elle gagna un mètre et s'arrêta encore. « Il les fait venir de loin, songea Pignolle. Moi je les cherche, c'est plus rapide. » La grenouille hésita encore trois secondes. Elle bondit et goba la peau. Pépé leva la gaule. La grenouille quitta l'eau, suspendue à sa proie qu'elle ne voulait pas lâcher et vint à portée de la main de Pépé, mais il ne fit pas un geste pour la prendre. Il se contenta de donner un petit coup sec à la canne et la grenouille tomba dans le sac sans un cri. Pignolle était stupéfait. Pépé replaça au même endroit sa ligne rudimentaire.

— J'en vois une, chuchota Pignolle.
— Je la vois aussi. Elle viendra.

La grenouille se tenait sur la droite. « Si j'étais lui, songea Pépé, je lui mettrais la peau sous le nez. » Elle se tourna et fit face. Son gosier de satin blanc palpitait. Elle plongea et ressortit tout près de la peau qu'elle happa. Elle alla rejoindre la permière victime au fond du sac.

Le manège se répéta dix fois, vingt fois, sous les yeux émerveillés de Pignolle. Pépé ne faisait pas un mouvement, pas un geste inutiles. Il restait à la même place, explorant le même coin. Il se trouvait toujours une grenouille, demeurée inaperçue jusque-là, que tentait le piège. Parfois, il en venait plusieurs. Pépé les enlevait toutes, successivement, s'y prenant avec tant d'habileté qu'il soulevait la première sans effaroucher les autres qui attendaient sagement leur tour. Pas le moindre signe de panique dans le marais. Au contraire, c'était comme une fête. Des coassements montaient des joncs, auxquels répondaient les prisonnières de la cage. « Quarante-cinq, cinquante », comptait Pignolle. Il mordillait nerveusement son mégot. « À cent, je préviens Ragris », décida-t-il.

Ragris but une longue rasade et reposa la bouteille au pied de son lit sans quitter des yeux le petit tableau. La bouche de Marie s'entrouvrait dans un sourire. Ce n'était pas l'ivresse. Il fallait beaucoup plus d'une demi-bouteille pour le saouler. C'était une illusion qui venait à force de fixer un détail. S'il concentrait son attention sur les yeux, les yeux le regardaient. Avec, le dos de sa main, il essuya le vin qui coulait sur son menton et alluma une gauloise. Dans le nuage bleu, les cheveux blonds de Marie s'agitaient. Ragris était allongé sur le dos, les mains croisées sous la nuque. La fumée envahissait la cabane et s'échappait en tournant par la porte ouverte sur le marais ensoleillé.

Amédée arriva, haut perché sur son antique vélo, avec le gros volume d'échantillons en travers du porte-bagages. Il cria : « Ohé ! » Ragris ne broncha pas. Sa songerie l'avait emporté dans un monde où il était seul avec le portrait. Il ne revint sur terre qu'au choc du vélo contre la cabane.

— Salut, Ragris. Es-tu malade ?

— Non.

Amédée considéra son ami et son regard se porta naturellement vers le portrait. Il pensait que tout ce qui concerne les femmes doit être banni de la conversation. Le sens de ce portrait lui échappait, mais il devinait que Ragris lui attribuait une importance exceptionnelle. Il vit la bouteille au pied du lit et comprit que l'état de son ami était sérieux. Ragris aimait le vin, mais il était relativement sobre. Boire seul, au beau milieu de la matinée, était de sa part l'indice d'une grave anomalie. Il n'était pas dans les habitudes de Ragris de rester ainsi enfermé, surtout quand il faisait beau comme aujourd'hui. « Ma visite n'est pas opportune, se dit Amédée, mais puisque je suis là, je vais le secouer. Il a un regard absent qui ne me plaît pas du tout. »

— Puis-je faire quelque chose pour toi ? demanda-t-il.

— Rien.

— Bon. Tu n'es pas malade et tu ne veux rien. Alors, lève-toi, j'ai besoin d'un conseil.

Pour la première fois, Ragris tourna la tête. Le ton solennel d'Amédée l'amusa. Il éclata de rire et se leva d'un bond.

— Des fois, on a besoin de réfléchir, dit-il.

— Je sais bien. Je ne suis pas contre. Les gens ont perdu l'habitude de réfléchir. Mais il ne faut pas abuser de la réflexion. C'est comme le vin.

— Je n'ai bu qu'une demi-bouteille.

— On peut méditer sans le secours de la boisson.

— Peut-être, mais ce n'est pas pareil.

— Quelle quantité de vin pourrais-tu absorber sans être saoul ?

— Sais pas. Une fois, j'ai bu quatre litres et j'étais intact. Mais c'étaient les vendanges et j'avais travaillé quinze heures à la vigne.

— Cette demi-bouteille, tu l'aurais reprochée à Pignolle.

— Vas-tu me sermonner longtemps ? dit Ragris en riant. Amédée retirait avec précaution le gros volume du porte-bagages. « Quel bouquin ! ajouta Ragris. Tu as là-dedans toute l'histoire du monde. »

— Presque. Ce sont des échantillons de papier peint. Il est possible que la couleur du papier peint ait une influence sur les décisions des hommes qui mènent le monde.

Ils s'assirent sur l'herbe, contre le mur de la cabane, et ouvrirent le grand livre. Amédée expliqua :

— J'ai touché l'argent de ma terre. Je fais remettre la maison en état.

— Toute la maison ?

— Non. Uniquement ma chambre. Pourquoi m'occuperais-je des autres pièces puisqu'elles sont inhabitées ?

— Euh !

— Je voudrais un jaune ou un beige avec des capucines.

— Bonne idée. Ce sont des couleurs qui restent fraîches malgré le soleil. Mais pourquoi des capucines ?

— Il y en avait à l'origine et ce devait être bien car le grand-père avait du goût. Je voudrais rendre à la chambre son aspect d'autrefois.

— As-tu trouvé des capucines là-dedans ?

— Oui. Il ouvrit l'album à la page qu'il avait marquée. C'était un papier ivoire avec des fleurs.

— Très joli, estima Ragris. Mais ce ne sont pas des capucines.

— Voilà justement ce que je voulais te demander. J'avais des doutes. Quel dommage !

— Je verrais là plutôt des anémones.

Amédée s'éleva. Ces fleurs n'étaient certainement pas des anémones. Mais Ragris s'entêta :

— Regarde donc les feuilles.

— Observe plutôt les pétales. Le doigt d'Amédée contourna les corolles. Ils se chamaillèrent cordialement. Le désaccord se prolongea, coupé de rires et de bourrades. Ragris se plut à ce jeu. Il compara plusieurs échantillons. Il choisissait comme pour lui-même. Certains papiers étaient granuleux sous la main, d'autres satinés. Il se surprit à imaginer une maison toute neuve avec de beaux papiers peints, où il entrerait pour la première fois avec Marie.

— Cent ! hurla Pignolle.

Il arrivait en courant aussi vite que le lui permettaient ses petites jambes, ses gros sabots et son pantalon qui s'obstinait à glisser.

— Cent ! Il en a pris cent. Venez voir, c'est un phénomène.

— De qui parles-tu ? s'enquit Amédée toujours penché sur les capucines.

— De Pépé la Rainette, répondit Pignolle qui reprenait son souffle. Amédée leva les sourcils pour signifier son ignorance.

— Le voisin de Mme Mercier, l'ancien du marais, expliqua Ragris. Il est là. Il pêche la grenouille avec Pignolle.

— Cent, répéta Pignolle très agité. Il dit qu'il

peut aller comme ça jusqu'à mille. Sans crochet. Il n'en rate pas une. Venez voir.

Ragris et Amédée se consultèrent du regard. L'émotion de Pignolle les gagnait. Ragris désirait vérifier par lui-même l'exploit de Pépé. Amédée, quant à lui, était intrigué par cet homme, non pas à cause des grenouilles, mais parce qu'il le considérait comme un cas très intéressant sur le plan purement social.

— On y va, dit Ragris en se levant. Pignolle les devançait. Il se retournait avec de grands gestes.

— Cent! Et si ça se trouve, il en est à cent vingt maintenant. Il n'arrête pas. Sans crochet!

Immobile, Pépé battait un coin du grand trou entouré de joncs et couvert de lentilles d'eau. La peau dansait sur les herbes et se confondait avec elles. Les grenouilles invisibles qui se chauffaient sur la berge plongeaient et s'approchaient doucement. Comme tout était vert, on les distinguait à peine, mais leurs mouvements les trahissaient. Parfois, entre deux avances, elles demeuraient immobiles avec leur grosse tête triangulaire en contemplation, et leur ventre blanc apparaissait. Le tapis de lentilles d'eau se refermait derrière elles. Pépé les soulevait en douceur, sans un mot, avec une précision étonnante. Le grand sac pendu à sa ceinture pesait déjà. Pépé sentait la fraîcheur des victimes contre ses jambes.

— Combien? demanda Pignolle en s'approchant aussi doucement qu'il put.

Mais Pépé posa un doigt sur sa bouche pour imposer le silence et fit de la main un geste impératif qui invitait Pignolle à ne pas s'avancer. En moins d'un quart d'heure, douze grenouilles vinrent tomber dans le sac. Pépé ne les touchait même pas. Un petit coup sec : elles tombaient toutes seules. Pignolle se tourna vers ses amis, quêtant une approbation. « Hein ? Il est fort. Je vous l'avais dit. » Amédée hocha gravement la tête. Ragris suivait la pêche avec le plus grand intérêt ; il étudiait la méthode et en pesait les avantages. Pas de crochet ; les grenouilles ne sont pas mutilées ; elles ne souffrent pas et peuvent se garder plusieurs jours vivantes.

Pépé était radieux. Il sentait peser sur lui les regards admiratifs de ses nouveaux amis. À cent cinquante, il donna pourtant des signes de lassitude. Quand il leva sa gaule, la grenouille retomba mais, chose extraordinaire, au lieu de s'enfuir par bonds lourds, dans les joncs comme font les rescapées, elle revint à la charge. « C'est normal, songea Ragris, voilà encore un avantage de la méthode. La bête n'a pas été piquée ; elle croit que sa proie lui échappe. » Pépé la captura et s'arrêta. Il se retourna et posa sa gaule sur l'herbe.

— C'est dommage, fit Pignolle.

— Il faudra que j'apprenne, dit Ragris. C'est bien mieux.

La joie du triomphe illuminait Pépé.

— C'est assez pour aujourd'hui, déclara-t-il. Je pourrais pêcher les yeux fermés, mais j'ai quitté le marais depuis quarante ans, alors, il faut le temps de s'y remettre. Je savais bien que je n'avais pas perdu la forme. Ces choses-là, on les a dans le sang ; on les sent au bout des doigts.

La présence d'Amédée l'intimidait un peu. Il le connaissait seulement pour l'avoir entrevu chez la voisine. Amédée le comprit. Il lui tendit la main.

— Ragris m'a parlé de vous. Je suis bien content de vous rencontrer. Je crois qu'on s'entendra.

— Moi aussi, répondit chaleureusement Pépé. Mme Mercier dit que vous êtes un monsieur. Elle vous trouve très distingué.

Amédée ne fut pas insensible à ce compliment.

X

Bruno descendit de l'échelle et considéra son travail avec satisfaction. Il avait passé au plafond deux couches de blanc gélatineux qui donnaient une apparence jaunâtre et luisante. Dans une heure ce serait sec et le plafond serait parfaitement blanc. Ernest achevait le grattage des murs. En certains coins plus humides, il n'avait que la peine de tirer; tout venait : le rose, le bleu, les capucines, collés ensemble comme des affiches. Ailleurs, il fallait gratter longtemps, au risque d'entamer le plâtre Ernest pestait alors et plaquait son éponge ruisselante sur le rose récalcitrant.

— Ça va, Nénesse ?

— Ça va. Tu m'aides ?

Le grattage était un travail que détestait Bruno. Il aimait peindre le bois, poser le papier neuf, toute la partie purement artistique. Le grattage était une œuvre de destruction, longue et pénible. Il prit un grattoir sans trop rouspéter parce que son compagnon avait dénudé les trois quarts des murs, et attaqua le dernier panneau. Le parquet était encombré par les lambeaux des vieux papiers qu'agitaient les pieds des hommes. Ernest et Bruno besognaient en silence, pressés d'en finir avec cette tâche ingrate.

Ils formaient une bonne équipe. Bien que leurs gestes parussent mécaniques, leurs cerveaux fonctionnaient à l'unisson. Ils savaient l'un et l'autre que le grattage serait fini à la pause de midi. Après, on passerait à la peinture. Deuxième couche le lendemain matin, ensuite pose du papier. (Le client ferait bien de se décider pour le papier.) En deux jours, l'affaire serait faite. C'était un bon métier. On allait d'une maison à une autre, au hasard des commandes. Il y avait toujours du travail. On s'y adonnait avec la joie d'embellir, comme on aurait fait de sa propre demeure. On voyait parfois de drôles de gens, mais des gens comme ceux de cette maison-là, Ernest et Bruno n'en avaient encore jamais vu. Des bruits étonnants montaient du rez-de-chaussée. Le vieux clouait dans la cuisine et cela provoquait la vibration des casseroles. Un rire qui semait l'effroi s'élevait soudain : c'était Adélaïde qui sortait de son rêve. Puis le silence retombait, troublé seulement par le crissement des grattoirs. Les papiers défraîchis s'enroulaient aux pieds des ouvriers, retrouvant leur forme première. L'eau des éponges giclait sur le mur où elle s'écoulait en larmes noirâtres. Parfois, le grattoir mordait le plâtre, et l'un des ouvriers jurait. Trois papiers peints l'un sur l'autre ! L'indignation éclatait.

— Tu vas voir comment je vais lui compter ça dans la note, clamait Bruno.

— Il n'a pas l'air bien riche, le gars, fit remarquer Ernest.

— Tant mieux. Les rupins se font toujours tirer l'oreille pour payer. Pas vrai, Nénesse ?

— Vrai.

Nénesse était d'accord. C'était une bonne équipe. Bruno gratta le mur farouchement, songeant à la rapacité des rupins; les pensées de Nénesse suivirent le même chemin.

À midi, le dernier lambeau de capucines roula sur le parquet. Les deux compagnons se redressèrent en gémissant un peu à cause de la fatigue qu'ils ressentaient dans les reins. Les murs étaient nus comme au premier jour. La chambre paraissait plus claire. Une araignée trottinait lourdement dans un angle, désemparée. On avait brisé sa toile.

— Le client a dit qu'il fallait lui garder un bout du papier jaune, se souvint Ernest.

— M'est avis qu'il n'a pas toute sa raison, affirma Bruno. En tout cas, s'il en veut, il a le choix. Mais faudrait qu'il se dépêche de rentrer parce qu'on va balancer tous ces déchets dehors. Hein, Nénesse?

— Parole.

— Moi, j'aime bien que le chantier soit net quand je commence la peinture. Pas toi?

Nénesse approuva. C'était vraiment une bonne équipe. Ils décrochèrent leur musette suspendue au clou qui avait supporté pendant cinquante ans le portrait de la grand-mère au cerceau.

— Les clous, fit Bruno, on les laisse toujours quand on gratte les murs. C'est de la paresse. On devrait les retirer.

— Celui-là tenait bon.

— Il faudra bien le sortir de là quand on posera le papier neuf.

— J'ai comme une idée que le gars va nous demander de laisser le clou à sa place. C'est tout à fait le genre de type à vouloir une chose pareille. Tu n'aurais pas dû laisser la musette ici, poursuivit Ernest. Je parie qu'il y a du plâtre dans le casse-croûte

188

— Pas de danger, il est bien emballé. Je n'allais tout de même pas laisser la musette dehors.

Ernest en convint gravement. Il eût été de la plus téméraire imprudence d'abandonner la musette qui contenait le ravitaillement dans cette maison-là. Il retira de leur emballage un gros morceau de pain, deux belles tranches de jambon de campagne et un fromage rond couvert d'un duvet bleu. Bruno s'occupait déjà du litre.

— On n'est pas bien ici pour manger, dit-il. C'est plein de poussière. On serait mieux dehors.

— Fais comme tu voudras, moi je reste. Est-ce que tu penses vraiment à descendre ? interrogea anxieusement Ernest en séparant le gras du jambon avec son canif.

La pensée du couloir effrayant qu'il faudrait traverser glaça Bruno. Il prit la tranche de jambon que lui tendait Ernest et vit que des grains de poussière blanche s'étaient déjà posés sur la chair rose.

— On ne peut pas manger sur le chantier, déclara-t-il. Sans aller dehors, on peut bien trouver une autre pièce à l'étage où on sera tranquille. Viens voir.

Ils quittèrent la chambre et demeurèrent un moment sur le palier, immobiles et attentifs. La maison était parfaitement silencieuse. Soudain le rire hystérique d'Adélaïde monta comme une provocation. Bruno étreignit l'épaule de son ami en claquant des dents.

— T'entends, Nénesse ? bégaya-t-il.

Nénesse était blême. De nouveau le silence, puis le toc toc contre la vitre, bruit inoffensif et déjà familier. Il y avait une porte devant eux. Bruno, que sa terreur d'un instant rendait audacieux, la poussa. Elle ne grinça même pas sur ses gonds comme on aurait pu s'y attendre de la part d'une porte qui s'ouvre sur l'inconnu d'une maison hantée. Ils virent une grande pièce où régnait le plus complet désordre mais accueillante, hospitalière, avec une baie qui donnait sur le jardin. On trouvait là une panière d'osier, une malle, un paquet de vieux journaux, de la ficelle, une foule d'objets hétéroclites poussés dans le fond. Une souris passa comme une flèche entre les jambes de Bruno. Une partie de la salle était relativement propre, balayée depuis peu. C'est là qu'Amédée avait transporté son lit et son armoire. La porte-fenêtre était ouverte. Ernest et Bruno s'installèrent sur le balcon et déjeunèrent avec appétit, dominant le jardin ensoleillé. Ils étaient bien. Le vieux parut dans l'allée, en quête de nourriture. Il s'arrêta devant un groseillier et mâchonna longuement sa rancune, comme s'il s'adressait aux groseilles en leur reprochant de n'être pas encore mûres. Il se baissa, prit un caillou brillant qu'il cacha dans sa poche et s'en fut sous le cerisier dont les basses branches retombaient jusqu'à lui, mais il n'y avait plus de fruits à sa portée. Il se dressa sur la pointe des pieds, tira les feuilles et réussit à ramener à la hauteur de sa main une branchette bien fournie en cerises qu'il avala goulûment, crachant les noyaux devant lui. Ernest et Bruno suivaient son manège en mastiquant le jambon. La branche échappa au vieux et se releva si brusquement qu'il faillit perdre l'équilibre. Il se mit à injurier l'arbre en trépignant. Bruno éclata de rire. Le vieux leva la tête vers le balcon, vit les deux hommes et s'en fut se cacher derrière le clapier.

— Il a plus peur que nous, remarqua Bruno. Et cette constatation le rassura.

— Ce n'est pas tellement le vieux qui m'effraie,

répondit Ernest, mais plutôt la fille. As-tu vu ses yeux?

— Tais-toi, c'est affreux. Je te dis que je compterai la fille sur la note.

— L'autre est parti avec les échantillons et il ne revient pas. Nous laisser ici avec ces deux phénomènes, ce n'est pas humain.

— Et s'il ne revenait pas?

— Ne dis pas de bêtises.

Ils burent à la régalade et fumèrent béatement une cigarette, les jambes au soleil. Mais ils ne pouvaient se défaire de l'inquiétude.

Ragris, Pignolle, Amédée et Pépé se trouvaient réunis pour la première fois. C'était un grand jour, surtout pour Pépé qui savourait la joie d'avoir enfin rencontré de vrais amis. À part le vieux Charles qui travaillait à l'usine depuis trente ans et qu'il tutoyait, Pépé n'avait pas d'amis. Son bonheur était complété par le triomphe qu'il avait connu à la pêche durant cette journée inoubliable. L'habileté dont il avait fait preuve avec les grenouilles alimentait la conversation tandis qu'on vidait les bouteilles de Mme Mercier sur le seuil de la cabane verte. Pignolle estimait que Pépé était tout simplement formidable. Ragris déclarait que désormais il ne pêcherait pas autrement; il mettrait le temps qu'il faudrait pour apprendre. Amédée, que son incompétence en matière de pêche isolait un peu, s'en tenait à une stricte approbation. Il avait de la considération pour Pépé non pas à cause de l'exploit halieutique, mais parce qu'un des plus grands patrons de la ville était venu s'asseoir sur l'herbe pour deviser avec eux de choses très simples. « Il est tout l'opposé de moi-même, songea-t-il. Parti d'une cabane, il est arrivé dans un château. Il possède une fortune qui l'encombre et ne peut s'adapter aux exigences de son nouvel état. Il vidait les poubelles de mon grand-père et si je savais seulement comment on s'y prend je viderais peut-être les siennes aujourd'hui. Il est tout l'opposé de moi-même sur le plan social et cependant nous nous ressemblons. La preuve : nous avons les mêmes amis. C'est un critère qui a son poids. »

— Bois encore une goutte, Pépé, dit Pignolle. Et il remplit le verre que lui tendit Pépé.

Maintenant, ils se tutoyaient tous. C'était venu machinalement dans la conversation, le vin aidant. Le soleil se couchait au fond du marais. Les eaux brillaient d'un éclat métallique entre les joncs. Pépé raconta toute sa vie, sans beaucoup d'ordre. « J'avais un âne qui s'appelait Bourricot. » Son visage s'enflamma quand il parla de Laurent. Les autres écoutaient avec intérêt, exprimant par des hochements de tête leur ressentiment à l'égard de Laurent. Les grenouilles prisonnières, à l'approche du soir, entreprirent leur dernier concert. De partout, les grenouilles libres du marais leur firent écho. L'heure était si douce que Pépé se tut, charmé, oubliant sa haine. Un oiseau passa d'un vol lourd, très bas, au-dessus des roseaux. On entendit le meuglement nostalgique d'une vache qui rentrait à la ferme.

— C'est comme autrefois, dit Pépé avec émotion.

Dans la cage à serins, les grenouilles coassaient éperdument. Elles formaient une masse compacte et suintante, sans cesse en mouvement. Au-dessus, les plus vigoureuses gonflaient leur jabot blanc, gravement immobiles. D'autres montraient leur ventre

192

— celles que le crochet n'avaient pas épargnées —
signe d'agonie.

— On ferait aussi bien de les ouvrir tout de suite,
remarqua Pignolle.

— Bien sûr, approuva Pépé. Et il proposa : si on
les mangeait ?

— Je ne connais rien de plus fin qu'une bro-
chette de grenouilles en persillade, dit Amédée.

Ragris ne s'était pas encore prononcé. La perspective d'une dînette au crépuscule sur le seuil de la
cabane le séduisait mais il rappela que le patron
comptait sur cent douzaines le dimanche suivant.

— Je reviendrai vous en pêcher d'autres d'ici
dimanche, promit Pépé. On peut manger celles de
Pignolle qui sont mal en point. Je vais les préparer.

Il prit les grenouilles l'une après l'autre dans la
cage. Il les saisissait par les pattes de derrière et les
assommait d'un seul coup contre une pierre, puis il
retirait la robe verte tandis que les pattes raidies
tremblaient encore, coupait la tête et posait dans
l'assiette que lui avait donnée Ragris les corps aux
cuisses roses comme celles d'un lapin dépouillé.
C'était si vite fait qu'on avait peine à le suivre.

— Quel as ! s'écria Pignolle. On ne dirait pas un
bourgeois.

Alors Pépé leva vers lui un regard douloureux.

— Pourquoi dis-tu cela ? gémit-il. Je t'ai dit que
je n'étais pas un bourgeois. Je ne suis pas avec eux.

— Je voulais dire... on croirait pas un gars de la
ville, balbutia Pignolle.

— Je ne suis pas avec eux, continua Pépé en
jetant violemment sa grenouille dans l'assiette. Je
n'ai pas pu m'y faire. On ne transforme pas comme
cela un homme, d'un miséreux en un riche. Il faut
le temps. Ma fille s'y est faite. Elle est née avec les

sous. Elle n'a pas connu le marais, elle. Elle croit que le bonheur, c'est les coussins et le téléphone...

Les mains de Pépé tremblaient, tant il était secoué par l'indignation. Amédée l'écoutait passionnément.

— Avec Marthe et Laurent, c'est trop compliqué, poursuivit fébrilement Pépé. C'est ce que j'essaie d'expliquer à cet imbécile de Laurent (il écorcha une grenouille comme s'il s'agissait de son gendre) ; il ne comprend pas que ce qui était amusant, c'était de bâtir l'usine en partant des poubelles. Après, ça n'a plus de sens ; on veut toujours de nouveaux marchés ; on n'en sort pas. Vient un moment où on regarde en arrière pour retrouver des choses simples. Chez nous, il n'y a plus de choses simples. Marthe veut que je prenne des patins pour entrer dans ma chambre. Laurent me casse les oreilles avec son conseil d'administration. Est-ce que j'avais un conseil d'administration au temps des poubelles ? Quand je pense à mon petit-fils ! Il apprend un tas de machins dans ses livres ; eh bien, tenez, au jardin, il ne distingue pas un pied de persil d'une feuille de carotte.

Cette déclaration consterna l'auditoire. Pignolle était visiblement écœuré. Amédée remarqua qu'il y avait là une lacune regrettable dans le programme scolaire. Les aveux de Pépé le troublaient et le rassuraient en même temps, car il y voyait une confirmation de ses propres opinions sur l'évolution du système social. Ragris écoutait, sans un mot. On ne savait jamais bien ce que pensait Ragris. Pépé saisit la dernière grenouille et dit avec amertume :

— Tiens, l'idée de les retrouver ce soir autour de la soupière me fait peur. Je mangerai avec vous et je rentrerai seulement pour me coucher. Et même, si je savais... (l'audace du projet fit briller ses yeux). Si je savais, je resterais bien ici. Depuis le temps que j'avais envie de revenir ! Mais on n'ose pas, on est pris par les affaires, on s'imagine que du moment qu'on est parti, tout a changé derrière soi. Et maintenant que j'y suis... Oui, si je savais, je resterais bien, dit pensivement Pépé.

— Ma cabane est déjà bien remplie, fit observer Pignolle, rompant le silence qui avait suivi ce vœu inattendu, mais en se serrant un peu, on pourrait te faire une place.

— Il ne faut pas rester ce soir, dit Ragris doucement. Ils s'inquiéteraient.

— Au besoin, je pourrais même agrandir la cabane, poursuivit Pignolle tout à son idée.

— Je bâtirais une jolie cabane, murmura Pépé tout rêveur. Je la ferais à la même place...

— Je vais chercher du persil, dit Ragris. Il ne jugeait pas opportun d'influencer Pépé. La nuit venait. Un ver luisant brillait déjà près de la porte. Amédée se souvint brusquement qu'il avait laissé deux plâtriers chez lui, mais cela importait peu, songea-t-il ; ils devaient être partis maintenant. Ragris revint avec un bouquet de persil.

— Quand je pense que j'ai perdu trente-cinq ans de marais, fit Pépé. Il avait des larmes d'attendrissement.

Toutes les cinq minutes, Marthe ouvrait la fenêtre pour écouter. Pépé ne rentrait toujours pas. Elle consultait la pendule et revenait à son ouvrage en soupirant. Quelle journée ! Non qu'elle se fût morfondue au sujet de son père mais elle avait subi la colère de Laurent à midi.

— Où est ton père ? avait-il demandé en voyant la place libre.

— Je ne sais pas. Il est parti ce matin pour se promener...

— Et il n'est pas rentré ! S'il n'est pas là dans cinq minutes, on déjeune sans lui. Je dois être au bureau à deux heures.

Le repas avait été maussade. On s'apercevait brusquement du grand vide causé par l'absence de Pépé. Laurent mangeait nerveusement. Il ne lisait même pas son journal.

— Pour se promener ! gronda-t-il.

— Est-ce que je pourrai me promener jeudi avec Pépé ? demanda timidement Pierrot.

— Tais-toi, répondit le père. Tu ferais mieux de tenir ta fourchette comme il faut.

Catherine demeurait étrangère à la conversation. Elle mangeait du bout des lèvres et souriait à l'image de Lucien.

— Tu ne penses pas qu'il serait retourné là-bas ? demanda Laurent avec une soudaine méfiance.

Là-bas ! Il ne précisait pas mais on comprenait. C'était un mot qui avait été exclu tacitement du vocabulaire de la maison et même quand Laurent le rencontrait par hasard dans ses lectures, cela provoquait en lui un malaise qui le faisait tourner la page.

— Là-bas ! Mais pourquoi veux-tu ? balbutia Marthe. Elle se sentait vaguement en faute. Ses dénégations manquaient d'assurance et la fureur de Laurent s'en trouvait accrue.

— Je ne sais pas, moi. Il est bien quelque part. J'espère que tu lui feras la leçon quand il rentrera.

Laurent était parti sans même boire son café.

Catherine s'était retirée dans sa chambre pour s'apprêter; elle devait sortir.

— Maman, où qu'il est, Pépé? interrogeait Pierrot anxieusement.

— Laisse-moi tranquille, cria Marthe excédée.

Pierrot sentait que le climat de la maison changeait mais il n'aurait su dire dans quel sens, car la colère des parents se trouvait vaguement compensée par cette joie mystérieuse qui émanait de Pépé depuis quelque temps. Tout avait commencé avec le jonc qui était tombé de sa culotte. Pierrot en était certain. «Il est peut-être retourné là-bas», songeait-il, et il ne voyait pas qu'il s'exprimait de la même façon que son père au déjeuner. Là-bas! «Est-ce qu'il m'emmènera une autre fois? Est-ce qu'il reviendra seulement?» Pierrot avait le cœur gros en partant à l'école.

Marthe posa l'ouvrage. Elle croyait entendre un pas dans la rue. Elle ouvrit la fenêtre. «Ce n'est pas encore lui», dit-elle tout bas. Elle fut secouée par la colère. Il ferait bientôt nuit et Pépé n'était pas rentré! Et Laurent serait là dans une heure! Quelle journée! Dans l'après-midi, elle avait songé à voir dans le cabanon du jardin. Après tout, son père avait pu rentrer sans passer dans la maison et s'enfermer là pour bricoler! C'était bien improbable, mais Pépé était tellement bizarre depuis quelque temps qu'on pouvait s'attendre à tout de sa part. Bien entendu, il n'était pas au cabanon. Marthe vit sur l'établi un petit paquebot en cours de construction et, chose inquiétante, une poupée de chiffon non encore pourvue de jambes. Il y avait aussi des crayons de couleur destinés sans doute à donner un visage à la poupée dont un œil était déjà dessiné, du fil et deux aiguilles. «Il les a pris dans ma boîte à couture », s'indigna Marthe. La poupée la regardait stupidement de son œil unique. À qui était-elle destinée ? Marthe ne savait plus que penser. Si Laurent venait à le savoir !

À tout hasard, elle vérifia que Pépé n'était pas sous la tonnelle. Mme Mercier faisait un tour dans son jardin. Les deux femmes se virent en même temps et Marthe, décontenancée, lui adressa un bref salut de la tête. Elle ne lui plaisait pas, cette petite veuve de fonctionnaire qui avait le front d'être leur voisine et de toucher une pension de l'État. « Si on lui achetait sa maison, songea soudain Marthe, Catherine et Lucien l'habiteraient quand ils seraient mariés. Ce serait bien agréable d'être à côté des enfants. » Elle en parlerait à Laurent. Cette idée l'occupa jusqu'au retour de Catherine.

Huit heures ! Et Pépé ne venait pas ! Pierrot mangeait dans la cuisine avec la bonne. Une chance, Laurent avait dit qu'il rentrerait tard, ce soir. Les yeux fixés sur la pendule, Marthe se remémorait tous les incidents de cette pénible journée, la conversation avec Catherine qui était passée chez la couturière. On avait parlé de Lucien, du trousseau. Marthe avait exprimé l'idée qui lui trottait par la tête : acheter la maison de Mme Mercier. « J'en parlerai à ton père. Cette bonne femme n'a pas de fortune. Elle sera bien contente de vendre. Cette maison est bien trop grande pour elle seule. Je voudrais bien voir comment c'est entretenu, là-dedans ! » Elle voyait déjà les enfants installés dans la maison. Ces projets l'avaient distraite. Elle ne pensait plus à Pépé. Mais Catherine avait subitement parlé de Lucie.

— Quelle Lucie ?

— Lucie Blondin, avait répondu Catherine avec une cassure dans la voix.

Alors Marthe avait compris que cette journée était vraiment maudite. Il y a ainsi des jours où les contrariétés s'abattent sur vous comme si elles s'étaient donné le mot. Le mot! Celui qui était proscrit précisément. La Blondin — Marthe ne l'appelait pas autrement depuis leur brouille — était la femme d'un industriel qui avait la même spécialité que Laurent. C'était toute une histoire! Un contremaître de Laurent avait demandé cent francs d'augmentation, comme cela, un beau matin. Laurent avait dit non pour le principe, car il se réservait ce genre d'initiative. Le contremaître était parti, embauché par Blondin à un tarif bien supérieur. «Mon meilleur contremaître, hurlait Laurent. Un garçon que j'avais formé. Cette brute de Blondin me le prend parce qu'il manque de cadres.» On avait rompu toutes relations. Le malheur, c'est que le vieux père Blondin connaissait les origines de Pépé. La Blondin ne s'était pas fait faute de révéler cette tare dans les salons. «Je me demande bien pourquoi Marthe est si fière. Quand on a connu son père avec son âne!» C'était une blessure profonde, toujours à vif. On fuyait les Blondin comme la peste. On prenait une rue au hasard pour les éviter quand on les voyait paraître en ville et Laurent regrettait amèrement de n'avoir pas cédé aux exigences de son contremaître.

— Qu'a-t-elle dit? demanda Marthe d'une voix blanche.

— Je l'ai rencontrée dans l'escalier en sortant de chez la couturière, je n'ai pas pu l'éviter. Elle montait. Je n'ai pas voulu lui céder la rampe.

— Tu as bien fait.

— Elle m'a dit : tu es bien comme ta mère. Elle n'était pas si fière dans sa cabane ! Pourquoi a-t-elle dit cela ?

Catherine ignorait tout du marais. Elle n'en avait jamais entendu parler. Elle savait seulement qu'on était fâché avec les Blondin. Toujours à ses rêves de fiançailles, elle n'avait pas remarqué, comme Pierrot, que l'air de la maison n'était plus le même depuis qu'une tige de jonc était tombée de la culotte de son frère. Marthe se taisait, les yeux baissés, les lèvres pincées, remuant sa rancune contre le destin qui l'accablait. On avait pu vivre jusqu'ici comme d'honnêtes bourgeois et tout d'un coup le marais prenait sa revanche.

— Que voulait-elle dire à propos de la cabane ? interrogea de nouveau Catherine.

— Est-ce que je sais, moi ? Je pense qu'elle voulait parler de ce chalet que nos parents avaient loué autrefois sur le chemin de halage en attendant que notre maison fût construite. Mais ce n'était pas une cabane, c'était un chalet, un vrai chalet de bois. Cette Blondin est jalouse de notre réussite.

— Elle était furieuse que je ne lui aie pas laissé la rampe.

Marthe se félicitait d'avoir dominé sa détresse. La situation était sauvée. Catherine ne saurait rien du marais ; c'était préférable. Si la famille de Lucien venait à connaître l'histoire de l'âne et des poubelles, le mariage pourrait se trouver compromis. Elle était fière d'avoir inventé à brûle-pourpoint le chalet qui existait d'ailleurs réellement sur le bord de la Loire. Un jour, à l'occasion d'une promenade, Laurent pourrait même dire : « Les parents de Marthe louaient autrefois ce chalet pour l'été. » Ce serait très bien et personne n'irait voir si c'était vrai.

Il faisait tellement sombre que Marthe ne voyait plus son ouvrage. Elle alluma. Pierrot vint dire bonsoir à sa mère avant de se coucher. La pendulette sonna le quart. De nouveau, Marthe s'abandonnait au découragement. Catherine descendit de sa chambre.

— Pépé n'est pas encore rentré ? demanda-t-elle.

— Non.

— Tu ne crois pas que papa va faire une scène ?

— Si.

— Pépé ressemble de plus en plus à un enfant. Il devient insupportable. (Catherine éclata de rire et bâilla.) J'ai bien envie de me coucher sans dîner, je n'ai pas faim.

— Tu ne manges pas assez.

— Je vais bien trouver un reste de poulet froid et quelques gâteaux secs.

— Oui, va, dit seulement Marthe. Elle n'avait plus la force de réagir. Maintenant, il n'y avait plus d'espoir. Elle entendit Catherine qui parlait avec la bonne, puis le bruit d'une assiette. Laurent pouvait être là d'une minute à l'autre et Pépé n'était pas rentré. Marthe serait seule en face de lui. En un sens, c'était mieux : les enfants devaient tout ignorer. Mais précisément parce qu'ils seraient couchés, Laurent s'abandonnerait à ses griefs sans toutefois trop élever la voix. « Il devient impossible, gronderait Laurent, impossible. Maintenant, il se paie le luxe de ne plus venir aux heures des repas. Il va nous compromettre en courant les rues. Que penseront les gens ? Imagines-tu tout ce que pourraient raconter les Blondin ? »

— Nous sommes plus riches que les Blondin, répondrait Marthe avec suffisance. Et cela calmerait Laurent pour un moment. Puis il se remettrait à tourner en rond dans le salon en espionnant la pendule et il éclaterait de nouveau : « Mais enfin, s'il ne veut plus vivre avec nous, qu'il s'en aille ! »

— Tu oublies que cette maison lui appartient, nous sommes chez lui, rappellerait-elle. Cet argument n'admettait pas de réplique, mais il avait deux tranchants. Il rendrait son mari furieux. Si on voulait, on pourrait acheter pour soi une maison dix fois plus belle ailleurs, on avait les moyens. On laisserait le vieux tout seul ici. Mais on ne pouvait pas, à cause des relations. Les gens diraient : « Ils se sont installés. Ils ont laissé ce pauvre vieux tout seul dans sa grande maison. » Non, ce n'était pas possible. Le mieux était de patienter. Le père avait quatre-vingt-cinq ans, il n'en avait plus pour longtemps, calculerait Laurent. Et Marthe savait que Laurent ferait ce calcul.

Elle reconnut le pas de Pépé et courut à la porte. C'était bien lui. Il paraissait merveilleusement las et heureux.

— Bonjour Marthe, dit-il gentiment.

— Enfin !

— J'ai passé une journée, commença-t-il avec extase.

— Et moi donc ! Viens. Laurent ne va pas tarder. Tu vas faire un peu de toilette avant de te mettre à table. Mais qu'est-ce que tu sens ? Fais voir tes mains.

— C'est les grenouilles, expliqua Pépé. Il tendit sans aucune gêne ses mains aux lignes marquées de crasse. C'est drôle, fit-il, on se demande ce qu'il y a dans la peau de ces bêtes, mais ça provoque des picotements...

— Lave-toi, dit Marthe désemparée. On va bientôt dîner.

— J'ai dîné.

— Quoi?

— J'ai mangé avec mes amis. De vrais amis, si tu savais. J'ai seulement hâte de me coucher. J'y retourne de bonne heure demain matin. Il faut que je pêche...

Sans réaction, Marthe le laissait parler. Ainsi, demain ce serait pareil. Elle n'avait plus la force de le gronder. « Demain matin, je lui ferai la leçon, décida-t-elle ; ce soir je n'en peux plus. » Elle le suivit dans sa chambre et le coucha. Radieux, Pépé se laissait faire comme un enfant. Il avait sommeil mais il ne put s'endormir tout de suite. Trop d'images dansaient dans sa tête. Il avait mal aux jambes. Un frisson glacé courait dans son dos.

— Alors, il est là ? demanda sourdement Laurent quand il rentra.

— Mais oui, répondit simplement Marthe. Il est rentré depuis longtemps. Il est couché. Je crois qu'il n'est pas bien.

Laurent parut satisfait. « S'il pouvait claquer », songea-t-il. Et Marthe savait qu'il pensait cela.

XI

Le marais était d'une beauté grandiose en septembre, avec son opulente verdure où se mêlaient déjà des taches rousses. La vie grouillait. C'était le temps des bonnes pêches. Tout le menu peuple des rongeurs et des oiseaux s'affairait au seuil de l'automne. Ce matin, les formes des arbres s'estompaient dans un léger rideau de brume que perçait bientôt le soleil, et les herbes du chemin, ployant sous la rosée, scintillaient comme des guirlandes de perles. La fraîcheur éveillait Ragris à l'aube. C'était la saison qu'il aimait.

Pépé venait presque chaque jour. Sans Pierrot, parti en vacances depuis deux mois, la maison était lugubre. Laurent n'adressait plus la parole à son beau-père. Il n'y avait eu aucune scène entre eux, aucune explication ; seulement, il y avait le marais. Laurent savait. Mais le marais était un mot qu'on ne devait pas prononcer.

La vie de Marthe devenait impossible. Elle se débattait entre les fugues de Pépé et les colères froides de son époux. Heureusement, Pépé était toujours rentré avant Laurent, car la nuit venait de plus en plus vite et il quittait ses amis au coucher du soleil. Il arrivait, joyeux, l'œil vif, un peu crotté, avec l'assurance d'un jeune homme émancipé.

— Tu t'es encore assis dans l'herbe, soupirait Marthe. Tu finiras par prendre du mal. Change-toi. Laurent ne va pas tarder.

Pépé obéissait docilement mais il avait un petit rire méchant au nom de Laurent. Marthe constatait non sans tristesse que la haine grandissait entre les deux hommes. Les repas étaient maussades. Laurent lisait le journal ou feignait de le lire, trouvant là une occasion d'ignorer son entourage. Pépé sifflotait distraitement, sa pensée au marais, et frappait son verre de cristal à petits coups de fourchette pour tenir la mesure. C'était agaçant. Laurent rongeait son frein. Marthe n'osait rien dire. Six mois plus tôt, elle aurait seulement murmuré : « Allons, papa » et Pépé se serait tu. Mais ce temps-là était révolu. Pépé était devenu un être étrange, intouchable. Il avait déjà un pied dans le paradis.

Au coucher, Laurent exigeait des explications.

— Où a-t-il été aujourd'hui ?

— Je ne sais pas, répondait Marthe faiblement.

— Il est bien sorti ?

— Oui.

— Crois-tu qu'il est retourné là-bas ?

— Pourquoi veux-tu ! commençait-elle en jouant l'étonnement.

— Il faudrait tout de même savoir où il passe son temps.

— Mais il ne me dit rien.

— Alors, tu ne sais plus te faire obéir ?

— Non, je ne sais plus, il a changé. Il n'est pas comme avant.

— Avant quoi ?

Marthe levait les bras au ciel, accablée, impuissante, marquant par là son ignorance. Elle appelait les larmes car, lorsque ses yeux s'embuaient, Laurent devenait plus doux.

— Allons, grognait-il, n'en parlons plus, tout s'arrangera.

— Mais oui, répondait Marthe en reniflant. Il faut patienter.

Patience! Pépé n'en avait plus pour longtemps. Cette joie qui le transfigurait était l'indice du retour à l'enfance. L'obscurité se faisait dans la chambre conjugale et l'espoir venait avec le sommeil.

Pépé goûtait, sous la tonnelle, la douceur de l'été finissant. Tout était calme. Une mouche bleue bourdonnait dans la vigne. Parfois, un fruit mûr tombait. Dans le jardin de Mme Mercier, un glaïeul rouge se balançait, tout seul. L'herbe envahissait les allées. La maison était triste comme une ruine encore neuve. «*Ils* ont acheté la maison pour Catherine, songeait Pépé. *Ils* y ont mis le prix.» Mme Mercier ne reviendrait plus. Et cela le chagrinait. Désormais, il ne verrait plus la vieille dame aller de rose en rose avec de touchantes attentions pour les boutons qui s'ouvraient. Elle avait accepté de vendre. Indécise d'abord, elle avait apprécié tous les avantages qu'on lui faisait miroiter : un bon capital, de nouvelles rentes qui viendraient s'ajouter à sa petite pension, moins de charges. Marthe avait parfaitement mené son affaire. On avait trouvé à Mme Mercier un petit appartement de deux pièces dans un immeuble tranquille.

— Ce que je regretterai le plus, ce sont mes roses, disait-elle avec un petit sourire triste. Et Pépé lui avait promis de lui en porter quelquefois un bouquet. Les glaïeuls plantés par Amédée formaient un éclatant feu d'artifice. En faisant le tour du jardin

206

pour la dernière fois, Mme Mercier les avait coupés, sauf un qui n'était pas encore épanoui. « Je les emporte. J'en profiterai encore une semaine, peut-être deux s'il ne fait pas trop chaud. » Le glaïeul rouge s'était ouvert le lendemain, tout seul comme un orphelin.

« Elle n'aurait pas dû le laisser, songea Pépé. C'est encore plus triste. »

Une petite voiture à bras était rangée contre le mur. La terre qu'avaient si bien retournée Ragris et Pignolle était piétinée, jonchée de papiers. Un frêle pêcher s'inclinait sous le poids d'une échelle maculée de plâtre.

— Ils auraient pu la mettre ailleurs, dit Pépé à voix haute.

À la quiétude de l'après-midi succédait le vacarme des plâtriers qui s'affairaient dans la maison. Ils s'interpellaient. « Passe-moi la colle, Nénesse. » L'autre s'appelait Bruno; il sifflait une chanson. Les deux hommes transformaient la demeure de Mme Mercier selon les directives de Marthe. Catherine et Lucien auraient bientôt un appartement digne de leur condition. Pauvre vieille, songea Pépé. Il se souvenait du jour où elle lui avait confié l'argent. « Je ne vois plus vos amis, disait-elle. Voulez-vous leur porter ce que je leur dois ? » Cette somme était arrivée bien à propos chez Pignolle. Il n'y avait pas un sou et Mélie menait grand tapage. C'est ce jour-là que Pépé avait remis le bateau aux garçons et la poupée à Cricri. Quelle fête ! Pépé avait apporté la joie. Les souvenirs s'enchaînaient. Trois jours plus tard, Pépé constatait sans surprise que les deux gars de Pignolle avaient abandonné le bateau. Ils étaient revenus à la bonne vieille planche des premiers jours, moins gracieuse peut-être, mais combien plus rapide. Cricri était demeurée fidèle à la poupée. Les belles journées de cet inoubliable été se déroulaient dans la mémoire de Pépé tandis que la mouche bleue bourdonnait sur une grappe et que, dans la maison voisine, la voix stridente de Bruno chantait la gloire de la Madelon. Il y avait eu les parties de pêche, les grandes causeries sur le seuil de la cabane verte et, tout dernièrement, cette journée aux champignons. Il avait plu trois jours durant et le soleil était revenu le soir, juste pour se coucher. Un beau temps pour les girolles. On avait mis la chose au point chez Ragris et le lendemain on partait par le tacot du matin, tous les quatre sur la plate-forme de queue. Cette journée demeurerait une des plus belles dans la vie de Pépé. Il revoyait le sous-bois, la mousse tendre, le tapis de feuilles mortes qu'on grattait avec un bâton et le jaune éclatant de la première girolle qui en annonçait d'autres. « Venez, les gars ! » Celui qui trouvait un nid appelait ses amis. On grattait, tous en chœur, avec enthousiasme, même Amédée qui, timide et méfiant, soumettait chaque trouvaille. On rencontrait d'autres champignons, des rouges, des verts, des noirs, qui avaient la forme de parapluies, de potiches ou de trompes, des blancs fixés aux arbres qui ressemblaient à des plateaux. Pépé jetait un nom sur chacun, obtenant ainsi une considération méritée. Au retour, Pignolle avait dit à Tane : « Pépé connaît tous les champignons, tous. » Et Tane avait tendu sa main noire à Pépé parce qu'il estimait un gars qui connaissait tous les champignons de la montagne.

« Nénesse, va chercher l'échelle », cria la voix de Bruno. Le charme fut rompu. Pépé vit Nénesse sortir de la maison, s'approcher du pêcher, empoigner l'échelle. Une branche de l'arbuste se prit entre deux barreaux. Nénesse tira sans ménagement. Vingt fruits tombèrent, à peine mûrs. Pépé eut un sursaut. Il bondit.

— Vous ne pouvez pas faire attention !

Surpris, Nénesse se retourna, encadré par l'échelle, prêt à la riposte. Mais il se radoucit.

— Je te reconnais, petit père, dit-il. Je t'ai vu dans la maison des fous.

Pépé se souvint. Il avait rencontré cet homme chez Amédée.

— Amédée est l'homme le plus intelligent que je connaisse, dit Pépé. Son père et sa sœur sont peut-être un peu bizarres, j'en conviens.

— Un peu, tu l'as dit.

Invisible, Bruno hurla : « Elle vient, cette échelle ? »

— Tu permets, fit Nénesse, le copain s'impatiente. On prépare une jolie petite crèche à tes héritiers. Tu devrais venir nous tenir compagnie un moment, petit père.

Nénesse disparut dans la maison avec l'échelle. Il dit à Bruno : « Figure-toi que le petit vieux qui habite à côté, c'est le copain... »

Pépé n'entendit pas la suite. Il revoyait la maison d'Amédée, cette chambre remise à neuf qui tranchait avec la misère des autres pièces. Amédée avait voulu montrer son domaine à son nouvel ami. Ils avaient fait plusieurs fois le tour du grand jardin en friche, à petits pas, en bavardant. Un vieillard qui portait une tuile dans chaque main se cachait derrière un arbre quand ils arrivaient. « C'est mon père, expliquait Amédée. Il n'a plus sa tête. » Figée derrière sa vitre qu'elle martelait inlassablement, Adélaïde intriguait Pépé. « Je vais te montrer les lapins », proposait Amédée. Ils se tutoyaient déjà.

Pépé nageait dans l'extase tandis qu'ils s'en allaient vers le clapier; après tant d'années confortables et stériles, voici que des amis lui tombaient du ciel.

C'est le dernier jour de la saison d'été que vint Marie.

Ragris était sur le toit de la cabane qu'il réparait. Tout à son travail, il ne pensait pas à la jeune fille. Plus tard, il se souviendrait surtout de ce détail : Marie n'était pas dans sa pensée quand elle était venue. Il avait trop rêvé d'elle. Il avait tellement regardé le petit tableau que cette image même devenait inexpressive. Il avait attendu si longtemps qu'il n'espérait plus.

Agenouillé sur le toit, il clouait. Il ne la vit pas venir. Il l'entendit seulement quand elle lui dit bonjour, entre deux coups de marteau. Alors il demeura stupidement perché sur le faîte, son outil levé. Tête nue, elle était vêtue d'une robe à rayures, toute simple. Ragris remarqua tout de suite qu'elle portait les boucles d'oreilles.

— C'est bien, dit-il.

Elle comprit et répondit :

— Je les porte toujours. Allez-vous descendre?

Il la fit entrer dans la cabane. Elle regardait autour d'elle et souriait, amusée par cette petite maison de bois.

— C'est donc là que vous habitez, murmura-t-elle.

— Oui, dit Ragris un peu embarrassé. Pour moi, une cabane est suffisante. Je vis seul.

— C'est petit, c'est propre.

— Je pense que vous devez avoir soif.

— Non.

— Je n'ai que du vin à vous offrir.

Il avait gardé pendant deux mois un flacon de liqueur douce et des biscuits en prévision de cette visite. Un soir, las d'attendre, il avait vidé la bouteille avec Pignolle. Les gâteaux étaient moisis.

— Ne vous dérangez pas, je n'ai pas soif. Habitez-vous là depuis longtemps ?

— Depuis dix ans.

— Et avant ?

— C'était la guerre.

— Et avant ?

Avant ! Ragris chercha. Il ne savait plus. À vrai dire, il n'habitait nulle part. Il allait sur les routes, de ferme en ferme, et quand venait l'hiver il s'employait chez un artisan jusqu'aux beaux jours.

— Et quand vous étiez petit garçon, comment était-ce ?

Toutes ces questions embarrassaient Ragris. Il faisait effort pour se souvenir car il n'avait pas l'habitude de regarder le passé. Il vivait au jour le jour et les projets qu'il formait pour l'avenir n'allaient pas au-delà de quelques semaines. Marie ne se lassait pas d'interroger cet homme solitaire qui l'attirait. Pour l'encourager, elle parla un peu de sa propre enfance :

— Mon père était bûcheron dans les Bois Noirs. Quelquefois, j'ai dormi dans sa hutte. Après, on m'a mise à l'école. Avez-vous été à l'école ?

— Oui, on jouait aux billes dans la cour. Ma mère travaillait dans une épicerie. Quand elle est morte, j'ai été garder les vaches. J'avais quatorze ans. On me donnait une paire de sabots tous les ans. C'était long, une année. Mes pieds grandissaient trop vite.

— Pourquoi vous êtes-vous fixé dans ce marais ?

— Ici, j'ai trouvé des amis.

— Celui qui chantait le mai avec vous ?

— Celui-là, et d'autres.

Marie se tut. Ses jolis yeux parcoururent la cabane et se fixèrent sur le portrait. Elle contempla ce visage étranger. Ragris était anxieux. On entendit le saut d'une carpe, puis les cris des gosses qui jouaient à la planche...

Cricri donnait en zézayant ses ordres aux garçons : il fallait placer la poupée sur le navire. Les frères apprécièrent cette nouveauté. Le jeu devenait passionnant. À califourchon sur la planche, les jambes dans l'eau, la poupée de chiffon s'en allait vers le large avec la majesté d'un conquérant. Cricri gambadait sur la berge en hurlant sa joie.

Les cris de la fillette perçaient seuls le silence tandis que Marie observait l'image. Ragris attendait. Puis la jeune fille le regarda et demanda :

— Qui est-ce ?

— Je ne sais pas.

— C'est bien le portrait de quelqu'un !

— Sûrement.

Il ne trouvait pas le courage de lui dire que cette image était la sienne. Marie ne se reconnaissait pas.

— Était-ce votre femme ? demanda-t-elle.

— Non. Je n'en ai jamais eu.

Il était rouge de honte. C'est alors qu'il se souvint du soldat. Il ouvrit la bouche pour questionner à son tour mais elle le devança.

— Cette jeune femme a aussi des boucles d'oreilles, observa-t-elle Puis elle bâilla et s'excusa : je me suis couchée à quatre heures du matin. Mes patrons donnaient une petite fête.

— Sont-ils gentils avec vous ? interrogea Ragris désemparé.

— Oui. Je n'ai pas à me plaindre.

Ragris se demanda comment il poserait la question qui lui brûlait les lèvres. Pour rompre le silence, il proposa de nouveau un verre de vin.

— Je veux bien, dit Marie, très peu.

Ragris emplit deux verres. Elle protesta : « Je ne boirai pas tout. » Il vida le sien d'un trait et demanda brusquement :

— Sortez-vous quelquefois avec des amis ?

— Non, jamais. Je n'ai pas d'amis.

Ragris était dans un complet désarroi. Il n'osait questionner. Là-bas, les enfants hurlaient leur joie. Ils étaient seuls, livrés à eux-mêmes. Mélie avait décidé d'aller acheter un chapeau tandis que Pignolle vendait son poisson. En partant, ils avaient dit : « On te confie les gosses, Ragris. » C'est pour-quoi Ragris avait décidé de travailler au toit de sa cabane. De cette façon, il dominait tout le marais et pouvait suivre les ébats des trois enfants. « Il faut que je jette un coup d'œil », songea-t-il.

— Je vous prie de m'excuser une minute, dit-il. Les voisins sont absents et leurs enfants jouent au bord de l'eau. Je vais voir.

— Je vous attends, répondit Marie. Et elle réprima un bâillement.

Ragris sortit en se demandant s'il était conve-nable de proposer son lit à la jeune fille. Elle a besoin de repos. Ses patrons la font trop travailler. Quand je reviens, je lui pose franchement la ques-tion : « À propos, ce militaire que vous avez rencon-tré sur la place, le jour des boucles d'oreilles, c'est votre fiancé ? » Ragris s'en allait à grands pas vers les gosses. Cette fois, il savait qu'il aurait le courage d'interroger Marie.

— Alors les enfants, ça va ?

— On zoue au bateau, hurla Cricri.

— Avec la poupée, c'est encore mieux, expliqua l'aîné. La planche fonce tout droit.

On fit une démonstration. Ragris admira.

— Restez près du roseau, recommanda-t-il. De l'autre côté, c'est profond.

Il s'en fut rapidement vers la cabane. « À propos, ce militaire que vous avez rencontré sur la place... » Il essayait la phrase en marchant. « J'aurais pu lui dire que j'avais adopté ce portrait parce qu'il lui ressemble, songea-t-il. Je ne sais pas ce qui m'a retenu. » Mais il pensa que Marie se serait peut-être moquée.

Quand il entra, elle dormait, assise à la place où il l'avait laissée, sa jolie tête blottie dans ses bras croisés au bord de la table. Sur ses lèvres closes, un sourire s'ébauchait. Elle avait un sommeil si calme que rien ne trahissait la respiration. Ragris demeurait là, indécis. Finalement, il s'assit tout doucement en face d'elle et la regarda dormir.

Pierrot Pignolle imprima au navire un mouvement de va-et-vient, sans le lâcher, puis il le poussa de toutes ses forces. Cricri applaudit. La poupée jouait très bien son rôle. Consciente de ses responsabilités, elle se tenait sagement au milieu de l'embarcation. La planche buta du nez contre une tige de nénuphar. La poupée glissa sur le côté et cette position dangereuse, rompant l'équilibre, changea la direction de la planche. Cricri s'alarmait. Les deux garçons tirèrent la ficelle pour faire rentrer le navire au port mais ils ne purent éviter la chute de la poupée. Elle glissa mollement et se mit à flotter sur le dos. Cricri poussa des hurlements.

— Pleure pas, on va la ramener, promirent ses frères.

Mais les pierres qu'ils lancèrent n'eurent d'autre

résultat que d'éloigner encore la naufragée. Elle allait couler, à moins d'un mètre d'une motte de joncs. Cricri partit en courant et contourna le trou d'eau. Ses frères la rappelèrent vainement. La fillette courait de toute la vitesse de ses petites jambes afin de sauver la jolie poupée que lui avait offerte Pépé-la-Rainette.

— Cricri, reviens, c'est dangereux ! Ragris veut pas.

Mais la poupée s'enfonçait. On ne voyait plus que ses cheveux et le ruban rouge qui les nouait. Cricri prit pied sur la motte et tendit la main, mais ses petits doigts effleuraient seulement le ruban rouge. Elle empoigna des joncs pour se maintenir et se pencha encore. Son pied glissa dans la boue, les joncs cédèrent. La main de Cricri rencontra enfin le corps de la poupée qu'on ne voyait plus. La fillette poussa un cri de triomphe et de détresse. Les garçons hurlaient. L'un appelait sa sœur, l'autre Ragris.

— Il faut que j'aille voir, décida Ragris.

À regret, il quitta la cabane où Marie dormait toujours. « Elle est fatiguée, songea-t-il. Le peu de vin qu'elle a bu lui a tourné la tête. Elle n'a même pas entendu les gosses. Quand je reviendrai, je lui parlerai du militaire. »

L'aîné des Pignolle arrivait en courant. Il était blême.

— Cricri, Cricri, répétait-il.

— Eh bien quoi, Cricri ?

— Elle est tombée dans l'eau.

— Petits diables. Je vous avais pourtant défendu...

Cricri se débattait, la tête hors de l'eau, agrippée

215

aux tiges de nénuphars, mais elle avait perdu la poupée.

— Tiens bon, petite, j'arrive.

Ragris la tira de l'eau et l'allongea sur l'herbe.

— Ma poupée, gémissait Cricri, elle s'est noyée.

— Je t'en achèterai une autre.

— Non. C'est celle-là que je veux. C'est celle de Pépé.

— Bon, bon, je vais la chercher.

Ragris entra dans l'eau, tout habillé, ses grands bras tâtonnaient dans les profondeurs. Il vit une petite tache rouge : le ruban de la poupée. Il ramena un objet informe et dégoulinant que Cricri serra sur son cœur.

— Maintenant, dit Ragris, il faut te changer. Allons.

Il prit dans ses bras robustes le petit corps glacé de l'enfant.

— Je vais faire un peu de feu, dit-il quand ils furent dans la cabane de Pignolle. Vous, les garçons, apportez du bois.

Il déshabilla Cricri, la sécha, la coucha.

— As-tu froid, Cricri ?

— Non, au contraire, ze brûle.

Ragris mit une main sur le front de la fillette et fronça les sourcils.

— Essaie de dormir.

— Donne-moi ma poupée.

— Non, elle est mouillée. Je vais la pendre près du feu. Tu la verras de ton lit.

— Bon, répondit docilement Cricri. Elle mit son pouce dans sa bouche et surveilla les opérations. Ragris prit la poupée, la tordit, la secoua et la pendit au plafond. Puis il garnit le poêle et fit craquer une allumette. Les deux garçons l'observaient sans un mot, un peu honteux qu'on ne les grondât pas. Ragris s'affairait entre le poêle et le lit. Il ne pensait plus à Marie.

Mélie et Pignolle rentrèrent ensemble ; elle, coiffée du chapeau qu'elle venait d'acheter, un chapeau parfaitement ridicule, fait de paille noire, sans bords, en forme de boîte, avec trois cerises vermeilles au sommet ; lui, grincheux et maussade à cause du chapeau.

— Je ne sortirai plus avec toi, ne cessait-il de répéter à sa femme. Je n'ai pas envie de me faire remarquer. Voilà où est passé l'argent du poisson As-tu déjà vu un chapeau pareil, Ragris ?

— Non, jamais, reconnut Ragris.

— Tu vois bien, glapit triomphalement Mélie à l'adresse de Pignolle.

— Au lieu de vous disputer, vous feriez mieux de vous occuper de la petite. Elle est malade. Je crois qu'il faudrait appeler le docteur.

— Le docteur ! Mais on n'a pas de sous.

— Je paierai, fit Ragris en soupirant. Allez Pignolle, va vite le chercher. Elle a de la fièvre.

— Si tu crois, répondit Pignolle. Bon, je vais y aller. Au fait, tu as eu des visites. En passant devant chez toi, j'ai jeté un coup d'œil. Il y avait deux verres sur la table.

Alors, Ragris fut tiré du songe qu'il vivait depuis l'accident. Deux verres sur la table. Ragris contemplait le beau visage de Marie endormie. Les enfants appelaient. Ragris accourait, se promettant de parler du soldat au retour. Mais il n'y avait pas eu de retour. Toute sa pensée allait à une petite fille qui avait failli mourir alors que lui, Ragris, était chargé de veiller sur elle. Et voilà que Mélie rentrait avec son chapeau neuf et son Pignolle de mari. Deux verres sur la table.

— Et il n'y avait personne? interrogea Ragris d'une voix blanche.

— Non, dit Pignolle. Est-ce que tu crois vraiment qu'il faut aller chercher le docteur? La petite a l'air bien.

— Oui. Va vite. Son corps est brûlant. Allons, va vite, imbécile.

La colère gagnait Ragris. Pignolle se tenait au milieu de la cabane, les bras ballants, tandis que Mélie, coiffée, s'admirait dans la glace fendue — cette même glace qui renvoyait jadis l'image de Paméla.

— S'il dit qu'il faut aller chercher le docteur, je vais le chercher, dit Pignolle.

Ragris courait vers la cabane verte. Un poids énorme l'oppressait. Il savait. Il savait déjà. Il ne fut pas étonné de trouver la cabane vide.

Marie se dépêchait de rentrer car ses patrons devaient dîner de bonne heure pour aller au théâtre. Elle s'étonnait d'avoir dormi dans la cabane. Ragris était vraiment un homme étrange, songeait-elle en marchant d'un pas léger le long des noisetiers; étrange et séduisant, beaucoup plus beau que Bébert et combien différent. Bientôt, Bébert serait libéré. Il disait qu'il avait une bonne situation chez ses parents. Si Marie voulait, ils partiraient ensemble. Il l'avait proposé. Marie imagina qu'elle partait, mais ce n'était pas avec Bébert; elle suivait Ragris. Ils allaient sur une route, en pleine campagne, sans connaître l'étape du soir, et pourtant elle marchait à son côté en toute confiance car une grande force émanait de lui ainsi qu'une sorte de majesté qu'elle n'avait jamais trouvée ailleurs. Mais Ragris appartenait à une espèce d'hommes qui ne se marient pas, songea-t-elle avec tristesse.

Elle voulut ensuite retrouver cet instant où elle avait succombé au sommeil mais n'y parvint pas. C'était après le verre de vin, pendant que Ragris était sorti pour voir les enfants. Quand il était revenu, il l'avait trouvée endormie. « Alors, il est reparti pour me laisser reposer. Est-ce que Bébert aurait fait cela ? »

Marie ignorait le drame qui s'était joué dans le marais pendant son sommeil. Quand elle s'était éveillée, tout était calme. Ragris devait être loin. Il était tard. Les patrons voulaient dîner de bonne heure pour aller au théâtre. Elle avait regardé une dernière fois cette jolie femme dont l'image était accrochée au mur. Qui était-ce ? « Peut-être a-t-il eu déjà une femme qu'il a rendue malheureuse. Pourquoi n'est-il pas resté près de la cabane en attendant mon réveil ? » se demandait Marie en gravissant les marches. « Dépêchez-vous, Marie. Vous savez que nous sortons ce soir. » « Il est parti sans s'occuper de moi, soupirait-elle en se remettant à ses casseroles. Je ne l'intéresse pas. Ce n'est pas un homme qui peut vivre toujours avec une femme. Je suis sûre qu'il s'est remis à travailler sur son toit comme il faisait quand je suis arrivée. »

Mais Ragris n'était pas sur le toit. Dans les mauvais moments, il se jetait tout habillé sur le lit et restait ainsi des heures entières, les mains croisées derrière la nuque, les yeux au plafond. C'est ce qu'il avait fait après avoir constaté que Marie était partie. La colère grondait en lui sourdement. Il respirait très vite et très fort, comme une bête épuisée et traquée. Si cette folle de Mélie n'était pas sortie pour acheter son ordure de chapeau, elle aurait gardé ses gosses et tout se serait passé autrement. Les malheurs venaient toujours de Pignolle. Il traînerait toujours ce Pignolle comme un boulet! Le soleil couchant éclaira l'intérieur de la cabane et le pastel disparut derrière l'éclat de la vitre qui le protégeait. « Elle ne s'est même pas reconnue, songea Ragris. Donc cette image ne lui ressemble pas comme je croyais. » Il entendit les glapissements de Mélie qui s'en prenait à ses garçons. Pignolle était parti chercher le docteur. Ragris se souvint qu'il lui faudrait encore payer le docteur. Une grande lassitude l'envahit. Il envisagea le départ. Cette nuit même, il fermerait à jamais la cabane verte et s'en irait sans tourner la tête. Il marcherait vers le sud et passerait l'hiver en Provence. Cette idée le calma. Il se vit gravissant des collines pelées où chantaient des cigales, dans la lumière éclatante du Midi. Des paysages ensoleillés se déroulaient sur le mur que gagnait l'ombre.

Pignolle vint.

— Le docteur est là, dit-il.

— Et alors? interrogea Ragris sans même tourner la tête.

— Il dit qu'il ne peut pas se prononcer. Il reviendra. Je voudrais payer. Il demande vingt francs.

— Prends dans la boîte, répondit Ragris sans bouger.

Pignolle fouilla dans la boîte.

— Il y a un billet de cinquante francs, annonça-t-il avec humilité.

— Prends tout. Tu achèteras les remèdes. Et maintenant, va-t'en. Laisse-moi. Ferme la porte.

Pignolle obéit. Ragris retrouva l'ombre et les cigales. Il ne se leva même pas pour manger. Il s'endormit pour douze heures et ce fut encore Pignolle qui l'éveilla en donnant de grands coups dans la porte.

— Ragris, oh! Ragris, laisse-moi entrer.

Ragris ne répondit pas. Il avait les yeux grands ouverts et regardait les deux verres vides sur la table : le sien et celui où Marie avait trempé ses lèvres. Il vit le tabouret où Marie s'était assise; ce coin de table où reposait sa jolie tête quand elle dormait. Pignolle cognait. La grande colère de la veille remontait dans la poitrine de Ragris. Pignolle! Toujours Pignolle! Sans lui et sa nichée, il serait resté avec Marie jusqu'au soir et maintenant il vivrait dans la joie de l'attente car elle aurait promis de revenir. Et au lieu de cette joie, il ne connaissait qu'une profonde détresse tandis que Pignolle frappait à la porte.

Ragris ouvrit brusquement.

— Va-t'en, gronda-t-il, va-t'en.

— Cricri est bien mal, pleurnicha Pignolle. Elle délire. Elle ne sait plus ce qu'elle dit. Et son petit front est brûlant comme le poêle. Tu devrais venir voir, dis, Ragris. Elle parle de toi. Elle dit : « Ragris, Ragris. » Et elle parle de la poupée. Je pense que tu ferais bien de venir.

— La paix. Je veux la paix, hurla Ragris.

La porte claqua. Pignolle s'en fut lourdement, secoué de sanglots. Il s'assit sur une pierre à mi-chemin entre les deux cabanes, pour pleurer. Ragris s'allongea mais ne retrouva pas la paix. Les paysages de soleil se dérobaient. « Un jour, je partirai », dit-il à voix haute. Mais le temps n'était pas encore venu. Il eut un gros soupir et revit le visage douloureux de Pignolle. « Cricri t'appelle. »

D'un bond, il fut sur pied. Il sortit. Pignolle geignait sur sa pierre.

— Alors, viens donc, imbécile, laissa tomber Ragris en passant devant lui.

La petite fille malade gazouillait : « Ragris, Ragris... » Il s'assit près d'elle, tâta le front brûlant.

— As-tu acheté les remèdes ? demanda-t-il à Pignolle.

— Non. Il faisait nuit.

— Eh bien, qu'est-ce que tu attends ?

— Je vais y aller. Où est donc ma casquette ?

Pignolle trouva sa casquette sur le placard, près de l'horrible chapeau neuf de Mélie. Ragris poussa un cri de rage en voyant le chapeau et leva le poing pour l'écraser. « Ragris, Ragris, ma poupée... » Il n'acheva pas son geste. La petite fille l'appelait.

Le docteur revint et Ragris paya. Il fallut acheter d'autres remèdes et Ragris paya encore. Il venait souvent chez Pignolle et restait des heures au chevet de la petite qui délirait, lui tenant la main. « Elle vivra », criait une voix secrète dans Ragris. « Je veux qu'elle vive. » Il se sentait un peu responsable de cette maladie. On acheta d'autres remèdes. Quand Ragris n'eut plus d'argent, il vendit sa montre. Puis il alla faire des fagots à la lisière du bois, ce qui lui rapporta quelques sous. Il plaçait des lignes de fond dans tous les coins du marais. Des fois, il avait vingt kilos de poissons le matin, qu'il cédait au plus offrant. Il dormait moins de quatre heures par nuit, mangeait à peine, ne prenait plus le temps de se raser. L'obsédante petite voix le poursuivait. « Ragris, Ragris ! »

Cela dura vingt jours. L'automne triomphait sur la plaine bourbeuse. Le vent froid courbait les roseaux. Les vols de corbeaux passaient lourdement. Quand Pépé revint, il ne reconnut pas Ragris, mais Cricri était en voie de guérison.

XII

Les arbres se dépouillèrent très tôt. Les petites feuilles des saules tombèrent en pluie sur l'eau qu'irisait le vent glacial. Des nuages pâles se déchiquetaient à perte de vue et brouillaient la ligne d'horizon comme si le monde finissait avec la plaine. L'hiver s'annonçait rude. Les derniers jours d'octobre furent marqués par de fortes gelées qui saisirent les flaques d'eau du chemin.

Chez Pignolle, la misère s'installait. On avait remis à sa place le bateau des gosses — cette planche qu'ils avaient dérobée au mur de la cabane en des jours meilleurs. On luttait contre le froid avec des moyens de fortune. Faute de charbon, on brûlait des branches mortes. Bientôt le bois devint rare. Puis la faim se fit sentir. Mélie harcelait Pignolle :

— Trouve des sous.

— Je veux bien, mais où donc ?

— Demande à Ragris.

— Non.

Mélie tournait autour de son homme comme une chatte en colère, prête à griffer. Les deux garçons, blottis dans un coin, suivaient la querelle avec indifférence. Cricri peignait sa poupée. Pignolle restait assis, résigné, tandis que Mélie déchaînée l'accablait de reproches.

— On n'a plus un sou et tu restes assis. Les sous vont venir tout seuls, bien sûr. Ragris en a, lui, plus qu'il n'en faut. S'il était dans le besoin, tu lui prêterais bien.

— Sûrement, dit Pignolle, mais le cas ne s'est encore jamais présenté.

— Pense donc que les gosses ne mangent que des haricots depuis huit jours.

— C'est une chance que Tane nous ait donné ces haricots. Il est bien complaisant.

— Il n'y en a plus.

— Dommage.

— Dommage, répéta Mélie en le contrefaisant. C'est tout ce que tu trouves à dire. J'ai besoin d'argent. Demande à Ragris.

— Impossible. Il a déjà trop fait pour nous.

Mélie criait en tournant dans la cabane. Tête basse, Pignolle attendait la fin de l'orage. Il ne voulait pas demander à Ragris. D'abord, il n'osait pas. Ragris lui faisait peur.

« Ce qu'il a changé ! » songea Pignolle, sans se soucier des pleurs de Mélie. Car maintenant elle pleurait. Ses crises finissaient toujours par des larmes. « Ce qu'il a changé ! D'habitude ça le prend au printemps. S'il partait... » Pignolle frémit. « Mais non, pas en novembre. S'il devait partir un jour, ce serait au printemps. » Pignolle s'approcha de la fenêtre et contempla la cabane verte ; du toit s'échappait un filet de fumée rassurant.

Assise dans son lit, Cricri peignait toujours sa poupée tout en lui recommandant de rester sage. Les deux garçons s'entretenaient gravement de choses importantes.

— J'ai faim, dit l'aîné. Et toi ?

— Moi aussi, répondit le plus jeune.

Ce n'était pas une plainte mais une simple constatation. Ils avaient l'habitude des mauvais jours. Il s'intéressaient d'ailleurs aux manifestations de la faim, en suivaient les progrès, échangeaient leurs impressions. « Ce gargouillis, c'est ton ventre ou le mien ? » Mélie trouva là une occasion de reprendre la lutte.

— Tu entends ! Les gosses ont faim.

Pignolle regardait au-dehors. Il montra par un hochement de tête qu'il avait entendu, ce qui déchaîna la fureur de l'épouse. « C'est tout l'effet que ça te fait ? » Il ne réagit pas, car l'état de Ragris le tourmentait bien davantage. La cheminée de la cabane verte fumait, donc tout allait bien. Les choses s'arrangeraient.

Ce fut Pépé qui lui donna raison. Il arriva porteur d'un sac plein de provisions dont il couvrit la table : du pain, du sucre, des légumes secs et un gros morceau de viande. Mélie regardait, muette, incrédule. Les garçons s'étaient rapprochés.

— Tu es bien aimable, disait Pignolle. Justement, on était un peu dans le besoin. Tu penses, avec tout ce qu'on a dépensé pour les remèdes de Cricri.

— C'est pour elle, expliqua Pépé. Je n'aime pas venir chez les amis avec les mains vides. Je me suis dit : la petite a été bien fatiguée, il faut qu'elle mange. C'est mieux que des bonbons ou des jouets, n'est-ce pas ?

— Z'aime bien aussi les zouets, affirma Cricri.

— Tu devrais en demander au Père Noël, conseilla Pépé en s'approchant de la petite.

— Le Père Noël, c'est mon papa, déclara-t-elle.

Cette réponse attrista Pépé. Il se tourna vers Pignolle qui fit un signe affirmatif.

— Elle n'y croit pas? demanda-t-il tout bas.

— Si, répondit Pignolle aussi bas, et ses yeux riaient. Mais je suis embauché tous les ans par les les Grands Magasins pour me promener dans les rues, déguisé en Père Noël. Tu comprends?

Les deux garçons prirent furtivement un sucre. Mélie découpa un morceau de viande avec l'intention de le faire cuire.

— Mangerez-vous avec nous? demanda-t-elle.

— Non, répondit Pépé. Je dois rentrer. Avez-vous des nouvelles de Ragris?

— Heu! fit Mélie avec des hochements de tête éloquents.

— On ne le voit plus depuis quelque temps, dit Pignolle précipitamment.

— Forcément, renchérit la Mélie. On est tellement loin les uns des autres!

Elle jeta énergiquement le morceau de viande dans une poêle. À travers la vitre, on apercevait la cabane verte et son filet de fumée qui se détachait à peine sur le ciel blanc. Pignolle dit :

— Des fois, Ragris a besoin de solitude. Dans ces moments-là, le mieux est de le laisser tranquille.

— Un égoïste, maugréa Mélie en surveillant la cuisson. Il a une boîte pleine de sous. Tout seul, pas de gosses.

— Mélie... intervint doucement Pignolle.

— Ragris n'est certainement pas un égoïste, déclara Pépé.

— Y a pas plus généreux que lui, approuva Pignolle. C'est lui qui a payé tous les remèdes.

Les deux garçons s'efforçaient de ne pas faire de bruit en croquant leur sucre. Ils étaient d'ailleurs secondés par le grésillement de friture. L'agréable odeur se répandait dans la cabane, leur promettant cette joie inégalable de manger un bifteck après huit jours de haricots. Mélie, sentant que les hommes étaient contre elle, retourna la viande et aboya :

— Je vais te dire. Ton Ragris, il a des chagrins d'amour. Voilà.

Ces mots tombèrent comme une révélation.

— C'est bien possible, observa Pignolle après un silence.

— Il a une photo de bonne femme en face de son lit, poursuivit Mélie.

— C'est un petit tableau que lui a offert Mme Mercier, expliqua Pignolle. Ces choses-là ne nous regardent pas.

Les Pignolle se groupèrent autour de la table pour manger. Pépé s'en fut. À la hauteur de la cabane verte, il ralentit, espérant que Ragris se montrerait. Mais rien n'arriva ; il partit.

C'est Tane qui lui avait donné l'idée de ravitailler Pignolle. Il l'avait rencontré huit jours plus tôt devant la poste. Tane revenait précisément du marais.

— Je leur ai porté des haricots. Ils n'ont rien. La maladie de la petite leur a coûté.

— Je voudrais les aider aussi, avait dit Pépé.

— Ce serait bien. Pour les enfants, surtout.

— Ragris est-il aussi dans le besoin ?

— Non. Ragris, c'est autre chose. Il porta deux ou trois fois son doigt sur le front : là, dit-il, c'est là.

— On ne peut rien pour lui ?

— Rien. Un beau jour il sortira de la cabane et reviendra parmi nous. Il ne faudra pas poser de questions.

Pépé méditait les conseils de Tane. L'état de Ragris l'inquiétait et la détresse des Pignolle l'affligeait. Dans sa chambre bien chaude, il pensait à ses amis et regrettait les beaux jours d'été qui les réunissaient tous. Dehors, le froid régnait. On voyait les branches nues des arbres sur le ciel blafard; on entendait l'appel d'un moineau sur la gouttière. Et pourtant, on n'était qu'au début de novembre. L'hiver ne pouvait pas commencer déjà. La température se radoucirait forcément dans quelques jours et peut-être jusqu'à la Noël. Pépé le souhaitait de tout cœur pour ceux qui avaient froid dans la cabane. Blotti dans la gouttière, le moineau criait sa faim. Cela faisait penser aux petits de Pignolle. Vraiment, ces gosses ne devaient pas avoir chaud dans la cabane, tandis que lui... Pépé se sentait coupable d'avoir une bonne couverture. Pourquoi cette injustice? Parce qu'il avait eu la chance de réussir. Si Pignolle décidait de se mettre aux poubelles, il échouerait, car les poubelles, c'était maintenant réglementé comme un métier. Avec un âne, il paierait des impôts. Quant à monter une usine, impossible; les places étaient prises. Pignolle était donc voué à la misère pour la seule raison qu'il arrivait trop tard. «Il faut que je l'aide», songea Pépé.

Cette idée le tourmenta toute la journée. Il alla faire son petit tour à l'usine. Quand il traversait les ateliers, les ouvrières regardaient curieusement ce petit vieux. On disait de lui : «C'était le grand patron dans le temps, et pourtant il ne sait même pas lire.» Les machines bourdonnaient. Les mécaniciens le saluaient, portant un doigt à leur casquette. Pépé était un peu perdu dans cette ruche.

228

Il ne s'attardait pas dans les bureaux. Toute cette paperasserie l'effrayait. Son refuge, c'était l'emballage. C'est là qu'était Charles, le vétéran, le témoin des jeunes années.

— Salut, Charles, comment va?

— Ça va, répondait Charles en riant dans ses moustaches. Il se redressait en se frottant les reins. C'était un dur métier pour un vieux mais il n'avait jamais voulu se mettre à autre chose. D'ailleurs, il n'avait pas son pareil pour cercler une balle. Pépé lui-même ne dédaignait pas cette tâche. Il lui arrivait de s'y remettre, un moment, marquant ainsi l'estime qu'il portait à son compagnon des premiers jours.

— Donne le truc, Charles.

Et Charles lui passa l'appareil. Pépé s'agenouilla sur la balle, fit glisser le feuillard, serra, bloqua, pinça, coupa. La balle était parfaite. Pépé la poussa sur le plateau, près d'un jeune ouvrier qui la marqua en lettres noires. Charles le complimenta.

— Bien, tu n'as pas perdu la main.

— Je vais en faire une autre.

La porte s'ouvrit. Laurent parut, accompagnant un monsieur élégant, un client sans doute, quelque président-directeur général d'une quelconque entreprise industrielle. Ils ont tous ce titre-là maintenant. Le sourire de circonstance se figea sur le mufle de Laurent quand il reconnut son beau-père. Il pinça ses grosses lèvres en voyant que Pépé se commettait avec un emballeur et s'en fut au-devant du distingué visiteur pour lui ouvrir la porte de l'atelier. «Voici l'atelier», annonça-t-il. Le président-directeur général approuva de la tête. Laurent se retourna pour un regard cruel à Pépé qui était à quatre pattes sur sa balle. Charles comprenait parfaitement la situation.

— Ouais, fit-il.

On n'avait pas besoin de grandes phrases pour s'entendre. Charles était triste qu'on ne fît pas plus de cas de Pépé mais celui-ci prenait très bien les choses. Il riait en serrant son feuillard.

— Tu le connais, celui-là ? demanda-t-il sans perdre de vue son ouvrage.

— Ouais, répondit Charles. C'est le grand patron d'une grosse boîte de Saint-Étienne.

— Un grand patron, fit Pépé. Il coupa le feuillard. Un grand patron ! Quand on emballait tous les deux, dans le temps, mon vieux Charles, ce grand patron tétait encore sa mère.

Il éclata de rire et se redressa, fier de sa balle. Charles tourmentait sa moustache. Il voulait exprimer une vérité d'importance.

— Veux-tu que je te dise, déclara-t-il. Ces gars-là ne sont même pas dignes de cirer tes chaussures.

— Peut-être bien, répondit Pépé. Peut-être bien que tu as raison, Charles. Mais alors ils ne sont pas dignes non plus de cirer les tiennes. Je me demande pourquoi ces gars-là se donnent tant d'importance. Tiens, je vais te faire une troisième balle.

C'est en coupant le feuillard pour la troisième fois qu'il trouva le moyen d'aider Pignolle.

— Je vais te demander un service, Charles.

— Oui.

— À midi, on sort ensemble. Je t'offre un verre. Ce serait pour écrire quelques mots.

Laurent les vit entrer au café comme il raccompagnait le gros bonnet stéphanois à sa voiture. Il eut honte. L'indignation le rendait nerveux. Il se domina et décida d'une nouvelle explication avec Marthe.

Pépé commanda un pot de beaujolais et demanda au patron une plume et de l'encre. Il dit à Charles ce qu'il attendait de lui.

— Je veux faire un chèque de mille francs au porteur.

Il tendit une formule rose qui portait le nom de la banque en gros caractères.

— Écris, dit-il. Tu mets *au porteur*, et la date. Je signerai.

Charles s'appliqua. Il avait une belle écriture d'écolier. La plume en suspens, il interrogea :

— On est le combien, aujourd'hui ?

— Le 8 novembre. Date plutôt du 9. Je veux le donner demain.

Charles obéit. Le 9 novembre. Pépé fit au bas de la feuille un tortillon qui était le symbole officiel de son nom. Satisfait, il serra le papier dans sa poche. On but et on parla du temps.

Pépé remit le chèque à Pignolle sans faire de discours. Il dit simplement :

— Prends. C'est un chèque pour toi. Tu n'as qu'à le porter à la banque et on te donnera mille francs. Pas besoin de papiers, il est au porteur.

— Mille francs ! murmura Pignolle ébloui.

— Tu achèteras de quoi manger, et aussi du charbon. Comment va Cricri ?

— Bien. Elle a toujours faim maintenant.

— Tu vois. Elle aura tout ce qu'il faut.

— Tu es bien bon.

— Entre amis, on doit s'aider, fit Pépé un peu gêné.

Il était bien content que Pignolle acceptât sans

histoires. « J'aurais peut-être pu donner plus, songea-t-il. » Entre amis, on doit s'aider, répéta-t-il.

— C'est sûr, approuva Pignolle.

— Une supposition : je serais dans le besoin. Je suis sûr que vous feriez de même pour moi.

— Là, tu peux être tranquille, affirma Pignolle, la main sur le cœur.

Puis, ils parlèrent de Ragris. Pignolle expliqua :

— Ce matin, il est sorti de la cabane. Le temps s'est radouci. Alors, il a ouvert la porte et il a regardé le beau temps. Je l'ai vu de chez moi.

— Et puis ?

— Il est rentré. Mais s'il a mis le nez dehors, c'est bon signe ; il va mieux.

— Bon.

— Veux-tu essayer de frapper, en passant ?

— Non. Il veut la paix. Est-ce que tu penses qu'il a un chagrin d'amour, comme disait ta femme ?

— Sûrement pas. Mélie ne comprend rien. Moi, je connais Ragris. S'il avait du sentiment pour une femme, je le saurais.

Ils firent quelques pas sur le chemin, sans un mot. Pignolle cracha sur une pierre et reprit :

— Il est souvent comme ça, surtout au printemps. Alors, on dirait qu'il boude. Mais il ne boude pas. Il veut être seul. Et moi, je sais.

— Quoi ?

— Il voudrait partir. Mais il ne part pas. Il aime trop le marais maintenant.

— Je comprends.

— D'abord, il ne peut pas avoir des ennuis comme ceux que disait Mélie. Est-ce qu'une femme aurait le cœur de lui faire de la peine ?

— C'est un gars qui doit plaire, dit Pépé.

Pignolle était très ému Il chanta la grandeur de Ragris.

— Bien bâti, et tout. Quand on passe, des fois, les jeunes filles se retournent. Lui, il ne fait pas attention. Il va. S'il voulait... Il parle bien, il sait trouver les mots.

— Peut-être que la maladie de Cricri l'a tourmenté.

— Ça se pourrait bien. Oui, c'est peut-être bien ça. Il aime tant les gosses.

Pignolle demeura un long moment sur le chemin après le départ de Pépé, dans l'espoir que Ragris sortirait. Il ne le vit que le lendemain. Le ciel était d'un bleu fragile comme en septembre.

Une brise tiède soufflait du sud et courbait les joncs meurtris. Ragris allait chercher du lait à la ferme.

— Bonjour, dit-il.

— Bonjour, répondit Pignolle. Il fait beau, hein ?

— C'est l'été de la Saint-Martin qui commence. Ce froid ne pouvait pas durer.

Il avait l'air de bonne humeur. Pignolle remarqua qu'il était rasé et bien peigné. La crise était passée.

— Pépé m'a donné un chèque de mille francs, dit Pignolle sans autre préambule.

— Mille francs ?

— C'est pour acheter de quoi manger. Il l'a dit. Et aussi du charbon.

— Fais voir.

— Un chèque au porteur, expliqua Pignolle. Regarde. C'est marqué.

Ragris posa son bidon à lait par terre et prit le chèque pour l'examiner. Pignolle attendait, anxieux mais ravi que son ami voulût bien s'intéresser à l'affaire ; il avait retrouvé Ragris.

— Un chèque au porteur, c'est commode, crut-il bon de préciser. Pépé m'a expliqué, on le donne au guichet de la banque...

— Tu n'iras pas à la banque, décida Ragris.

— Je...

— Attends-moi. Je vais au lait.

Pignolle entra dans la cabane verte et attendit sagement. Il était très inquiet; Ragris ne lui avait pas rendu le chèque. «Il a peut-être l'intention d'aller à la banque lui-même», songea-t-il. C'était cela, sans aucun doute. Ragris présentait bien, il avait un costume convenable. Il pouvait entrer dans une banque sans être remarqué. Pignolle était tout à fait rassuré quand Ragris posa le bidon de lait sur la table.

— Tu veux déjeuner?

— Non, dit Pignolle. Le lait, moi...

— Avec du café?

— Non. Si tu as un peu de vin.

— Plus de vin.

— Tant pis

Il se lança courageusement :

— Ce chèque donc, on te l'échange tout simplement contre un billet de mille francs.

Pour toute réponse, Ragris sortit le chèque de sa poche et le rangea dans un tiroir. Il fit bouillir le lait, puis versa du café dans un bol. Pignolle suivait tous ses mouvements. Ragris mit deux morceaux de sucre dans le café qu'il remua. Enfin, il parla :

— Mélie est au courant?

— Non, tu penses bien. Si je lui en parlais, elle voudrait encore acheter un chapeau et des robes.

— Il faut rendre ce chèque à Pépé.

— Mais il me l'a donné.

— Mille francs, c'est trop.

— On partagera. Je te rembourserai tout ce que tu m'as donné pour les remèdes.

— Non.

— Tu trouves que c'est trop, toi! On voit bien que tu n'es pas chargé de famille.

— Oh! ça va, fit Ragris. D'un geste, il balaya les plaintes de Pignolle qui essaya des concessions :

— Si tu trouves que c'est trop, on ne demandera que cinq cents francs à la banque.

— On ne peut pas; le chèque est de mille

Pignolle s'agitait. Impassible, Ragris trempait des tranches de pain dans son café. Quand il eut terminé, il rinça le bol. Puis il revint s'asseoir en face de Pignolle et lui déclara posément :

— Tu sais aussi bien que moi que Pépé n'est pas en bons termes avec sa famille. Si on touche le chèque, on aura des histoires et lui aussi. Est-ce que tu voudrais que Pépé soit malheureux à cause de nous?

— Avec mille francs, je pourrais acheter de quoi manger tout l'hiver.

— Tu ne manqueras de rien. À la ferme, ils m'ont demandé de leur donner la main pour étaler du fumier sur les terres. Ils ont fait une grosse récolte de pommes de terre. Je me ferai payer avec deux ou trois sacs. Ce sera pour toi.

— Il ne faut pas que des pommes de terre, dit Pignolle bien qu'il fût déjà conquis.

— Bien sûr, mais on peut gagner un peu d'argent. L'an dernier, à cette saison, le charbonnier m'a embauché pour faire les livraisons. Il va sûrement me le proposer encore cette fois.

— Le charbon, c'est trop dur pour moi, murmura Pignolle pour sa défense.

— Il n'est pas question que tu le fasses.

Pignolle mit sa fierté en avant :

— Je voudrais bien gagner des sous, moi aussi.

— Tu pêcheras. Le beau temps est revenu. Ça peut durer un mois. Le brochet va donner.

— Je vais préparer mes lignes, dit Pignolle avec enthousiasme.

Un peu plus tard, quand Ragris fut parti pour travailler avec les gens de la ferme, Pignolle revint à la cabane verte. Que Ragris pût gagner quelques sacs de pommes de terre et de charbon, c'était une bonne chose, certes, mais cela ne les dispensait pas de toucher les mille francs, puisque c'était l'intention de Pépé. Voilà ce que disait la conscience de Pignolle. C'est pourquoi, pleinement justifié, il ouvrit le tiroir et prit le chèque.

Ragris se trouvait dans l'étable quand, par le soupirail, il vit passer les jambes de Pignolle sur le chemin. Il comprit.

— Je repense que j'avais une course pressée à faire ce matin, dit-il au fermier.

— Va, mon gars, répondit le fermier. Tu nous rejoindras au champ.

Ragris se changea. Il partit à grands pas, prit l'autobus devant la poste et arriva en même temps que Pignolle. Mais il ne se montra pas. Il resta derrière une voiture en stationnement pour observer son ami. Visiblement, Pignolle n'osait pas entrer. La porte majestueuse de la banque l'impressionnait, que gardait un larbin vêtu de rouge avec des boutons dorés. « C'est pas un truc pour nous, songeait Pignolle. On dirait l'entrée d'une cathédrale. » Le portier le considérait sévèrement. Il avait une casquette comme un amiral, mais rouge. Pignolle imagina Ragris dans cet uniforme. Un dieu. Il aurait une autre allure que ce portier chétif. La banque inspirerait forcément confiance et le nombre de clients augmenterait. Tandis que ce freluquet à l'œil morne, au teint pâle, avait l'air de crier famine. Il avait beau se tenir au garde-à-vous et faire le méchant, cela ne faisait pas peur. La comparaison n'était pas à son avantage. Pignolle ne craignait plus le portier mais il n'osait pas entrer, parce qu'au-delà de cette porte c'était l'inconnu.

— Qu'est-ce que tu fais là ?

Pignolle sursauta. Ragris était derrière lui.

— Je... je me promenais, balbutia-t-il.

— Donne-moi le chèque.

— Le chèque ? Tu sais bien où tu l'as mis.

— Il n'est plus dans le tiroir. Tu l'as pris. J'étais dans l'étable quand tu es parti. Donne.

— Le voilà, cria rageusement Pignolle. Je peux bien te le donner. Comme tu n'oserais pas entrer...

— Moi ?

Ragris éclata de rire. On le défiait ! On allait voir.

— C'est ce gars-là qui te fait peur ? demanda-t-il en montrant l'amiral.

— Bah ! tu sais bien le cas que je fais des uni-formes, à part celui du facteur...

— Alors viens.

Ils montèrent les marches. Le portier s'écarta pour les laisser passer. Ragris s'avança vers le gui-chet. L'employé prit le chèque, le lut, et fit un signe de tête affirmatif. Il donna un jeton à son client et l'envoya au guichet voisin.

Pignolle était demeuré près de la porte. Il suivait le manège. Tout allait bien. On ne les avait pas mis dehors. L'affaire était dans le sac. Ils auraient leurs mille francs. Il admira la salle. Il y avait des lumières et des vitres partout, de belles affiches sur les murs. Le sol était couvert d'un carrelage aux mosaïques compliquées. Au centre d'une vasque, une plante artificielle laissait retomber ses feuilles comme font les arbres en été, quand rien ne bouge. Au fond, derrière les guichets, une jeune fille myope tapait à la machine, un paperassier joufflu écrivait sur un grand registre.

Le caissier appela un numéro. Ragris donna son jeton qui fut échangé contre un billet de mille francs. C'était fini. La dactylographe myope tapait inlassablement sur son clavier, le gros bureaucrate tournait une page de son registre, le caissier passait à un autre client; le travail se poursuivait normalement dans la banque, bien qu'on eût touché mille francs. C'était une opération parfaitement régulière. Confiant, Pignolle sortit sur les pas de Ragris.

Cette fois encore, le portier s'écarta pour les laisser passer. Mais Ragris prit son temps. Debout sur le seuil, il sortit de sa poche un paquet de cigarettes. Puis, il en proposa une à l'amiral.

— Merci, monsieur, dit le larbin écarlate en tirant une gauloise. Il porta un doigt à la visière de sa casquette comme font les officiers. Pignolle était émerveillé. Ce Ragris, tout de même, il savait s'y prendre.

— Et maintenant? fit Pignolle.

— Quoi maintenant? Je me suis fait payer le chèque, pas vrai?

— Oui.

— C'est ce que tu voulais?

— Oui

— Alors, maintenant, on rentre. Tu vas monter des lignes à brochet. Moi, je retourne à la ferme. On en a pour la journée, jusqu'à la nuit. Vers six heures, tu viendras me chercher.

— Pour aller où?

Ragris sortit le billet de banque, tout neuf, le fit claquer dans ses doigts et le remit dans sa poche. Il tira sur sa cigarette et dit :

— Ce soir, on va chez Pépé. Rase-toi et habille-toi convenablement.

Pignolle voulut répondre mais il n'en eut pas le temps. L'autobus arrivait. Ils montèrent. Le receveur était un ami de Ragris. Ils engagèrent la conversation.

XIII

Pignolle se rasa, puis brossa longuement ses vêtements comme l'avait ordonné Ragris. Ensuite il examina ses chaussures dans tous les sens. Mélie le surveillait, les mains sur les hanches, prête à la colère. Pignolle hochait tristement la tête en contemplant la boue sèche accumulée sur les souliers. Mélie éclata :

— Alors! Vas-tu les regarder longtemps?

— Elles sont bien sales, répondit doucement Pignolle. As-tu du cirage?

— Du cirage! On a tout juste de quoi manger, et monsieur demande du cirage.

— Ce que tu peux avoir mauvais caractère, soupira Pignolle.

— Tu voudrais peut-être que je te fasse des compliments! Quand je pense que j'aurais pu épouser un homme comme tout le monde, qui m'aurait donné une maison et des domestiques, au lieu de me mettre avec un traîne-la-faim...

Elle croyait sincèrement qu'elle aurait pu trouver un brillant parti. Pignolle sortit, pieds nus, ses souliers à la main. La laideur extraordinaire de Mélie dans ses colères était pour lui un sujet d'étonnement qui ne s'épuisait pas. Dans ces moments-là, il évoquait alors le doux visage de Paméla qui souriait en lissant ses longs cheveux devant la glace. Belle comme une Madone ! Elle ne criait jamais. Quelque chose se cassait dans la poitrine de Pignolle quand il pensait à elle.

Il savait qu'il trouverait du cirage chez Ragris. À la cabane verte il y avait tout le nécessaire. Pignolle commença par faire tomber la boue de ses chaussures avec un couteau, puis il brossa, étala du cirage et fit briller le cuir avec un chiffon de laine. Il terminait ce travail quand Ragris revint.

— Comment me trouves-tu ? demanda Pignolle.

— Bien, convenable.

Ragris l'examinait des pieds à la tête.

— Tu devrais mettre une cravate, ajouta-t-il.

— Je n'en ai pas.

— En voilà une. Maintenant, sors et attends-moi. Je vais faire un peu de toilette et me changer.

Cela dura vingt minutes. Enfin, ils partirent. Cette expédition nocturne dans la haute bourgeoisie intriguait Pignolle. Il n'osait pas poser de questions. Il palpait sa cravate à chaque instant pour s'assurer qu'elle tenait bien. Ce nœud lui serrait le cou.

— Laisse ta cravate, dit Ragris.

— Est-ce que je vais rentrer avec toi ? demanda timidement Pignolle en tirant si fort sur son col que le bouton céda.

— Oui. Tu es aussi l'ami de Pépé.

— Laurent sera peut-être là !

— Et puis ? Je dirai que je veux parler à Pépé.

Les craintes de Pignolle étaient justifiées. Laurent venait de rentrer. Ce fut d'abord Marthe qui les reçut. Elle recula un peu en voyant ces deux hommes; ils avaient un air de *là-bas*. Ils apportaient une odeur d'étable et de terre mouillée.

— On est des amis de Pépé, expliqua Ragris.

Pignolle confirma cette déclaration d'un coup de tête. Marthe vit son col déchiré et, sur le visage du petit homme, ces mille rides enchevêtrées que font le vent et la misère. «Il n'est pourtant pas tellement vieux, songea-t-elle; mais il doit boire.» Ébloui par la lumière du lustre, Pignolle cligna ses yeux chassieux. L'autre homme inspirait confiance mais c'était lui surtout qui dégageait cette odeur d'étable.

— On voudrait parler à Pépé, dit encore Ragris, voyant que Marthe ne bronchait pas.

— Oui, bien sûr, dit Marthe avec empressement. Il vient d'aller faire une course chez l'épicier.

Marthe se mordait les lèvres. Il lui paraissait inconvenant que son père fît des courses alors qu'on disposait d'une bonne. Mais Pépé adorait faire de menus achats dans le quartier. Cela déplaisait d'ailleurs à Laurent.

Ils étaient encore dans l'entrée. Marthe, un peu désemparée, se demandait s'il était bon de faire entrer ces deux visiteurs au salon. Son regard s'attarda par hasard sur le col de Pignolle. Celui-ci, voyant qu'il était l'objet de sa curiosité, voulut montrer qu'il connaissait la famille.

— Vous êtes Marthe, hein? fit-il en clignant des yeux, tandis que les yeux de Marthe, au contraire, étaient agrandis par l'horreur. Ragris eut un geste d'impatience. Une fois de plus, Pignolle les mettait dans l'embarras. Il y eut un bruit léger dans une pièce dont la porte était ouverte sur le couloir. Ragris comprit qu'une personne se trouvait là qui écoutait. La situation fut sauvée par l'arrivée de

Pépé. Il se baissa pour poser un panier en métal contenant quatre litres et marmonna :

— J'ai pris du vin à trois francs cinquante. Leur onze degrés à trois francs sent le pétrole. Je me demande pourquoi tu t'obstines...

Il s'adressait probablement à Marthe qui achetait d'habitude du vin à trois francs. Quand il eut fermé la porte, il se retourna pour achever sa phrase et c'est alors qu'il vit ses amis. Il demeura d'abord interloqué.

— Bonjour, dit Ragris.

— On passait, ajouta Pignolle.

— Quelle bonne surprise, fit Pépé avec un petit rire saccadé. Ce sont mes amis, précisa-t-il pour Marthe. Tu devrais les faire entrer au salon.

— Eh bien, entrez, dit Marthe faiblement.

— On ne reste pas, commença Ragris.

— Quoi ? s'indigna Pépé. C'est la moindre des choses. Quand je vais chez vous, je suis toujours si bien reçu.

Ils entrèrent timidement. Le parquet du salon était couvert d'un immense tapis. Ragris jeta un coup d'œil vers la porte qui faisait face. Il ne vit rien, sinon l'ombre de cette personne qui était cachée.

— Je vais vous offrir l'apéritif, annonça Pépé avec assurance. Aimez-vous le porto ?

— Ne te dérange pas, répondit Ragris.

— Un verre de rouge fera bien l'affaire, dit Pignolle en même temps.

Pépé emplit trois verres de vin. Marthe les avait laissés seuls. Ragris voulait parler, mais il était gêné par la présence de cet inconnu qui se trouvait à portée de voix.

— On te rapporte les mille francs, dit-il tout bas.

— Hein ? fit Pépé. Parle plus haut.

— On vient te rendre les mille francs que tu nous as prêtés, répéta-t-il plus fort.

Il était content de sa trouvaille. Pépé leur avait prêté de l'argent, ils le rapportaient. Si Laurent écoutait, il ne devrait pas s'offusquer. Tout au plus penserait-il que le beau-père avait d'honnêtes amis. Ragris tendait le billet neuf. Mais Pépé devint très pâle. Ragris comprit qu'il allait protester. Il mit un doigt sur sa bouche et montra la porte. Pépé se leva et ferma la porte.

— Je voudrais bien savoir ce que tu as dans la tête, dit-il rageusement à Ragris. J'ai donné ce chèque à Pignolle parce que c'était plus commode. Je n'ai jamais beaucoup d'argent sur moi, mais j'en ai un tas à la banque, et ce tas dort, il ne fait rien. C'est à moi. Le compte est à mon nom, pas au nom de la société.

— Je sais, j'ai vu...

— Je l'ai donné à Pignolle pour que la petite ait tout ce qu'il faut pendant l'hiver et je pensais même que ce n'était pas beaucoup. Est-ce que c'était mal ?

— C'était très bien, au contraire, fit doucement Ragris.

— Alors, explique-moi pourquoi vous vous êtes fait payer le chèque pour me rendre l'argent.

S'expliquer, Ragris ne demandait pas mieux. Il voulait dire qu'il était entré dans la banque pour donner une bonne leçon à Pignolle, mais il ne trouvait pas ses mots. D'ailleurs, Pépé n'arrêtait pas de parler. Il était fâché. Pignolle approuvait par grognements tout ce qu'il disait. Brusquement, Ragris se sentit très las. Les deux autres étaient contre lui. Maintenant, il les considérait comme des étrangers. Cette affaire ne le concernait plus. Son regard courait sur les dessins du tapis, sur les tableaux et les vases qui ornaient le salon. Pépé citait des chiffres. «Qu'il se taise, songea Ragris, que tout cela finisse et que je retrouve ma cabane!» Il admirait un tableau qui représentait un voilier blanc sur une mer bleue.

— Si Amédée avait proposé de vous aider, tu aurais accepté?

Au nom d'Amédée, Ragris sortit du songe où voguait le voilier blanc.

— Peut-être, dit-il. Mais ce n'est pas la même chose.

— C'est pareil. Pourtant Amédée n'est pas riche.

— On a notre fierté, balbutia Ragris.

— La fierté, entre copains, ça n'existe pas.

C'était la vérité. Ragris n'avait rien à répondre. Refuser l'argent, cela revenait à dire que Pépé n'était pas un ami. Dans le cerveau de Ragris, les idées tournaient lentement. Il voyait bien que les petits secours entre pauvres ne ressemblent pas au chèque donné par un bourgeois, même si ce bourgeois est un ami; mais il ne savait pas exprimer cela. Il se sentait en faute. Il vit que la cravate de Pignolle avait glissé, mais n'eut pas de réaction.

Laurent ouvrit la porte et s'excusa. Il savait parfaitement que le salon était occupé; Ragris le comprit à son air. Pépé ne fut pas dupe. Seul Pignolle ouvrit ses yeux glauques avec l'expression d'un étonnement admirable. Il venait de se verser un troisième verre de vin.

— Excusez-moi, dit Laurent.

Il fit mine de fermer la porte, mais il resta là. «Il est vraiment très laid, songea Ragris. S'il était habillé comme nous au marais, on le prendrait pour un assassin.» Pignolle n'osa pas vider son verre.

Pépé fut pris au dépourvu. L'animation avait porté une roseur à ses pommettes.

— Ce sont mes amis, dit-il. Mais il reprit d'autant plus vite son assurance que l'intrusion de Laurent ne lui plaisait pas. Il retrouva son calme et poursuivit, ses yeux rivés dans les yeux du gendre :

— Ce sont mes amis du marais. (Laurent eut un sursaut.) Ils sont venus me rendre mille francs que je leur avais prêtés.

— Bien, dit Laurent. Le seul nom du marais l'avait aplati. C'est l'heure de dîner, je venais voir...

— On s'en va, dit Ragris. Viens. Il prit la main de Pignolle.

— Vous avez bien encore un moment, fit Pépé.

— Non, le temps de rentrer...

— On n'est pas d'ici, ajouta Pignolle.

— Si vous avez encore besoin d'argent, dit Pépé très haut, ne vous gênez pas. Entre amis on peut se rendre service.

— On te remercie.

Pépé les accompagna jusqu'à la porte. Il leur dit à voix basse :

— Vous n'êtes plus mes amis. Fini.

— Pépé !... supplia Ragris.

Mais Pépé avait déjà fermé la porte. Ragris et Pignolle se retrouvèrent seuls dans la nuit. Ils marchèrent longtemps sans un mot. Une pluie fine et pénétrante s'insinuait dans leur cou. Sous les lampes, les trottoirs paraissaient transparents.

— Alors, dis quelque chose, cria soudain Ragris, dis ce que tu veux dire.

Les trois verres de vin qu'il avait bus rendaient Pignolle très lucide. Il découvrit que le silence exprimait mieux que des plaintes son mécontentement.

— On ne pouvait pas garder ces mille francs, dit Ragris d'une voix rauque. On aurait eu des ennuis. Tu comprends, hein ?

Pignolle se taisait.

— Ne t'en fais pas, continua Ragris sourdement. On s'en sortira. On aura le charbon, les pommes de terre. Je vais travailler dur. On aura tout ce qu'il faut.

Mais Pignolle ne répondait pas. Ce soir-là il se sentait le plus fort. Et pourtant, jamais il n'avait autant aimé Ragris.

Il y eut une scène violente entre Marthe et Laurent.

— J'en ai assez, hurlait Laurent. Ton père est gâteux. Il nous déshonore. Il va boire le coup au bistro avec mes ouvriers. Il reçoit ici des vagabonds qui sentent le fumier et même il leur donne de l'argent.

— Calme-toi, répondait Marthe doucement. Patience.

— Patience, patience ! Mais il peut vivre encore dix ans !

— Non. Il a beaucoup changé ces derniers mois.

— Je pense bien. Il rajeunit.

— Tu ne l'entends pas tousser la nuit ?

— C'est bien fait.

— L'autre jour encore, il se plaignait d'une douleur dans les reins.

— Bah ! Une douleur dans les reins. J'ai souffert toute ma vie de l'estomac et je suis encore là. Je te dis que ces petits vieux maigres sont increvables.

— Il y a l'âge, tout de même.

— Encore dix ans ! Je ne peux pas. Il m'aura tué avant. Mais tu pourrais bien lui faire la leçon !

— Pourquoi ne la lui fais-tu pas toi-même ? se récriait Marthe qui avait les nerfs à fleur de peau.

Mais Laurent ne savait pas comment s'y prendre pour sermonner Pépé. Il ne pouvait l'empêcher d'aller au café avec Charles, de recevoir des amis dans cette maison qui était à lui, de disposer à son gré de son compte en banque. Il se contentait de le mépriser et de le lui faire sentir par des allusions qui s'adressaient à d'autres en présence de Pépé, par ses silences à table, et ses regards froids. Sa haine était d'autant plus forte qu'elle laissait Pépé indifférent.

Pépé bouda ses amis. Comme il n'avait rien contre Amédée, il alla le voir. On devait, pour gagner le perron, marcher sur un épais tapis de feuilles mortes. La maison paraissait encore plus délabrée dans son décor hivernal. Le toc toc d'Adélaïde était morne comme un glas lointain. Mais la chambre d'Amédée était belle, tapissée de capucines fraîches. La grand-mère au cerceau rayonnait dans son cadre neuf. La Bruyère et Plutarque, reliés en peau, ennoblissaient la pièce.

Avec le temps, la colère de Pépé était devenue amertume. Amédée l'écouta, médita, et dit :

— Si tu avais donné cinquante francs chaque semaine à Pignolle pendant six mois, Ragris l'aurait admis. Mais mille francs d'un coup, ils ont eu peur. Ils n'ont pas l'habitude. Moi-même, qui ai connu l'abondance autrefois, j'étais désemparé en recevant le prix de la terre que je viens de vendre. L'argent est une chose effrayante quand il dépasse les simples proportions d'un porte-monnaie. De plus, tu as employé un chèque. Or, le chèque intimide les pauvres. C'est un titre qu'il faut échanger ; il appelle donc des témoins. Autrefois, on payait avec des pièces d'or ; puis on a remplacé l'or par des billets ; maintenant le billet de banque est lui-même détrôné par le chèque. Tout me porte à croire qu'au chèque succédera encore autre chose. De fil en aiguille, on retournera peut-être aux coquilles vides, qui étaient monnaie courante autrefois. C'est pourquoi je ne puis dire si le chèque est un bien ou un mal ; il est peut-être un maillon d'une grande chaîne circulaire qui reviendrait aux origines. Les pauvres ont toujours plusieurs maillons de retard.

« Tu t'offusques, Pépé, et tu as tort. À la place de Ragris, j'aurais fait comme lui. La force de Ragris, c'est d'avoir échangé le chèque. J'y vois là le signe d'un grand caractère ; il a voulu composer avec le moment. Crois-moi, Pépé, Ragris est un homme remarquable. Le seul fait qu'il ait cru bon de te rendre l'argent prouve qu'il ne pouvait en être autrement. Dans notre maison venaient autrefois les gens les plus distingués de la ville. Chez aucun d'eux je n'ai trouvé cette noblesse qui émane de Ragris. Cela pour te dire qu'il ne faut pas bouder son amitié.

« Si Pignolle était un artiste, je verrais autrement la question des mille francs et je te conseillerais ainsi : donne-lui tout ce que tu as. Car tout ce que tu pourrais posséder serait bien peu à côté de ce qu'il donnerait lui-même aux hommes. Mais le temps des mécènes est fini et c'est le grand malheur de ce siècle. D'ailleurs, Pignolle n'est pas un artiste. La question ne se pose donc pas.

« Nous formons une belle équipe. Un homme peut avoir un ami mais il est rare qu'il en ait trois ou quatre. Tu ne dois pas briser cette équipe. Cesse de bouder, Pépé. Retourne au marais et tends-leur la main. »

Ayant ainsi parlé, Amédée caressa distraitement

la peau de La Bruyère et s'assit au bord du lit, satisfait de sa péroraison. Pépé n'y avait rien compris, sinon qu'il avait tort. Il trouvait injuste la sentence. « Je vais réfléchir », dit-il. Et il s'en fut en piétinant les feuilles mortes qui jonchaient l'allée. Seul, Amédée répéta pour lui-même ce qu'il avait dit. Mais alors, il fut pris d'un doute. Une période oratoire, parce qu'elle est belle, exprime-t-elle nécessairement la vérité ? Il avait parlé selon sa conscience, oubliant que les hommes ont plusieurs consciences. Après tout, pourquoi les riches ne donneraient-ils pas spontanément mille francs aux pauvres ? Une fois entré dans les mœurs, le geste ne blesserait plus la fierté. « Il faudra que je réfléchisse à cela, se dit Amédée en tournant dans la chambre. Si je suis contre l'aide à Pignolle, je dois l'aider moi-même. » La vue des capucines fraîches le gênait, comme ces belles reliures qui n'apportaient rien de plus aux textes qu'elles contenaient. « Je pourrais vendre ces livres, avec l'argent j'achèterais des vivres que je porterais à Pignolle... » Mais c'était un sacrifice considérable. À tout prendre, il aimait mieux vendre la grand-mère au cerceau. Mais personne n'en voudrait. Il chercha.

« Je sais ce que je vais faire, dit-il. Je lui porterai un lapin ; ce gros géant des Flandres qui pèse au moins dix livres. Ils auront à manger pour trois jours. »

Ragris fit les livraisons de charbon jusqu'à la mi-décembre. C'était un travail harassant. On rentrait le soir fourbu, les reins brisés, noir de poussière. C'était dur surtout les premiers jours ; après on s'y faisait. D'ailleurs, cette tâche ne déplaisait pas à Ragris.

Le fermier lui donna trois sacs de pommes de terre en paiement du fumage. Deux sacs revinrent à Pignolle. Il en fut de même pour le charbon. Tandis que Ragris travaillait dur, conscient des responsabilités qu'il avait prises avec la restitution des mille francs, Pignolle au contraire s'abandonnait à une douce oisiveté. Il recevait les offrandes de Ragris comme chose due. Sa seule occupation consistait à traquer un gros brochet qu'il avait repéré. Il finit par le capturer, quelques jours avant Noël. Le brochet se laissa tenter par le carpillon qui servait de vif. Il engloutit le vif, l'hameçon et dix centimètres de crin. La bataille fut rude. Pignolle gagna et ce fut son triomphe. Ragris le complimenta.

— C'est un des derniers brochets du marais, dit-il. Des bêtes comme ça, on n'en verra plus. Il pèse au moins douze livres.

— Il se défendait, l'animal, expliquait Pignolle fou de joie. Je me demande comment j'ai pu l'avoir.

C'était bien la question que se posait aussi Ragris. Pignolle ne brillait pas par son adresse. Il avait dû tirer de toutes ses forces. Ayant avalé l'hameçon, le brochet ne risquait pas d'échapper. L'argent produit par la vente du poisson apporta de nouvelles ressources à Mélie. Quand vint Noël, Pignolle fut embauché comme les années précédentes par les Grands Magasins pour se promener dans les rues, vêtu d'une houppelande rouge bordée de fourrure blanche. Il avait une grande barbe et portait une hotte pleine de jouets. C'était un travail agréable et bien rémunéré. Un inconvénient cependant : par convenance, on ne pouvait entrer dans un café; pourtant cette barbe tenait chaud. Le duvet cotonneux entrait parfois dans les narines et provoquait des éternuements.

Le 24 décembre, Pignolle erra tout le jour dans les rues, ainsi accoutré, à la grande joie des enfants. L'été de la Saint-Martin était fini. L'hiver lançait une nouvelle offensive. Les passants avaient les oreilles et le bout du nez rouges. Pignolle était bien au chaud dans sa grande barbe. Il allait, avec des gestes protecteurs aux tout-petits, lorgnant vers les cafés interdits. À la fin de la matinée, il se trouva soudain en face de Kid Pirou. L'ancien boxeur souriait en regardant le Père Noël. Les gnons reçus dans les combats anciens avaient transformé son visage au point d'en dénaturer les expressions ; le sourire du champion était empreint de cruauté. Pignolle se méprit. Il se crut reconnu, fit lestement un demi-tour et s'en fut au pas de course. La houppelande le gênait. Il s'entravait les pieds à chaque pas, ce qui donnait à sa fuite une allure bondissante, laquelle fut très remarquée. Kid Pirou fut peiné d'avoir effrayé le Père Noël. Était-il donc si laid ? Pignolle allait bon train, maintenant d'une main sa barbe qui ne pouvait pas suivre. Un ours en peluche tomba de la hotte. Kid Pirou ramassa l'ours et courut derrière le Père Noël.

La rue où s'engouffra Pignolle était peu fréquentée. Il comprit son erreur ; on pouvait facilement le poursuivre. Mais il était trop tard pour chercher une issue vers le centre de la ville où la foule déambulait. Kid Pirou le rejoignit. Vaincu, Pignolle s'arrêta, prêt à mourir.

— Tu as perdu un ours, un tout petit ours, dit gentiment Kid Pirou avec son sourire le plus hideux.

Pignolle avait tant couru qu'il ne pouvait parler. Le sourire du boxeur découvrait d'impressionnantes canines qui avaient résisté aux assauts du ring. Il était pour le moins étrange de voir ce molosse brandir un ours en peluche. Pignolle haletait. Kid Pirou se fit encore plus bienveillant :

— Je vois ce que c'est, mon gars. Tu m'auras pris pour un autre que tu n'aimes pas, hein ?

— C'est ça, fit Pignolle d'une voix changée — une voix qu'il ne reconnut pas lui-même, ce qui était bien en la circonstance.

— Ah, ah ! C'est bien ce que je pensais, brailla le champion avec un gros rire. Je me suis dit : ce gars-là me prend pour un autre.

Il fourra l'ours dans la hotte et ajouta :

— Tu n'as pas soif, l'ami ?

— Si, mais c'est défendu.

— Je comprends. Le Père Noël dans un café, bien sûr... Ils sont obligés, à cause des enfants. Attends une minute, je reviens.

Il y avait au coin de la rue un bistro sordide tenu par un bougnat. Kid Pirou entra et ressortit presque aussitôt avec une chopine de vin. Pignolle songea d'abord à mettre à profit cette brève détente pour fuir, mais il était épuisé et jugeait préférable d'attendre pour cette affaire un dénouement qui s'annonçait heureux. La vue de la chopine éveilla dans le cœur de Pignolle une profonde estime pour les sports en général et la boxe en particulier.

— Fourre ça sous ta robe, dit Kid Pirou. Tu la boiras à ma santé dans un couloir. Personne ne te verra.

— Merci, vieux.

— De rien. Tu me plais. Moi, dans le temps, j'ai fait un boulot un peu comme toi. Homme-sandwich que j'étais. Je me promenais avec un placard de publicité pour un marchand de culottes.

Pignolle s'en fut allégrement. Kid Pirou le

regarda en grattant sa grosse tête hérissée de poils durs. Il avait le sentiment d'avoir déjà vu ce gars-là quelque part, mais il ne savait où. Comme il y avait très peu de cervelle dans sa grosse tête il ne trouva pas. Quant à Pignolle, assoiffé autant par la barbe que par le danger couru, il entra dans un couloir et vida d'un trait la chopine. Des taches de vin rougirent sa belle barbe. Il posa ensuite la bouteille devant une porte où se trouvait déjà une carafe de lait.

À midi, quand il rapporta sa hotte aux Grands Magasins, on vit les taches de vin sur sa barbe. Il devait revenir à trois heures mais on lui dit qu'on n'avait plus besoin de ses services. Il empocha seulement dix francs et rentra au marais où Mélie lui fit une scène. Amédée arrivait justement avec son lapin. Comme Mélie s'obstinait à crier, on décida de manger la moitié du lapin, entre hommes dans la cabane verte.

XIV

Noël au marais, c'est un Noël criblé d'étoiles
— ces étoiles qu'on voit si mal dans les villes où
elles sont prisonnières des toits. Au marais, les
étoiles sont vivantes, amies des hommes. Elles scin-
tillent et veillent sur la plaine endormie. On les voit
toutes, même les plus timides qui n'osent pas s'éloigner de l'horizon. Noël au marais, c'est la reconsti-
tution du miracle original, c'est la crèche grandeur
nature. On entend l'appel mélancolique du bœuf
dans l'étable de la ferme, et le fantôme d'un âne qui
s'appelait Bourricot brait doucement sur le chemin
avec la plainte du vent... Le marais gelé ressemble
à un grand miroir. La lune court, blafarde, et
cherche son image au hasard des roseaux qu'empri-
sonne la glace. Le fantôme d'un âne qui s'appelait
Bourricot tourne la tête vers une cabane où trois
mages se sont donné rendez-vous.

— Il viendra, dit Pignolle. Il ne peut pas laisser
passer Noël sans apporter un jouet à mes gosses. Il
les aime bien. Cet été, il a donné aux gars un
bateau, et une poupée à Cricri. Et maintenant c'est
Noël.

— Justement, répond tristement Ragris. Il a trop

à faire chez lui. Je l'ai offensé sans le vouloir et maintenant il nous punit.

— Je lui avais pourtant conseillé de revenir parmi nous, explique Amédée. Soyez sûrs qu'il souffre autant que nous de cette séparation. Mais cela ne durera pas. On devrait lui écrire.

— Bonne idée, approuve Ragris. On pourrait lui faire une lettre, lui dire qu'on a besoin de son amitié.

— Il faut faire cette lettre, affirme Pignolle. Tu as de l'encre et du papier, Ragris. Tu as tout ce qu'il faut pour écrire, écris.

— Je ne saurai pas, répond Ragris. Sur le papier, c'est difficile.

— Je te dicterai la lettre, propose Amédée. C'est bien simple, on va lui dire qu'il nous manque. On l'attend. Il viendra passer une journée avec nous.

— Quel jour ? Il faut préciser. Si on fixe un jour, c'est plus sûr.

— Très juste, remarque Amédée. On va lui proposer le premier dimanche de janvier, après les fêtes qui pourraient le retenir chez lui. Un dimanche, c'est bien. Les patineurs vont venir. Il ne pourra pas résister au plaisir de passer une journée avec nous dans la cabane, à croquer des noix et des marrons arrosés de vin nouveau en regardant les patineurs.

— Non, sûr, murmure Pignolle. Il ne pourra pas résister.

La pensée de cette journée merveilleuse illumine le regard de Pignolle. Il cherche fébrilement du papier et le pose sur la table. Soudain, il s'assombrit.

— Non, dit-il, pas la peine. Il ne sait pas lire.

Ragris hoche la tête avec résignation. Il savait

bien qu'il n'y avait rien à faire. Mais Amédée balaie l'obstacle. D'un geste, il fait place nette :

— Il se fera lire la lettre par quelqu'un. Allons, Ragris, écris. Je commence : *Mon cher Pépé...*

Ce fut un Noël triste pour Pépé. Il y avait un beau sapin décoré de lampes et de guirlandes au milieu du salon, avec des cadeaux pour toute la famille. Devant la cheminée, on avait fait une crèche avec les poupées de cire traditionnelles, notamment un petit âne gris, tout étonné de se retrouver là chaque année. On l'employait depuis vingt ans, depuis les premiers Noëls de Catherine. C'était une fête triste pour Pépé, car le petit âne de la crèche lui rappelait invariablement Bourricot qui mourut un 24 décembre. On l'enterra tout de suite et on eut bien du mal à faire un trou dans la terre gelée. Comme tout cela était loin ! Pourtant, les jours anciens semblaient beaucoup plus proches depuis que Pépé avait retrouvé le marais. C'est pourquoi ce Noël-là fut encore plus triste que les autres. Pépé songeait à ses amis qui étaient là-bas, ensemble. « Ils disent que je boude et me laissent bouder. Je suis abandonné. S'ils pouvaient comprendre ! »

Il reçut la lettre le surlendemain. Ce fut Marthe qui la lui remit. Comme Pépé ne recevait pas de lettres depuis longtemps, celle-ci provoqua la surprise de Marthe.

— Je vais te la lire, si tu veux, proposa-t-elle.

— Non. Donne.

Il tourna l'enveloppe dans tous les sens. Qui pouvait lui écrire sinon l'un de ses nouveaux amis ? Marthe fut vexée. Elle voyait dans ce refus un manque de confiance. Pépé mit la lettre dans sa poche et la garda toute la journée. Parfois, il la sortait, l'examinait encore, cherchant à retrouver dans ces hauts jambages l'allure de Ragris. Il remettait à plus tard l'instant de connaître le texte. Marthe le surveillait à la dérobée. Pierrot jouait dans le salon avec son nouveau train mécanique et prenait Pépé à témoin. « Regarde comme il marche bien ! » Pépé admirait. Il retournait la lettre dans sa poche. Plusieurs fois il fut sur le point d'en demander la lecture à Pierrot mais l'enfant n'avait d'yeux que pour son train. De plus, Marthe pourrait les surprendre et s'indignerait à juste titre. Enfin, Pépé sentait vaguement que la belle amitié qui l'unissait à son petit-fils se relâchait. Cet enfant lui échapperait. Le jeudi, il allait jouer chez un copain, le fils d'un industriel qui avait l'estime de Laurent. Un nommé Blandineau. Les deux enfants étaient dans la même classe à l'école depuis la rentrée d'octobre. Marthe et Laurent avaient peut-être encouragé cette amitié parce qu'ils trouvaient intérêt à se rapprocher de l'industriel, et aussi pour éloigner Pierrot de son grand-père. À vrai dire, Pépé était impatient de connaître cette lettre, mais il en retardait à plaisir le moment. Il voulait seulement avoir l'assurance qu'elle venait bien de Ragris.

C'est à Charles qu'il demanda le lendemain de lire le nom porté au bas de la lettre. La main de Pépé tremblait un peu quand il ouvrit l'enveloppe. Charles examina la signature en fronçant les sourcils et déclara qu'on lisait nettement *Ragris*.

— Je m'en doutais, fit Pépé.

— Veux-tu que je te lise toute la lettre ?

— Non. Ça ne presse pas.

Charles ne manifesta aucune surprise. C'était un vieil homme qui ne s'étonnait pas facilement. Pépé regretta aussitôt d'avoir refusé mais il était trop tard pour changer d'avis sans courir le risque de trahir son embarras. Il remit donc la lettre dans sa poche et s'efforça de n'y plus penser.

Le froid persistait. Les vieux, qui avaient l'expérience, disaient qu'il durerait tout l'hiver. Mais en cadeau de fin d'année, saint Sylvestre apporta le soleil. Le froid demeurait intense, le matin surtout, mais dans la journée le ciel était d'un bleu tendre, vaporeux, uniforme, et le soleil pâle et discret à ce point qu'on pouvait le regarder sans être ébloui.

Amédée aimait ce temps. Quand la pluie crépitait sur le jardin mort, quand la maison gémissait sous les bourrasques, il demeurait dans sa chambre, entre ses livres, sous la bienveillante protection de la grand-mère au cerceau. Mais le soleil l'appelait. Il eut une pensée pour Mme Mercier et décida de lui porter ses vœux et ses hommages, comme fait tout homme bien élevé le premier jour de l'an. Il acheta six œillets agrémentés d'asparagus et traversa gravement la ville, haut perché sur son vélo, tenant le bouquet très droit comme une offrande aux passants.

Bien que la porte sur la rue fût ouverte, la maison de Mme Mercier paraissait inhabitée. Il n'y avait pas de rideaux aux fenêtres, pas de fumée à la cheminée. Il frappa et n'obtint pas de réponse. Il contourna la maison, parcourut le jardin, vit le banc où la vieille dame faisait son tricot les jours d'été. Il vit aussi le seau et la pelle près du tas de crottin saisi par le froid et s'attarda devant un glaïeul solitaire, mort depuis longtemps, qui n'avait pas été cueilli. « Elle a eu tort de laisser l'oignon en terre, songea-t-il, elle aurait pu le replanter au printemps. » Il entendit alors des coups de marteau qui venaient de l'atelier de Pépé. Il s'approcha de la clôture et appela son ami. L'appel, plusieurs fois répété, parvint enfin à Pépé entre deux coups de marteau. Il posa la caisse qu'il était en train de fabriquer — une petite caisse en bois pour contenir les jouets de Pierrot — un peu étonné qu'on l'appelât de chez la voisine. Il sortit de l'atelier et fut agréablement surpris de voir Amédée.

— Bonjour, dit Amédée Je te souhaite une bonne année.

— Moi aussi, répondit Pépé. J'espère que tu seras très heureux Que fais-tu là ?

— J'apportais ces fleurs à Mme Mercier pour accompagner mes vœux.

— Elle n'est plus là.

— Elle est peut-être partie pour quelques jours dans sa famille ?

— Non. Elle n'a pas de famille. Elle est partie définitivement. *Ils* ont acheté sa maison.

En même temps, Pépé montrait d'un geste sa propre maison, indiquant par là que les coupables étaient Marthe et Laurent. Amédée contemplait tristement ses œillets.

— Tu ne me l'avais pas dit, remarqua-t-il.

— Je n'en ai pas eu l'occasion. Elle est partie en septembre. Je ne t'ai pas vu bien souvent depuis. On a tellement de choses à se raconter quand on est ensemble, mon vieux...

— Bien sûr.

Pépé avait l'air de s'excuser. Il était navré. Il y a ainsi des choses importantes qu'on oublie de se dire entre amis alors qu'on s'étend sur des futilités. Il expliqua que la maison était destinée à Lucien et Catherine qui se marieraient dans quelques mois.

— Les gars qui ont refait les peintures sont ceux qui ont travaillé chez toi. C'est drôle, hein?

— Sais-tu où elle habite maintenant? s'enquit Amédée qui ne se souciait pas des deux peintres.

— Pas exactement. J'ai demandé à Marthe l'autre jour. Elle dit qu'elle ne s'en souvient pas. En réalité, elle ne veut pas me renseigner. Ça ne lui plaisait pas que je parle à cette dame.

— On le saura bien, mais il faut le temps. C'est dommage pour les œillets. Puisqu'ils étaient pour elle, je les laisse.

Il les posa au pied d'un arbre, comme on fait sur une tombe. Demain, ils seraient gelés, mais ils demeureraient là comme un symbole. Amédée et Pépé observèrent un silence. Le jardin n'appartenait plus à Mme Mercier mais ils savaient que le souvenir de la vieille dame n'était pas près de s'effacer. Tant que vivraient les rosiers, l'âme de Mme Mercier habiterait ces lieux.

Amédée contemplait encore le bouquet sur l'herbe quand il dit, sans voir Pépé :

— On t'attend, au marais.

— Je suis bien content qu'ils m'attendent, fit doucement Pépé. Je pense bien à eux.

— Il faut y aller, Pépé.

— Comment est Ragris?

— Triste.

— Le marais doit être beau par ce temps.

— Il est toujours beau mais en ce moment il est magnifique. On dirait qu'il dort.

— Que fait Ragris?

— Il travaille dur et il pense. Je sais comment cela finira. À cause de toi, il entrera dans une grande colère quand il aura fini d'espérer. Alors il fermera la porte de la cabane verte et il s'en ira sur les routes chercher d'autres amis.

— Ce sera un grand malheur pour Pignolle.

— Pour moi aussi. Pour toi aussi. Mais surtout pour Pignolle.

— J'ai une lettre de Ragris. Veux-tu me la lire ?

Amédée ne s'étonna pas. Il prit la lettre que lui tendait Pépé par-dessus la clôture et raconta le texte d'une voix posée, en regardant les œillets, car il connaissait par cœur les phrases qu'il avait dictées. « On t'attendra le premier dimanche de janvier. Le marais est gelé. Les gens de la ville viendront patiner. On sera bien au chaud dans la cabane, entre amis, à manger des noix et à boire le vin de l'année, en regardant les patineurs... »

— J'aime bien le vin rouge après les noix, fit Pépé quand Amédée se tut.

— J'irai au marais dimanche, répondit Amédée. C'est amusant de voir glisser les patineurs.

— Dans le temps, les patineurs ne venaient pas, remarqua Pépé. Ce jeu-là n'était pas très répandu. On était vraiment chez soi au marais.

— Tu viendras ?

— Oui. Est-ce que Tane y sera ?

— Non. Il est de service dimanche.

— Dommage. On aurait été tous ensemble

— On a arrangé une petite réunion en l'honneur de Tane. Pour sa fête, on va faire un dîner à la cabane verte. Tane a dit : « Je veux que Pépé vienne. »

Du coin de l'œil, Amédée guettait les réactions de Pépé. Celui-ci était ému à la pensée des belles journées que promettait l'avenir. L'incident du chèque était complètement oublié. Le marais proposait des images merveilleuses : la plaine glacée, les arbres noirs, le chemin nu bordé de buissons morts, et la cabane givrée, avec des glaçons qui s'accrochent au toit, comme cette petite maison de cristal où se cache le bonheur dans un conte que lisait Pierrot. Amédée jugea préférable de ne pas influencer son ami.

— À dimanche, dit-il seulement.

Et ils échangèrent une poignée de main pardessus la clôture.

Lucien venait de quitter la fabrique de brosses à dents pour laquelle il voyageait. Depuis le 2 janvier, il faisait partie de l'usine. Il devait d'abord se documenter, toucher un peu à chaque service, particulièrement aux bureaux. « Les bureaux, se plaisait à dire Laurent, voilà l'âme de la maison. Le service administratif est le cerveau qui fait marcher la grande machine. » Ce n'était pas l'avis de Pépé mais il se garda bien de protester. Cette histoire ne le concernait pas. Laurent se proposait de faire de son gendre un directeur commercial. On n'avait pas demandé l'avis de Pépé. Aucune importance. Pépé se désintéressait complètement de la question.

Ce dimanche-là, Lucien vint dîner. On parla beaucoup des prochaines fiançailles, ce qui donna de l'animation au repas. Marthe envisageait un menu, calculait le nombre de convives, comptait les rallonges qu'il serait nécessaire de mettre à la table. (C'était une table à six rallonges, mais avec six on n'avait plus la place des chaises.) Catherine, la gorge palpitante dans sa robe rose, ne se lassait pas d'admirer le grand nez boutonneux de son futur mari Laurent était plus loquace qu'à l'ordinaire, satisfait d'avoir à sa table un grand niais de vingt-cinq ans, parfaitement malléable, qu'il pourrait former à sa manière. Il conseillait à sa femme quatre rallonges et, pour les hors-d'œuvre, de la lotte froide. Pierrot se grattait le nez en cachette et Pépé guettait la pendule, attendant l'heure du marais.

Le sujet des fiançailles est un sujet inépuisable mais on en vint à parler de l'avenir immédiat : comment employer l'après-midi ? Le cinéma fut écarté. Les jeunes gens échangèrent un sourire complice et Catherine proposa une promenade.

— Bon, fit Laurent. On peut aller faire un tour en voiture. Mais où ?

— Lucien voudrait bien faire du patinage, dit Catherine. Il m'apprendrait...

Pépé devint très attentif. Les parents s'étonnaient. Laurent déclara que le patin sur glace était un noble sport. Marthe s'alarma et prétendit que Catherine se casserait la figure. Laurent la rassura.

— Lucien m'a offert une belle paire de patins, larmoya Catherine. Je veux m'en servir.

— Va pour le patin, décida Laurent qui voulait satisfaire les fiancés. On pourrait aller sur le canal.

— Non, intervint Pépé. Le canal n'est pas sûr. Marthe et Laurent se tournèrent vers lui non sans méfiance. Pépé ne se démontait pas. Il tenait l'occasion d'une belle revanche.

— Le canal n'est pas sûr, poursuivit-il. Les péniches circulent sans arrêt pour éviter le gel. Il y a juste un peu de glace dans le bassin. J'ai été faire un tour de ce côté.

— C'est ennuyeux, remarqua Lucien. Catherine se faisait une joie.

— Je connais un endroit idéal pour le patin, confia Pépé.

Angoissés, Marthe et Laurent pressentaient le mot interdit. Sous le flegme apparent de Pépé, ils devinaient la ferme intention de les déshonorer.

— Où donc? interrogea Lucien.

— Au marais, dit Pépé.

Il marqua une pause. Laurent était blême. Marthe proposa rapidement une nouvelle tasse de café mais personne ne lui prêta attention. Pépé continua. Il semblait porter un intérêt considérable au sucrier.

— Le marais, c'est à trois kilomètres. Les gens ne connaissent pas bien. Avec la voiture, vous y serez dans cinq minutes. Et là-bas, je vous garantis une bonne couche de glace.

— Je vais préparer la voiture, dit Laurent.

Marthe et Pépé furent seuls à comprendre : il acceptait et voulait partir tout de suite, pour éviter les redoutables révélations de Pépé. Celui-ci triomphait, mais au prix d'un lourd sacrifice : il renonçait à la cabane verte où l'attendaient ses amis. Un instant, la pensée lui vint que sa victoire serait complète si le beau Lucien l'apercevait, lui Pépé, avec Pignolle et Ragris devant la cabane. Mais il ne put aller jusque-là, soit qu'il eût le sens de la mesure, soit qu'il ne tînt pas à voir de ses propres yeux le cher marais souillé par la présence de Laurent.

Catherine partit, rose de plaisir, avec les patins neufs sur l'épaule comme font les sportifs. Lucien rassurait encore sa future belle-mère quand il monta dans la voiture. Pierrot préférait rester pour jouer avec son train mécanique.

— Ils ne t'ont pas proposé de t'emmener? lui demanda Pépé.

— Non. J'aime mieux jouer avec mon train.

— Je parie que tu aurais bien aimé retourner là-bas.

— Non, Pépé, pas avec eux. J'aime bien le marais avec toi, quand on marche dans les herbes.

Mais maintenant, les herbes sont mortes et les bêtes sont cachées. L'hiver, c'est triste.

— On y retournera tous les deux, en été.

— Si tu veux.

Cette réponse de l'enfant manquait d'enthousiasme. Pierrot accrochait les wagons l'un à l'autre et les posait sur la voie. Il était très occupé par son train. En somme, il ne refusait pas d'accompagner Pépé au marais, un jeudi, mais ce serait forcément une opération clandestine, à l'insu des parents Encore faudrait-il choisir un jeudi qui ne serait pas accaparé par Blandineau, le nouveau copain. L'indifférence de son petit-fils attrista Pépé. Il alla chercher sa pelisse et, dans l'escalier, il rencontra Marthe. Il s'attendait à des reproches; Marthe, pourtant, ne dit rien. Mais il vit qu'elle se tamponnait les yeux avec son mouchoir. Il sortit, décontenancé. Il fit une promenade en ville et s'imposa le square. Longtemps, il marcha dans les allées désertes. Sa victoire était gâtée par la douleur qu'il avait surprise dans les yeux de sa fille, mais il se délectait à l'idée que Ragris l'attendait anxieusement dans sa cabane. « En somme, songea-t-il, je rends tout le monde malheureux. » Cette constatation le tourmenta jusqu'au soir.

Pignolle cassait les noix avec un fer à repasser. Les coquilles volaient en éclats contre les murs ou se répandaient sur la table. Amédée retirait avec soin la petite peau jaune qui enrobe le fruit et se perdait dans la contemplation des chaînes montagneuses et des vallons qui sont la curiosité d'une noix. Ragris avait une préférence pour les marrons — les noix lui donnaient des aphtes. Il mâchait en silence leur chair savoureuse. On avait déjà vidé deux bouteilles et Pépé ne venait pas.

Au-dehors, les patineurs glissaient sur la glace. Ils étaient une douzaine à dessiner de savantes arabesques, traçant des zéros ou des huit, ou même s'en allant par deux, bras dessus, bras dessous, courbés en avant. Les débutants restaient prudemment près du bord, riaient aux éclats de leurs maladresses et agitaient les bras en tous sens pour conserver leur équilibre. Dans la cabane, entre deux noix, on accordait un regard aux patineurs et quelques commentaires.

Pignolle levait le fer pour écraser une noix mais son geste demeura en suspens. Il venait de voir Laurent qui sortait pesamment de sa voiture.

— Viens voir ça, dit-il à Ragris.

Les trois amis se pressèrent à la fenêtre...

Lucien chaussa les patins et fit quelques brillantes démonstrations pour éblouir le futur beau-père et la fiancée. Puis ce fut le tour de Catherine. Elle minauda un peu. Son père l'encourageait. Elle partit à la suite de Lucien qui la remorquait avec son cache-nez. Laurent suivait les opérations sur le chemin en sautillant pour se réchauffer. Catherine se prenait au jeu et faisait preuve d'une grande habileté.

— Je pensais que Pépé serait aussi dans la voiture, s'étonna Pignolle.

— S'il n'est pas venu avec eux, c'est qu'il est toujours fâché, dit Ragris amèrement.

— Erreur, fit Amédée en levant un index sentencieux. C'est précisément parce qu'ils sont là que lui n'est pas venu. Mais il ne boude plus. Vous le verrez bientôt.

Laurent, toujours sautillant et les mains dans les

poches, se tournait fréquemment vers les cabanes. Il y avait deux cabanes. L'une, toute verte, assez jolie, la plus proche ; l'autre noire et croulante avec des gosses qui jouaient devant. Laurent connaissait la honte de découvrir ce lieu de misère où sa propre femme était née.

— Papa, papa !

C'était Catherine qui appelait, invitant son père à l'admirer. Elle glissait toute seule. Laurent venait de la lâcher. Maintenant, Laurent connaissait la fierté d'avoir pour fille cette gracieuse fée des glaces.

— C'est bien, cria-t-il. Venez, on s'en va.

— Encore un moment, papa.

Ils restèrent encore une heure. Quand ils remontèrent dans la voiture, Laurent avait les pieds gelés mais Catherine était ravie. « Au début, cela fatigue énormément les jambes, expliquait Lucien, mais rien de tel pour ouvrir l'appétit. »

— Vraiment ? dit Laurent. Catherine en a bien besoin. Elle ne mange pas. Il avait retrouvé toute sa belle humeur du matin. Au fond, le marais, quand on y venait une heure ou deux pour le sport entre gens du même monde, ce n'était pas tellement repoussant

XV

Le froid fut intense pendant une semaine. À la fin du huitième jour, il fit plus doux et la neige tomba. Cela dura toute la nuit. Au matin, le marais n'était plus que blancheur. On ne voyait qu'une tache verte et une tache noire qui étaient la cabane de Ragris et celle de Pignolle. Partout ailleurs, c'était le blanc sauf les troncs de quelques arbres qui se dressaient là comme des fantômes d'arbres. La plaine paraissait sans limites. Elle se confondait au loin avec le ciel terne. Seulement, à l'est, tranchaient les masses grises et trapues de la ferme et de la scierie. Au-delà, c'était la ville. On distinguait des bordures de toits que dominait, d'un trait lugubre, une cheminée d'usine.

Les garçons de Pignolle poussèrent leur cri de guerre en voyant la neige. Ils en firent des boules et se battirent avec entrain. Cricri sortit à son tour de la cabane, son pouce à la bouche comme d'habitude, puis elle demeura pétrifiée devant cette grande blancheur. Elle n'avait jamais vu la neige auparavant ou ne s'en souvenait pas. Elle fit quelques pas et trouva un plaisir subtil à enfoncer les pieds dans le tapis blanc. Les garçons se battaient toujours. Elle voulut jouer avec eux.

Pignolle s en fut vers la ville, avec une pelle sur l'épaule. En passant, il dit aux petits : « Amusez-vous sagement. » Mais il n'avait pas fait dix mètres qu'une boule vint s'écraser dans son cou. Il voulut se fâcher mais Cricri éclata de rire. La colère fondit et Pignolle s'essuya le cou. Il partit avec sa pelle.

Les deux garçons changèrent de jeu. Ils lancèrent leurs projectiles contre la cabane. Les boules s'écrasaient sur le mur noir et y demeuraient collées. Cela faisait vlan, vlan. Chaque boule ébranlait la cabane. À l'intérieur, Mélie grondait. Finalement, elle sortit avec des hurlements que la neige assourdissait. Les garçons revinrent au premier jeu.

Pignolle s'en allait avec sa pelle de maison en maison. Il proposait aux commerçants de dégager leur entrée pour dix ou vingt sous, selon la surface. En général, on acceptait. Alors, Pignolle roulait une cigarette, remontait son pantalon et se mettait à l'ouvrage. Il faisait crisser sa pelle sur le ciment et projetait la neige au bord de la chaussée. Le même travail s'accomplissait ailleurs, soit par des gars astucieux comme Pignolle qui trouvaient là l'occasion de gagner quelques sous, soit par les riverains eux-mêmes, si bien que la neige s'accumulait en une longue muraille bordant le trottoir. On aurait dit que toute la population érigeait un rempart.

Ragris achevait de charger le camion. La poussière noire se répandait sur la neige. Le charbonnier compta les sacs et prit le volant. Ils partirent. La neige craqua sous les pneus, le camion gémit et démarra dans une longue plainte. Le charbonnier pestait contre les clients qui attendaient le dernier moment pour passer commande.

— Quand je pense, disait-il en essuyant la vitre, quand je pense que je leur fais des prix en été ! Mais non, ils préfèrent attendre le froid. Résultat : ils paient plus cher.

Il pesta contre les déblayeurs qui accaparaient un bon mètre de chaussée. Pour croiser l'autobus, il dut s'engager sur un tas de neige sale qu'il coupa en deux. Ragris approuvait les plaintes du chauffeur par des hochements de tête. Il vit Pignolle au travail et lui cria bonjour.

La pelle crissait sur le trottoir. Une vieille femme en bonnet ouvrit une fenêtre à l'étage et se plaignit du bruit. Pignolle leva la tête et contrefit la vieille, puis il lui tira la langue. La femme, indignée, referma violemment la fenêtre, ce qui projeta un paquet de neige très blanche sur la partie du trottoir qui était nettoyée.

Quand il avait fini, Pignolle se faisait payer et proposait ses services au commerçant suivant. Pour le grainetier, il déblaya gracieusement, car le grainetier était son ami. Pour le fourreur, qui avait six mètres de vitrine, il demanda deux francs et les obtint. Un bijoutier refusa ses offres ; il ferait le travail lui-même ; Pignolle partit en l'injuriant. Un gosse de douze ans, dont les genoux étaient rougis par le froid, proposait au pharmacien de dégager son entrée pour trente sous. Le pharmacien hésitait. Pignolle demanda vingt sous et enleva l'affaire. Le gosse resta là et le regarda travailler. Pignolle avait honte. Courbé en deux, il maniait la pelle et n'osait pas se tourner vers l'enfant. Finalement, il dit :

— C'est trop dur pour toi, petit. Tiens, prends les vingt sous et file. Moi, ça m'amuse.

Le garçon tendit sa petite main tremblante et prit la pièce. Ses yeux brillaient.

— C'est ma mère qui va être contente, s'écria-t-il. Je n'avais encore rien fait ce matin.

Alors, Pignolle se redressa et dit :

— Forcément, à un enfant, les gens n'osent pas dire oui. Ils pensent que ce sera mal fait. Écoute, si tu veux, on va travailler ensemble. Ça ira plus vite. On partagera.

— D'accord, dit le petit joyeusement. Et il prit sa pelle. Les deux consciences de Pignolle se battaient : l'une le traitait d'imbécile, et l'autre murmurait : « Bravo, Pignolle. Ragris n'aurait pas fait autrement. » C'est celle-là qui eut le dernier mot, peut-être parce qu'elle parlait plus doucement. Le pharmacien donna cinq francs et refusa la monnaie. Pignolle n'y comprit rien. Il dit au gosse :

— Je te dois encore trente sous. Et il les lui remit.

Ils travaillèrent ensemble tout le matin. Pignolle entrait dans les magasins avec le petit et disait :

— Si vous le permettez, je vais dégager votre entrée. Je vous demanderai seulement vingt sous.

Le commerçant examinait l'homme et le gosse et acceptait. Le commerçant acceptait toujours. L'enfant portait bonheur à Pignolle, et comme il travaillait avec ardeur, les deux consciences de Pignolle y trouvaient leur compte. C'était une bonne opération.

Il n'y eut qu'un incident regrettable avec le photographe. Le photographe accepta pour vingt sous, mais quand il fallut payer, il vérifia scrupuleusement l'état du trottoir. La place était nette, sauf un peu de neige apportée par les semelles de quelques passants.

— Fignolez-moi ça, ordonna le photographe.

On fignola. C'est-à-dire que Pignolle, appuyé sur sa pelle, dit à l'enfant :

— Dégage, petit. Ce fut vite tait. Mais deux piétons passèrent encore. Le photographe branla négativement la tête et grogna :

— Je n'appelle pas ça du travail.

Alors, Pignolle éclata :

— Figurez pas que je vais rester là toute la journée, non ? Payez.

L'autre ne donna que dix sous. Alors, Pignolle planta son outil dans le tas de neige sale et en jeta un gros paquet devant la porte. « Comme ça, le compte y est », fit-il.

... La neige était partout, blanche sur les toits, grise dans la rue, rose sur le cèdre d'Amédée car le soleil, enfin, perçait le rideau opaque et répandait sur les branches majestueuses une lumière discrètement colorée. L'hiver accomplissait là un miracle, dissimulant sous un manteau d'hermine toute la misère de la vieille maison : le toit où manquaient des tuiles, le jardin abandonné. La maison vivait cependant. Adélaïde frappait sa vitre au rythme du temps, seconde par seconde, et fixait le chemin blanc où personne encore n'était passé. Le vieux ouvrit la porte, descendit trois marches, en pantoufles. Ses pieds disparurent dans le tapis blanc jusqu'aux chevilles. Cette étrange sensation l'étonna. Puis il remonta précipitamment et s'enferma dans la cuisine pour réparer des épingles à linge.

Amédée relisait Plutarque. Il méditait sur la fragilité de la condition humaine, un doigt dans le livre, perdu dans la contemplation des capucines qui fleurissaient aux murs. Le bruit d'un moteur le tira du songe. Il sortit.

Une auto était arrêtée sur le chemin. Deux hommes en descendaient. L'un était un industriel de la ville, un tanneur, celui qui avait acheté la terre d'Amédée; l'autre un entrepreneur bien connu. Chaussés de longues bottes, ils marchèrent dans la neige et s'immobilisèrent au milieu du terrain. Le tanneur avait une canne, l'entrepreneur tenait des plans dans sa main. Ils restèrent un moment à bavarder. Une vapeur bleutée sortait de leur bouche. L'entrepreneur ôta ses moufles pour déplier des plans. Le tanneur montra l'espace vierge avec sa canne et traça dans l'air un carré.

— Ils choisissent bien leur temps, fit Amédée en haussant les épaules, c'est de la folie.

Mais dans le cerveau parfaitement organisé d'Amédée, la folie et la sagesse faisaient assez bon ménage. À la réflexion, qu'importait la neige? N'était-ce pas judicieux? Les peintres disent qu'ils voient mieux *venir* leurs couleurs sur du blanc.

Le tanneur montra un emplacement avec sa canne et déclara :

— Là, je voudrais planter un cèdre... Un cèdre comme celui du voisin. Je me demande quel âge peut avoir cet arbre. Avez-vous une idée?

— Non! Cinquante ans. Peut-être plus.

— Cinquante ans, murmura le tanneur, cinquante ans!

Amédée s'en alla, pensif. Tout recommence. Voilà qu'un autre venait pour fonder une dynastie. « Mais il ne trouvera pas de cèdre, songeait Amédée. Ces arbres-là ont disparu. Le grand-père l'avait fait venir du Liban. » Réconforté, il revint à Plutarque.

... Le soleil, moins timide, caressa les toits de la ville et la neige fondit. Elle tomba en rigoles sur les trottoirs. Les rues étaient encombrées d'une boue jaunâtre que les roues des voitures projetaient sur les piétons. Le charbonnier frayait péniblement un chemin à son camion. « J'aurais dû mettre les chaînes », grogna-t-il. Ragris ne répondit pas. Il était trop occupé à lire les numéros des maisons. « 82, 84, 88, c'est là », dit-il.

— Bon, j'arrête.

Il y avait cent kilos à livrer au 88. Ragris descendit du camion. Il fit glisser un sac jusqu'à lui puis, s'adossant à la plate-forme, il l'enleva d'un coup de reins et entra dans la maison, ployé sous la charge.

— Glisse pas, l'ami, recommanda le patron. Je prends l'autre et je te suis.

La livraison faite, ils allaient remonter dans la voiture quand Ragris vit Pépé. Il le héla. Pépé vint.

— C'est un copain à toi ? demanda le charbonnier qui était déjà au volant.

— Oui, attends une minute.

Pépé venait, radieux, à la rencontre de Ragris. Depuis la scène pénible à cause du chèque, c'était la première fois qu'ils se rencontraient. Ils se dirent bonjour et se serrèrent gravement la main, cherchant d'autres mots. Ragris sentit la joie de Pépé mais il remarqua sa mauvaise mine. Pépé répétait :

— Bonjour, je suis bien content.

— On n'a plus qu'une livraison à faire au 107, dit Ragris.

— C'est tout près, le 107. C'est le crémier, là-bas.

— Si tu voulais m'attendre au café d'en face, je te retrouverais là tout à l'heure. On causerait un moment.

— Bien sûr, oui. Je t'attends.

Pépé se dirigea vers le café. Il riait. Il était heureux d'avoir retrouvé son ami. Ses mains tremblaient. Ragris remarqua comme il était voûté. Le chauffeur s'impatientait : « Alors, tu viens ? » Ragris monta et dit : « Le 107, c'est vers le crémier. »

Après la livraison, il vint au café où Pépé l'attendait. Ils parlèrent du temps, du marais, d'Amédée, de Pignolle : mais il ne fut pas question du chèque. C'était une histoire oubliée.

— J'ai été pour te voir, l'autre jour, expliqua Pépé, mais il faisait froid. J'ai fait demi-tour. Marthe ne veut plus que je sorte. Elle dit que je tousse la nuit. Mais ce n'est pas vrai.

— Bientôt, les beaux jours reviendront, dit Ragris.

— Une fois, les enfants voulaient patiner. Laurent les a emmenés au marais.

— Je sais, je les ai vus.

— C'est pourquoi je suis resté à la maison.

— J'ai bien compris.

Ils burent en silence. Au-dehors, les voitures passaient doucement et sans bruit, dans la rue sale, grise et morne. Ragris dit :

— On fait une petite fête chez moi le 17, en l'honneur de Tane. C'est sa fête. On sera tous là. On compte sur toi.

La détresse crispa le visage de Pépé. Il posa son verre et murmura :

— Tu dis le 17 ?

— Oui.

— Impossible. C'est le jour des fiançailles.

Ils baissèrent la tête, accablés par ce nouveau coup du sort. Pépé songeait à ce qu'il allait perdre ce jour-là. Ragris estimait que la fête serait incomplète sans Pépé ; on comptait tellement sur lui. Il suggéra :

— Tu ne pourrais vraiment pas t'échapper ?

— Comment veux-tu, fit Pépé au bord des

larmes. Les fiançailles. La maison sera pleine de monde, la famille, les amis. Je vais bien m'ennuyer au milieu de tous ces gens. Je ne sais pas parler comme eux. Si ce n'était que de moi, tu peux être sûr...

— Tant pis. Dans ton monde, on a des obligations. Ce sera pour une autre fois. Au printemps, on organisera autre chose.

Ragris pressentait qu'au printemps il serait trop tard. En sortant, il dit encore :

— Si tu pouvais t'échapper quand même, tu serais le bienvenu. Ton dîner de fiançailles se fera peut-être à midi. Nous, c'est le soir. Dans la journée, Tane est de service.

La porte se referma sur lui en cliquetant. Pépé branlait tristement la tête : le 17, c'étaient les fiançailles.

Au-dehors, la neige tombait maintenant en gros flocons clairsemés.

Marthe préparait fébrilement le grand jour. La liste des invités, qu'on croyait arrêtée depuis longtemps, se trouva soudainement augmentée par les Blondin. On s'était réconcilié avec les Blondin. Le contremaître, chipé jadis à Laurent par Blondin, venait d'être renvoyé. Il avait volé une clé anglaise et un pot de minium à l'atelier. À l'homme qui avait provoqué la brouille on devait la réconciliation. On lui était presque reconnaissant de ces menus larcins. Il fallait inviter les Blondin. Marthe devrait prévoir une rallonge de plus à la table. Il y avait les Blandineau, ces gens très bien dont le garçonnet sympathisait avec Pierrot, des oncles, des tantes et des cousins, côté Laurent, côté Lucien. On serait vingt-cinq. Marthe s'énervait à compter l'argenterie qui ne suffirait pas.

— Si tu veux, lui suggéra Pépé, j'irai passer la journée ailleurs. Moi, les fiançailles, je n'y tiens pas.

— Y penses-tu, papa? s'écria Marthe. C'est ta petite-fille, tout de même.

— Moi, je disais cela, c'est pour l'argenterie, s'excusa Pépé.

— Votre présence est indispensable, trancha Laurent qui se trouvait là. N'oubliez pas que nous aurons les Blondin et les Blandineau.

Et il ajouta plus bas, pour Marthe : «J'espère qu'il se tiendra tranquille. »

Pépé ne réagit pas. Il avait froid. Il dut s'asseoir près du poêle et se frotter les mains doucement en songeant au marais.

Ragris passa chez le charcutier et retint pour le 17 une queue de cochon, car on ne pouvait fêter la Saint-Antoine sans offrir à Tane la traditionnelle queue de cochon, enjolivée d'un ruban. Il acheta aussi du vin et de la viande, puis de la farine et des œufs pour confectionner un gâteau. Il entreposa les vivres dans son placard. Pignolle venait tous les jours s'informer. Il attendait sereinement la Saint-Antoine et rendait compte à Mélie : « On a déjà six bouteilles de vin et trois kilos de farine.» Ce qui provoquait invariablement l'indignation de Mélie :

— Encore un banquet d'hommes! On ne m'invite jamais.

— Ce n'est pas ta place, objectait Pignolle. Les gens qui ont l'intelligence éprouvent le besoin d'être entre eux quelquefois. Amédée parle comme un livre et c'est un plaisir de l'écouter.

Mélie haussait les épaules et redressait une mèche qui lui tombait sur les yeux. Penchée sur un baquet, elle faisait la lessive. Elle tordit un drap qu'elle mit à sécher sur une corde tendue d'un bout à l'autre de la cabane. Pignolle ressassait les sages paroles qu'il venait de prononcer. La place de Mélie n'était pas à la cabane verte, ce lieu où fleurissaient l'intelligence et la courtoisie. Peut-être Paméla... Pignolle eut une pensée attendrie pour cette madone perdue qui souriait en lissant ses cheveux d'ébène. Il se secoua :

— Je vais voir si Ragris a acheté autre chose.

Il dut se mettre à quatre pattes pour passer sous le drap et, quand il franchit le seuil, il baissa la tête instinctivement, car la cabane croulait sous le poids de la neige.

Pépé s'ennuya ferme. Dès le 15, les parents de Lucien envahirent la maison. Il fallut les loger. La grand-mère du fiancé était de la fête. Elle avait l'âge de Pépé. C'était une horrible vieille aux cheveux teints d'un gris bleuté, aux mains tordues par les rhumatismes, mais parées de bagues qui s'entre-choquaient. Elle était presque sourde ; cela ne l'empêchait pas de rechercher Pépé afin d'évoquer le temps de leur jeunesse. Pour l'éviter, Pépé ne quittait plus sa chambre.

Les Blondin arrivèrent avec des fleurs et des cadeaux. Ces dames n'en finirent pas de s'embrasser, d'échanger des compliments. Laurent et Blondin parlèrent longuement du contremaître.

— Vous ne vous étiez jamais aperçu de rien ? demandait Blondin.

— Jamais, répondait Laurent. En tout cas je ne le soupçonnais pas. On me signalait de temps en temps la disparition d'un outil, mais allez donc savoir !...

— C'est certain, vous ne pouviez pas savoir.

Les deux industriels hochaient gravement la tête. Ils débordaient de tendresse l'un pour l'autre.

Les Blandineau arrivèrent à midi, avec leur fils endimanché et pommadé. Quand Pierrot, qui les guettait à la fenêtre, vit son copain descendre de l'auto, il cria à la ronde : « Voilà Blandineau. » Marthe le gronda : « Tu ne peux pas l'appeler autrement. Il a bien un prénom ? »

— Sais pas, m'man. À l'école, on ne s'appelle pas par les prénoms.

Le repas se prolongea tard dans l'après-midi. Pépé dut subir la grand-mère, assise près de lui. Elle raconta toute sa vie, parla de l'impératrice Eugénie, des actions de Suez et des pétroles russes. Pépé se bornait à dire oui ou non de temps en temps. Elle n'arrêtait pas. Il se dégageait de ses cheveux bleus un parfum violent d'œillet qui entêtait. Ses bagues cliquetaient sur l'assiette. Pépé essaya de la saouler, histoire de rompre la monotonie de la tablée par un petit scandale. Il emplissait le verre de la vieille dès qu'il était vide ; elle vidait encore le verre, sans faiblir. Cela n'eut d'autre effet que de la rendre plus loquace.

Ragris confectionna une grande tarte ; il écrivit dessus, avec une pâte verte : Vive saint Antoine. Puis il fit cuire la viande, déboucha les bouteilles et mit le couvert, sans oublier celui de Pépé. Ragris pensait . « Même s'il ne vient pas, il aura sa place. Ce sera un peu comme s'il était parmi nous. » Quand tout fut prêt, il sortit et siffla. Pignolle n'attendait que cet appel. Il vint et s'informa :

— Tu as fait la tarte ?

— Oui.

— Tu as débouché les bouteilles ?

— Oui, mais je te préviens : on ne boit pas tant qu'ils ne sont pas là.

— Juste une petite goutte, histoire de patienter.

— Non.

— Bon. Fais voir la queue de cochon.

Ragris sortit du placard une assiette sur laquelle était posée la queue symbolique, tordue en spirale, d'un rose pâle semé de poils blonds, ornée au bout d'un ruban bleu.

— Très bien, fit Pignolle.

Amédée arriva, perché sur son vélo. Il roulait péniblement sur la neige durcie. Au tournant, il dérapa et fit un demi-tour complet, gracieusement, sans tomber.

— Bravo, cria Pignolle enthousiasmé. Tu l'as fait exprès ?

— Non, répondit loyalement Amédée.

— Je me disais aussi...

La nuit venait, mais le ciel demeurait très clair. La lune blafarde entreprit sa ronde solitaire sur la plaine désolée.

— J'ai idée qu'il ne fera pas chaud cette nuit, observa Pignolle.

On entendit le tutu d'une locomotive. Le tacot arrivait devant la poste. Tane ne tarderait pas.

— On pourrait commencer à verser le vin, suggéra Pignolle. Mais Ragris refusa.

La grand-mère de Lucien s'endormit dans un fauteuil avec un sourire sur ses lèvres desséchées, les mains croisées sur sa robe noire. Les invités se répandirent dans le salon. La bonne desservit. Marthe veillait à tout, les joues en feu. Elle avait fort à faire entre son monde et les domestiques.

— Je pourrais peut-être vous aider en quelque chose ? lui proposa la Blondin.

— Vous n'y pensez pas, ma chère, minauda Marthe.

— Oh ! entre femmes, on se comprend. C'est un gros travail pour vous, une réunion pareille.

— Je suis tellement contente de vous avoir, roucoula Marthe. Et elle embrassa la Blondin.

Tane, héros de la fête, s'assit devant la queue de cochon qui lui était destinée. Il y eut un moment de silence chargé d'émotion. Tane contempla longuement la queue, puis énonça ce que cet examen lui suggérait :

— Ce devait être un très beau cochon.

— J'ai demandé au charcutier de me réserver la plus grosse, expliqua Ragris.

Tane apprécia l'attention. Il dénoua le ruban bleu avec la solennité qu'on apporte à défaire une boîte de chocolats.

— Il y en a qui ont des rubans roses, remarqua Pignolle.

— J'imagine que celles aux rubans roses sont destinées aux femmes qui s'appellent Antoinette, dit Amédée.

Le rite voulait que Tane mangeât la queue tout seul, ce qu'il fit avec dignité. L'instant que Pignolle attendait vint enfin : Ragris servit à boire. On trinqua pour Tane, pour Amédée, pour Ragris, pour Pignolle, pour le marais, pour les beaux jours. On trinqua aussi pour Pépé dont la place demeurait vide.

... Laurent pérorait entre Blondin et Blandineau. La grand-mère de Lucien dormait dans le fauteuil. Marthe faisait sa cour à la Blondin tout en surveillant le service. Elle allait de l'un à l'autre, avec des grâces et des sourires. Pépé s'approcha d'elle et demanda :

— Est-ce qu'ils vont bientôt s'en aller ?

— Chut, fit Marthe sévèrement, car la Blondin pouvait entendre.

— On est resté quatre heures à table, s'entêta Pépé. Qu'est-ce qu'on fait maintenant ?

— Eh bien, on cause. Ils ne peuvent pas partir comme ça.

— Pourquoi ?

— Cela ne se fait pas.

— Ah !

— Tu t'ennuies, papa ?

— C'est-à-dire que j'étouffe ici. Je voudrais bien aller prendre l'air.

— Allons donc ! Il gèle à pierre fendre. Demain, s'il fait beau, tu sortiras.

Marthe revint à la Blondin pour la cajoler. Pépé s'approcha de la fenêtre et contempla l'hiver. La lune courait dans les branches nues. La terre était blanche, les herbes pétrifiées. On y voyait comme en plein jour. Il régnait dans ce salon une chaleur lourde, suffocante, imprégnée de tabac et d'œillet. Le dehors proposait la pureté du cristal, la lumière incomparable de la nuit. C'était par un soir pareil que Bourricot était mort...

— Dommage qu'il ne soit pas venu, dit Tane.

— Il n'a pas pu, soupira Pignolle. C'est les fiançailles de la fille. Ça tombe mal. Il s'emporta comme s'ils ne pouvaient pas choisir une autre date. Ils ont toute l'année pour se marier.

— J'aurais mieux fait de ne pas mettre son couvert, dit Ragris. C'est triste de voir sa place inoccupée ; mais j'espérais quand même.

— Nous recommencerons l'an prochain, conclut Amédée avec optimisme. La Saint-Antoine revient tous les ans. Cette fois, il n'y aura pas de fiançailles. Il sera parmi nous.

— L'an prochain !

Ragris dit cela si bas que personne n'entendit, d'autant plus que Pignolle clamait sa rancune contre les fiançailles. L'an prochain ! Ragris rêvait d'une route aux talus fleuris de pâquerettes et cette route s'en allait tout droit dans une plaine fertile dont on ne voyait pas la fin.

... Ce fut la grand-mère qui s'aperçut la première que Pépé avait disparu. Ses cheveux bleus émergèrent du fauteuil et Lucien dit : « Grand-mère s'éveille. » Elle vint à lui, cassée et pétillante :

— J'étais sur le point de m'endormir, gloussa-t-elle.

— Je pense bien, répondit Lucien. Tu dors depuis deux heures.

Elle n'entendit pas. Elle était déjà loin, colportant la nouvelle : elle s'était assise dans le fauteuil un peu plus, elle s'endormait. Il y avait probablement là un sujet d'admiration qui échappait aux autres.

Elle chercha Pépé, de groupe en groupe. Ne le trouvant pas, elle interrogea Catherine :

— Où est donc passé votre grand-père, mon enfant ? J'avais une bonne histoire à lui raconter.

Pépé marchait dans la banlieue déserte. Il s'était enfui, nu-tête, en veston. La neige durcie craquait à peine sous ses petits souliers vernis. Le froid mordait ses oreilles rouges. Il allait bon train, haletant, animé par un immense espoir. Il courut même quand il vit les toits bas de la ferme et la plaine aimée. Il courut tant qu'il dut s'arrêter sur la piste blanche pour reprendre son souffle. Il avait très chaud. Au loin, toute seule, comme un reflet d'étoile, brillait la lumière de la cabane. Pépé eut un grand rire victorieux. Il porta la main sur son cœur et se remit en route. Son petit soulier vernis heurta un obstacle invisible ; il tomba mais ne se fit aucun mal. Il sentit la douce fraîcheur de la neige et resta là, quelques secondes, quelques minutes, sans quitter des yeux le reflet d'étoile. Il connut alors une lucidité extraordinaire. Des souvenirs qu'il croyait perdus surgirent du passé : ce lièvre tout blanc qu'il avait pris au piège ; ce rire éclatant de Marthe enfant quand elle caressait la grosse carpe qu'il venait de pêcher ; cette couleuvre, trouvée endormie dans la barque, roulée sur elle-même comme un boudin de jade. Les souvenirs qui se proposaient s'associaient à des images de bêtes.

— Il ne viendra plus maintenant, dit Ragris. Je vais enlever son couvert.

— Quoi ! Tu croyais encore qu'il allait venir ? gouailla Pignolle.

— Je ne sais pas, murmura Ragris. Je pensais... C'était comme un pressentiment.

Amédée scruta Ragris. Il ouvrit la bouche pour parler mais ne dit rien. Ragris décrocha une pipe d'un clou fixé au mur et la bourra. Puis il retira le rond du poêle, sortit de sa poche une ficelle qu'il déroula jusqu'à la flamme. La ficelle prit feu ; la langue bleue monta, centimètre par centimètre ; Ragris l'amena sur le foyer de sa pipe et aspira. Il ouvrit la porte de la cabane pour jeter la ficelle.

Le sang battait aux tempes de Pépé mais il ne sentait rien ; il entendait un pas sur le chemin. Il leva les yeux vers la pointe extrême d'un saule où s'accrochait une étoile, et il écouta ce pas. Un sourire radieux distendit ses lèvres violettes. Un petit âne gris passa, en branlant de droite à gauche sa lourde tête, sa bonne tête docile aux grands yeux doux. Pépé hurla : « Bourricot ! »

— Alors, tu la fermes, cette porte ? grogna Pignolle. Tu nous fais geler.

Ragris était sur le seuil. La ficelle achevait de se consumer sur la neige en grésillant. Il allait répondre : « C'est drôle, j'ai cru voir passer un âne sur le chemin. » Mais c'était tellement stupide qu'il n'en dit rien. Il avait probablement bu plus que de raison. Pignolle poussa un soupir d'aise quand la porte se referma.

— Une nuit merveilleuse, les gars, fit Ragris. Depuis bientôt douze ans que je suis au marais je n'ai jamais vu une nuit comme celle-là. Il fait au moins vingt degrés au-dessous de zéro.

C'est à ce moment que l'étoile s'éteignit à la branche du saule. Mais Pépé la voyait encore. Ses yeux ouverts fixaient le grand ciel implacable et ses lèvres gercées exprimaient l'extase.

XVI

Le miracle s'accomplit le dernier jour de février :
l'hiver céda brusquement. Cela se fit en une journée. Au matin, il gelait ; puis, vers dix heures, une
brise du sud courut un moment et les roseaux
parurent sortir de leur torpeur. Ce fut imperceptible
comme un soupir. La brise tomba aussitôt mais une
grande douceur descendit sur la terre. Pourtant le
soleil ne s'était pas montré. Il y eut des bruits mys-
térieux autour de la cabane, des craquements
légers, des murmures de sources. La neige s'affaissa
et devint grise, criblée de trous. Terne, la glace
devint brillante. Un gros oiseau sortit d'un fourré,
tournoya, et s'en fut porter un message.

Ragris ouvrit toute grande la porte de la cabane
et demeura là, fumant sa pipe, à regarder fondre la
neige. Dans son lit où il passait les trois quarts de
son temps, Pignolle perçut le grand soupir de la
terre. Il se leva, fit quelques pas au-dehors, adressa
au ciel gris un sourire chargé de gratitude et revint
se coucher. Mélie sortit son baquet ; elle ferait sa
lessive en plein air.

Amédée ne se lassait pas d'admirer les arabesques
dessinées par le froid sur les vitres. Bien qu'il
n'aimât pas l'hiver, il regretta les fougères enche-

287

vêtrées quand elles s'effacèrent. Cela n'alla pas sans dégâts. Sous chaque fenêtre, l'eau ruissela et fit une grande flaque sur le plancher. Adélaïde n'eut plus à gratter le givre pour voir le chemin blanc. Sur la vitre nue, le toc-toc de sa bague retrouva la netteté des jours d'été. Le vieux se mit en quête d'une occupation : il empoigna une cruche vide sur l'armoire et la porta au poulailler.

Ragris prit cent sous dans son tiroir et partit en ville pour acheter des graines, car le temps allait venir des premiers semis. En chemin, il rencontra une vieille femme qui vendait des fleurs de Nice. Il s'arrêta pour admirer les gros œillets et les boules jaunes du mimosa. On n'avait plus l'habitude des fleurs. Il se dégageait de celles-là un parfum subtil qui évoquait des images pleines de soleil. La vieille marchande sourit à Ragris et lui proposa un petit bouquet : trois œillets et une branche de mimosa. Ragris le prit et paya. Il n'alla pas chez le grainetier.

Il retourna au marais, lentement. D'habitude, Ragris marchait vite ; mais cette fois, il n'était pas pressé. Il ne pensait à rien de précis. Les semis, qui le préoccupaient tout à l'heure, étaient oubliés. Il avait fourré le bouquet dans sa poche au risque de tuer les fleurs ; ce qu'il avait acheté, c'était leur parfum. Sa main fourrageait dans la poche. Parfois, il la retirait et sentait ses doigts où adhérait la poudre jaune du mimosa. Il entra dans la cabane et s'assit, laissant la porte ouverte. Des ruisselets brillaient dans l'herbe. Des paquets de neige grise et piquetée s'accrochaient encore sur les mottes. Le soleil se montra au moment de se coucher, annonçant sa visite pour le lendemain.

La nuit promettait d'être douce. Mélie tendit une corde entre deux arbres et suspendit son linge ; puis elle retourna le baquet. Dans le lit, Pignolle fumait en rêvant. Des gouttes d'eau tombaient du toit sur l'édredon mais il ne les voyait pas. C'est pourtant ce que Mélie découvrit tout de suite quand elle entra. Elle vociféra. Pignolle déplaça l'édredon et les gouttes tombèrent à même le drap.

Sur le toit, la neige fondait. On l'entendait cascader le long des murs. Les gouttes coulaient sur le drap de plus en plus larges, de plus en plus serrées. Mélie gueulait : il fallait faire quelque chose, monter sur le toit, boucher le trou. Pignolle répondit qu'il n'y avait rien à faire, sinon attendre. Il voulut bien se lever pour pousser le lit à l'écart de la gouttière. Mélie se calma et mit une bassine à la place. L'eau tomba dedans avec un bruit d'une étonnante variété. Chaque goutte apportait sa note personnelle, ce qui ravissait Pignolle et berçait sa rêverie. C'est alors qu'une deuxième fuite se révéla au-dessus de l'oreiller. Mélie fit un vacarme du diable. Par lassitude, Pignolle accepta de se lever. Bien qu'il fît presque nuit, il monta sur le toit qu'il débarrassa de la neige ; il la poussait avec une planche. À quatre pattes, il se hissa jusqu'au faîte, mais il glissa, roula et se retrouva dans l'herbe humide, étreignant son pied en gémissant. Mélie vint ; elle le traita de maladroit et d'imbécile. Pignolle se leva péniblement et lui enlaça le cou. Il prit ainsi appui sur elle et, marchant à son côté, put faire les quelques pas jusqu'à son lit. En allant, Mélie grognait, haletante, courbée sous le poids de son homme qu'elle appelait manchot et propre à rien. Pignolle murmurait entre deux plaintes : « Je t'en prie Mélie, ferme ta gueule et soutiens-moi. »

Il souffrait horriblement. Le pied enflait. Il fallait alerter Ragris. On envoya les deux garçons mais ils revinrent annoncer qu'il n'y avait personne à la cabane verte. Pignolle devint très pâle. Il accabla de questions les gamins : « Est-ce qu'il a emporté ses affaires ? Y a-t-il ses vêtements au portemanteau ? Et son couteau sur le buffet ? Et sa pipe ?... » Gilbert et Pierrot dirent qu'il y avait tout cela. Pignolle respira profondément et ferma les yeux. « Qu'est-ce que j'ai été penser ! songea-t-il. C'est à cause de mon entorse que j'ai des idées pareilles. Ce n'est pas encore pour cette fois. Il ne serait pas parti un soir. Un départ, ça se fait à l'aube, et on emporte ses affaires... »

Personne n'avait vu Ragris quitter le marais, sauf le charbonnier qui rentrait son camion. Il lui avait crié bonjour, mais Ragris n'avait pas entendu. Il était parti en bras de chemise, nu-tête, l'œil brillant. Le charbonnier vit qu'il souriait. Le tacot du soir hululait au loin, mais Ragris n'y prêta pas attention. Pourtant, d'habitude, cela évoquait Tane. Un chien vint, le flaira, le suivit un moment et l'abandonna pour fouiller dans un tas d'ordures.

La nuit était faite quand il passa devant la maison d'Amédée. Il n'eut pas une pensée pour son ami. Il ne tourna même pas la tête de ce côté.

Le banquier arrivait en voiture. Il vit ce grand garçon qui marchait bras nus au milieu du chemin. Il freina, corna, proféra des injures. Balayé par la lumière des phares, Ragris ferma un peu les yeux. Il passa près de la voiture sans répondre au banquier. Bambou, qui ouvrait la porte, exprima sa réprobation en un long monologue gazouillant. Ragris était déjà loin.

Il suivit la haie de noisetiers et retrouva sans peine la grande maison. Il gravit les trois marches et sonna. Il y eut à l'intérieur un tintement aigu et

prolongé. C'est alors que cette force étrange qui
l'avait poussé jusque-là, brusquement, abandonna
Ragris et le laissa seul en face de la porte qui allait
s'ouvrir.

— Que voulez-vous ? s'enquit l'homme en le
toisant.

— Pourrais-je voir Marie ? demanda Ragris.

Sa voix était un peu rauque. Il avait peur, soudain. Non pas de l'homme, bien que celui-ci fût
contrarié à bon droit puisqu'on le dérangeait à la
nuit pour voir sa bonne, mais peur du malheur
pressenti. L'homme ouvrait de grands yeux ahuris.
Il allait se mettre en colère. Il se mit en colère.

— Vous avez de l'aplomb, alors. Venir comme
ça, sans saluer, sans s'excuser, et demander froidement après Marie ! Mais d'abord, qui êtes-vous ?
C'est à croire que tout est renversé. On embauche
du personnel pour ouvrir la porte aux gens et c'est
moi qui dois ouvrir pour recevoir les copains de la
bonne...

Il débitait ses griefs avec une extraordinaire vélo-
cité, ne donnant même pas le temps de répondre
aux questions qu'il posait. Déjà, Ragris savait. Il
l'avait pressenti en écoutant la sonnette et maintenant que l'homme parlait, c'était une certitude.

— La dernière fois, c'était pareil, avec le militaire. Marie était en train de laver les gosses et c'est
moi qui suis venu ouvrir. J'attendais un ami et je
trouve le militaire qui me demande si Marie est là.
Ce soldat, au moins, il était poli. Il a dit bonjour
d'abord...

— Excusez-moi, dit Ragris faiblement.

Maintenant, c'était bien une certitude. Ragris
écoutait l'homme avec ennui. Il avait envie de par-

tir à toutes jambes et pourtant il restait là, tandis que l'autre se débarrassait de sa colère.

— Êtes-vous un de ses parents? demanda le patron un peu radouci.

— Oui... oui, c'est ça... je suis son cousin.

— Alors, si vous êtes son cousin, elle aurait pu au moins vous annoncer son mariage. Moi, j'ai reçu un faire-part. Ils sont à Mâcon, à Chalon, je ne sais plus. C'est le militaire qu'elle a épousé.

Ragris approuvait de la tête. Il savait tout cela depuis la sonnette. Tandis que l'autre parlait, il disait quelquefois : « Oui, Monsieur. » Si bien que l'ancien patron de Marie se calma tout à fait, voyant cette douceur du grand garçon aux bras nus. Ils restèrent un moment sans parler. L'ancien patron dit :

— Vous n'êtes pas son cousin.

— Non. Non, je ne suis pas son cousin, jeta Ragris. Et il partit. Près des noisetiers, il comprit qu'il devait une politesse et il cria : « Bonsoir, merci. » L'ancien patron demeura perplexe. « Il n'est pas un méchant homme », songea Ragris.

Où aller? Le marais ne l'appelait plus. Retrouver la cabane verte, le pastel blond et souriant, le chemin herbeux où Pépé était mort, retrouver des jours nouveaux copiés sur les anciens jours! Ragris ne pouvait plus. Il vit un fenil rudimentaire au bord d'un pré : juste un toit sur quatre piquets. Le foin était dessous, épars, mille fois retourné déjà par les vagabonds ou les chats. Il s'y coucha. On entendait le bruit de la rivière grossie, toute proche. La nuit était calme, avec un grand souffle tiède. On devinait la vie sourdant partout. La sève remontait dans les troncs mornes, et sous la terre des milliers de bêtes se préparaient au grand réveil. Cependant,

Ragris dormait. Un sommeil profond et paisible l'enveloppait avec le foin, un sommeil sans rêve qui dura jusqu'au jour. Le vent du sud courut sur le pré mouillé, une tige de foin s'agita et caressa le nez de Ragris. Il grimaça et s'éveilla dans un grand soupir. Il resta là un moment, les yeux ouverts, écoutant la plainte de la rivière et les cris des moineaux. Il se sentait merveilleusement bien, calme et fort, lucide comme on doit être pour décider. Il se leva d'un bond.

Marthe entreprit de nettoyer la cabane. Elle avait ce projet en tête depuis la mort de Pépé : « Dès qu'il fera moins froid, je débarrasserai le cabanon. Il y a un tas de vieux papiers. Je me demande pourquoi il gardait tout ça... »

C'était un jeudi. Elle embaucha Pierrot. Ils trouvèrent des boîtes vides, des boîtes pleines ; celles-ci contenaient des clous rouillés ou bien des bobines de fil. Ils firent dans l'allée un tas volumineux avec des papiers jaunis, des journaux qui dataient de 1900 et même avant. Ils sortirent aussi une couverture.

Pierrot aidait sa mère sans enthousiasme, car il attendait Blandineau qui devait venir jouer à la maison. Cependant, il parut s'intéresser à la couverture. Parfois, on dirait que certains objets ont une âme et c'était bien le cas de cette couverture, avec son restant de frange déchiquetée, son odeur de fauve. L'étoffe était semée de poils gris et rêches. Pierrot la palpait et la sentait avant de la jeter sur l'allée avec les autres vieilleries. Marthe l'observa ; il y eut, dans tout son être, une poussée qui ressemblait à un remords.

— On pourrait garder une chose comme souvenir, hasarda-t-elle. Est-ce qu'elle te plaît, cette couverture ?

Pierrot la palpait et la sentait, mais il ne trouvait pas l'âme de cette étoffe rude. Il vit une puce qui bondissait dans les plis.

— Non, dit-il. C'est vieux, c'est sale.

Il la jeta dans l'allée. Marthe en ressentit un grand soulagement. Blandineau arrivait, avec un sac plein de jouets mécaniques. Il avait un costume bleu, des chaussettes blanches, et il dit très poliment : « Bonjour, Madame », comme on lui avait appris, Marthe continua seule l'ouvrage tandis que les garçons jouaient au salon. Elle tomba sur un vieux journal de 1890. Pourquoi le père l'avait-il conservé ? Elle vit un article encadré de bleu : Assèchement du marais. Elle jeta vivement le papier jauni parmi les autres. Quand le cabanon fut vide, elle arrosa le sol et balaya. Puis elle entassa toutes les vieilleries dans la poubelle. À son insu, un poil gris de la couverture se colla sous le revers de sa robe. Il devait y rester éternellement.

En passant devant la ferme, Ragris entendit le grincement des chaînes ; les bêtes sentaient la prairie renaissante et commençaient à s'agiter. Le marais dénudé scintillait ; les eaux, enfin dégagées, frémissaient ; le chemin était rouge et boueux.

Ragris s'arrêta près d'une souche. C'est là qu'on avait retrouvé Pépé, immobile et glacé, six semaines plus tôt ; c'est là que s'était fixé à jamais son sourire extatique, ce sourire qui était l'expression d'un grand secret qu'il avait été donné à Pépé de partager avec les étoiles. Chaque fois qu'il voyait la souche, Ragris se troublait. Il chassa cette vision et courut à la cabane.

La première chose qu'il fit, ce fut de prendre le portrait blond et de le jeter à l'eau. Le tableau flotta un moment, puis coula en biais. Les rides s'effacèrent très rapidement à la surface. Ragris enfila sa veste, mit sa pipe et son couteau dans sa poche, fit un baluchon avec ses autres vêtements. Il serra dans sa musette le pain et le fromage qui restaient de la veille. Il ouvrit une boîte, prit l'argent qu'il glissa dans sa poche intérieure. On ne pouvait pas emporter davantage. Ragris attendit cependant. Il se ravisa, sortit un billet de cent francs de sa poche et le posa sur le buffet, pour le cas où Pignolle en aurait besoin. Alors, prêt au départ, il regarda la cabane. La porte resterait ouverte à tout venant. Un homme pourrait bien passer par là qui trouverait la demeure à son goût et s'y fixerait, comme lui en 1919, avec cette différence qu'il n'y aurait pas un moribond et un vieux chien pour l'accueillir. Tout recommence. Ce ne sont pas les mêmes qui jouent mais les mêmes gestes reviennent sur d'autres personnes. Ragris ajusta sur son épaule la courroie de la musette et se retourna vers le soleil. L'aîné de Pignolle était là.

— Ça fait un moment qu'on t'attend, dit Pierrot.
— Pourquoi ?
— Le père est tombé du toit. Il a le pied enflé. Il a pleuré toute la nuit.
— Ah !
— Est-ce que tu crois qu'il faut appeler le docteur ?
— Sûrement.
— On n'a pas de sous, tu sais.

Ragris regardait au-delà du gosse. Il voyait le chemin boueux, les branches où les bourgeons de la vie ne paraissaient pas encore, l'eau moirée que n'animait aucune bête. Il songea que les collines seraient trop humides pour y dormir, qu'il trouverait de la neige sur les hauteurs, que les fermiers n'auraient pas encore d'embauche. Le temps n'était pas venu de partir. En avril ce serait mieux. C'est en avril que les routes ont cette exaltante odeur d'aventure. D'ici là, on pourrait travailler dur pour gagner un billet de mille francs qu'on laisserait à Pignolle en vue des jours de faim et des entorses. C'est alors qu'on pourrait s'en aller librement. Et encore, il faudrait choisir cette heure qui précède l'aube, ne pas se retourner, ne pas s'arrêter sur le chemin pour voir la souche.

— Je pensais que des fois tu étais parti, dit Pierrot en battant des yeux.

— Non...

— Est-ce que... Est-ce que tu allais...

— Mais non, tu vois bien, je mettais simplement de l'ordre.

— Je croyais... Mon père disait... balbutia l'enfant. Ses yeux brillaient. Il était secoué par la joie.

— Allons, dit Ragris d'une voix bourrue.

Il jeta son baluchon et sa musette sur la table et suivit le gosse qui courait déjà vers les siens pour annoncer la venue du sauveur.

DU MÊME AUTEUR

COLLECTION FOLIO

Dernières parutions

3683. William Golding	*Trilogie maritime, 3. La cuirasse de feu.*
3684. Jean-Noël Pancrazi	*Renée Camps.*
3686. Jean-Jacques Schuhl	*Ingrid Caven.*
3687. *Positif,* revue de cinéma	*Alain Resnais.*
3688. Collectif	*L'amour du cinéma. 50 ans de la revue* Positif.
3689. Alexandre Dumas	*Pauline.*
3690. Le Tasse	*Jérusalem libérée.*
3691. Roberto Calasso	*la ruine de Kasch.*
3692. Karen Blixen	*L'éternelle histoire.*
3693. Julio Cortázar	*L'homme à l'affût.*
3694. Roald Dahl	*L'invité.*
3695. Jack Kerouac	*Le vagabond américain en voie de disparition.*
3696. Lao-tseu	*Tao-tö king.*
3697. Pierre Magnan	*L'arbre.*
3698. Marquis de Sade	*Ernestine. Nouvelle suédoise.*
3699. Michel Tournier	*Lieux dits.*
3700. Paul Verlaine	*Chansons pour elle et autres poèmes érotiques.*
3701. Collectif	*«Ma chère maman».*
3702. Junichirô Tanizaki	*Journal d'un vieux fou.*
3703. Théophile Gautier	*Le Capitaine Fracasse.*
3704. Alfred Jarry	*Ubu roi.*
3705. Guy de Maupassant	*Mont-Oriol.*
3706. Voltaire	*Micromégas. L'Ingénu.*
3707. Émile Zola	*Nana.*
3708. Émile Zola	*Le Ventre de Paris.*
3709. Pierre Assouline	*Double vie.*
3710. Alessandro Baricco	*Océan mer.*
3711. Jonathan Coe	*Les Nains de la Mort.*
3712. Annie Ernaux	*Se perdre.*
3713. Marie Ferranti	*La fuite aux Agriates.*
3714. Norman Mailer	*Le Combat du siècle.*
3715. Michel Mohrt	*Tombeau de La Rouërie.*
3716. Pierre Pelot	*Avant la fin du ciel. Sous le vent du monde.*
3718. Zoé Valdès	*Le pied de mon père.*
3719. Jules Verne	*Le beau Danube jaune.*
3720. Pierre Moinot	*Le matin vient et aussi la nuit.*
3721. Emmanuel Moses	*Valse noire.*

Composition Jouve.
Impression Bussière Camedan Imprimeries
à Saint-Amand (Cher),
le11 septembre 2002.
Dépôt légal : septembre 2002.
1er dépôt légal dans la collection : février 1999.
Numéro d'imprimeur : 024155/1.

ISBN 2-07-040767-5./Imprimé en France.